FIKOŁKI NA TRZEPAKU

Małgorzata Kalicińska

FIKOŁKI NA TRZEPAKU

WSPOMNIENIA Z PODWÓRKA I NIE TYLKO

ZYSK I S-KA
WYDAWNICTWO

Opracowanie graficzne okładki i stron tytułowych
Bohdan Butenko

Pomysł na I stronę okładki
Agnieszka Herman

Zdjęcie na II i III stronie okładki
Janusz Czarnecki

Zdjęcia, jeśli nie zaznaczono inaczej, pochodzą z archiwum Autorki

Opieka redakcyjna
Jan Grzegorczyk
Tadeusz Zysk
Katarzyna Lajborek-Jarysz

Opracowanie graficzne i techniczne
Barbara i Przemysław Kida

Wydanie I

ISBN 978-83-7506-359-2

Zysk i S-ka Wydawnictwo
ul. Wielka 10, 61-774 Poznań
tel. (0-61) 853 27 51, 853 27 67, fax 852 63 26
Dział handlowy, tel./fax (0-61) 855 06 90
sklep@zysk.com.pl
www.zysk.com.pl

*Kasownik – tak mówiono na nas, bezzębnych.
To ja! Autorka wspomnień w najpiękniejszym
okresie życia, czyli jako dzika i swobodna
podwórkowiczka.*

Konieczny wstęp, bo...

...bo jak? bez wstępu? To nie powieść, żeby z marszu w akcję.

Zresztą to taki album fotograficzny w formie literackiej, wspominki, to jaka „akcja"?

Uprzedzam, że są to wspomnienia dziecka, obrazki zatrzymane w kadrze. Sporo tu smaków, potraw, ale tak już jest, że dziecko — jak zwierzątko — najłatwiej zapamiętuje to, co je, co smakuje, a może tylko ja tak mam? Kulinaria to wszak moja druga natura!

To, co opisuję, to najwcześniejsze lata mojego życia, spędzone w jednej z najładniejszych dzielnic Warszawy — Saskiej Kępie, na ulicy Międzynarodowej, która przez rdzennych przedwojennych mieszkańców Saskiej Kępy zaliczana była do drugiej, „gorszej" części dzielnicy. Nazywana brzydko „Chamówkiem", jako że po wojnie zamieszkała tam ludność napływowa albo ta, która wróciła do Warszawy po wojnie, ale nie zastała już swojego domu, bo był w jego miejscu lej po bombie. Tak było i z moimi rodzicami. Tatko urodzony na Starówce, mama na Floriańskiej osiedli na Saskiej Kępie.

Bardzo mnie rozśmieszyła dyskusja na modnym dziś portalu internetowym. Młodsze ode mnie pokolenie moich kolegów z Międzynarodowej sarka z wyższością na tych, co mieszkali w nowych blokach wybudowanych w połowie lat sześćdziesiątych, „bo tam mieszkali ci z milicji i wojska". Znów się dzielimy na lepszych, najlepszych i gorszych?!

Jednak wszyscy się czujemy saskokępianami, a już zwłaszcza ci, którzy zamieszkali tu niedawno, których Saska Kępa uwodzi swoją zmieniającą się z roku na rok urodą. Jednym to nie w smak, inni po prostu przyjmują to jako *signum temporis*. Czas idzie naprzód!

Nasze dzieciństwo było zazwyczaj słoneczne, bezpieczne, towarzyskie, pełne tajemnic i przygód. „Mamo, jak ja ci zazdroszczę!" — wzdychały moje dzieci, gdy opowiadałam im o podwórku albo wakacjach. Ich dzieciństwo — faktycznie — było... inne. Moje dzieci nie zabawiały długo na brzydkich podwórkach warszawskiego blokowiska. Nie miały takich wakacji jak ja na wsi oswojonej, mojej przez całe lato!

Podobnie szkoła nie jawi mi się jako narzędzie i miejsce tortur, jeśli nie liczyć konieczności uczenia się nienawistnej mi matmy, nierozwiązywalnych zadań z pociągiem, co z miasta A do miasta B. Zawsze uważałam, że to problem PKP, a nie ucznia. Nawet nasze fartuszki, tarcze, dzienniczki itp. nie były dramatem, dziś u niektórych urastającym do rozmiarów koszmaru, co trochę mnie śmieszy. Bywali nauczyciele gorsi i lepsi, ale jakoś tak się dziwnie składa, że nasze pokolenie (nie mówiąc o pokoleniu naszych rodziców, mających w szkołach większe obostrzenia i rygor) jest o niebo lepiej wykształcone od obecnego.

Brak zabawek rekompensowaliśmy sobie rozwijaniem wyobraźni i własnym konceptem. Sama szyłam ciuchy dla lalek, czasem i lalki (!). Szydełkowałam i robiłam na drutach. Więcej czasu spędzaliśmy w ruchu — na własnych nogach, na hulajnodze, na rowerach, na łyżwach, na trzepaku. Więcej było podwórkowych przyjaźni i więzi. Fakt — było bezpiecznie.

Nawet w parku Paderewskiego *vel* Skaryszewskim bywało, oj! bywało, że znajdowano poćwiartowane zwłoki — donosił o tym „Ekspress Wieczorny", ale zimą w piątkowe wieczory, soboty i niedziele ślizgawka była pełna ludzi i zawsze odwiedzana przez patrol milicyjny z psem. Wracałam do domu, nie bojąc się, że coś mi się stanie. W mojej dzielnicy czułam się u siebie (celowo nie piszę „jak u siebie").

Z wielką radością, na prośbę córki i syna, opisałam wszystko tak, jakbym wywaliła wielkie pudło ze strychu na stół i razem z moimi dzieciakami, znajomymi, grzebała się we wspominkach, dzieciom tłumacząc, a znajomym rzucając tylko:

— Pamiętasz? O, zobacz...

Mam pamięć do szczegółów i z takich właśnie szczegółów, puzzli, utkałam to opowiadanie o przeszłych zdarzeniach, kolorach i zapachach. Sądziłam, że mam ją absolutnie bezbłędną, że nie konfabuluję. Ale okazało się, że bywa zwodna, że potrafi zachichotać złośliwie. Wspomnienia o Marku Barbasiewiczu, moim sąsiedzie z domu, umieściłam o wiele za wcześnie, niż miało ono faktycznie miejsce. I pewnie sporo jeszcze drobiazgów zweryfikują Czytelnicy. Ma to znaczenie tylko faktograficzne, ale jeśli komuś to przeszkadza, to mogę tylko przeprosić i zwalić winę na otchłań czasową.

Byłam przez rodziców wychowywana w absolutnej izolacji od polityki i sąsiedzkich plotek.

Nie miałam pojęcia, co się działo w świecie, gdy grałam w klasy, siedziałam na trzepaku, dlatego tych wspomnień nie skrapiam modnym dziś sarkazmem, nie zabarwiam najmodniejszym, czarnym kolorem, jaki się przypisuje PRL-owi.

To nie tak!

Powtórzę za Wiktorem Osiatyńskim, który twierdzi, że bardzo na rękę nam jest zwalić winę na kogoś, na coś — na „trudne dzieciństwo w PRL-u". Jakie to łatwe napisać, myśleć, że nasze niepowodzenia, nieumiejętności są winą dzieciństwa „pod górkę", a po zanalizowaniu — to był przecież dobry czas!

Podziękowania:

Dziękuję moim koleżankom i kolegom z podwórka za wspólne lata spędzone na Międzynarodowej 53.

Dzieciakom ze wsi Szafranki, za wspólne wakacje i za wszystko, czego mnie nauczyły.

Przepraszam, jeśli komuś przypięłam łatkę, ale to ze świadomością, że ja sama jestem „łaciata".

Podwórko

Anka, córka dozorcy, umiała robić na trzepaku takie sztuczki, jakich żadna z nas, ani z tych starszych, ani z tych młodszych, nigdy nie robiła. No, ale Anka była starsza ode mnie i chodziła po lekcjach na zajęcia muzyczne. I rytmikę chyba też. Może to był Dom Kultury na Walecznych? A może Pałac Kultury? Nie pamiętam. Wiem na pewno, że Ania była wysportowana, miała piękne, falujące, kasztanowe włosy, nos ze szlachetną, przełamaną linią — jak u Kleopatry – i trzymała się trochę z boku, jakby dając nam do zrozumienia, że my, nasze lalki, trzepak i zabawa w chowanego to dziecinada w porównaniu z jej ciasno wypełnionymi dniami. Rzadko się z nami bawiła, bo rzeczywiście była bardzo zajęta, a wkrótce zaczęła nosić okulary i o trzepaku nie było już mowy.

Podwórko na Międzynarodowej. Lata sześćdziesiąte.

Trzepak!

To było najważniejsze wyposażenie każdego podwórka. W latach sześćdziesiątych rzadko kto w naszym domu miał odkurzacz. W soboty żony wysyłały mężów lub starszych synów z dywanami na trzepak, by ci porządnie wytrzepali zeń brud z całego tygodnia. Panowie w zgniłozielonych lub granatowych, powypychanych na kolanach dresach, flanelowych koszulach i kapciach, dzierżąc w dłoniach trzepaczki wiklinowe lub druciane, maszerowali ze zrolowanym dywanem. Pokazywali sąsiadom i sobie samym, jaki to wkład w prowadzenie gospodarstwa domowego ma sobotni mąż!

Wdowy, rozwódki i żony pijaków same trzepały dywany. Miały na sobie wytarte szlafroki ze starej satyny w turecki wzorek, ranne kapcie, a na głowie chustkę zakrywającą wałki. Po co nakręcały włosy na wałki? Kobiety zawsze chcą być ładne. Nawet jeśli mają iść tylko na ławkę po południu, gdy było lato, poutyskiwać z sąsiadkami na męża, drożyznę i „bachory".

Podwórka Saskiej Kępy, Woli, Muranowa, Warszawy, Katowic, Opola i całej Polski wypełniały się wieczorami takimi sąsiadeczkami, które jak wierne kopie scenicznej Hanki Bielickiej pytlowały z braku lepszych zajęć i kultywowały wielowiekową tradycję kobiet plemiennych.

Mieszkałam z rodzicami na parterze, w drugiej klatce schodowej, w czteropiętrowym bloku przy ulicy Międzynarodowej 53. To były śliczne, wytęsknione domy, zbudowane po wojnie w latach pięćdziesiątych dla wszystkich tych, którzy kochali Warszawę i cierpliwie czekali na jej odbudowę. Gnieździli się, gdzie popadło, w ciasnocie i dyskomforcie, z nadzieją, bo jednak ulica po ulicy, dzielnica po dzielnicy powstawały nowe domy, o których chóry pań i panów w radiu śpiewały śliczne, socrealistyczne piosenki:

(...) *Na prawo — most!*
Na lewo — most! A dołem Wi-i-sła płynie-e.
Tu rośnie dom,
Tam rośnie dom, z godziny na-a godzi-ine! (...)

Nasz dom miał cztery klatki schodowe, cztery piętra, płaski dach, balkony po obu stronach i był zbudowany z jasnej, piaskowej cegły. Podwórko było wyposażone w trzy trzepaki i dwie piaskownice — głębszą przy pierwszej klatce, dla starszych dzieci, i płytszą przy trzeciej klatce, dla maluchów. Dwa trzepaki były wolno stojące, a jeden zamocowany w ścianie budynku, który stał prostopadle do naszego bloku, przy czwartej klatce, i był garażem z jednej strony i śmietnikiem z drugiej.

Fot. Katarzyna Sagatowska

Vis-à-vis pierwszej i drugiej klatki, przez szerokość podwórka, zaczynała się siatka ogrodzeniowa, a za nią ulica Londyńska, niegdyś stanowiąca granicę Saskiej Kępy w stronę Kamionka, zanim powstała Międzynarodowa. Był to piękny przedwojenny budynek. Czteropiętrowa, ogromna willa z ogrodem dla mniej więcej dwunastu rodzin. Zbudowana z rozmachem i smakiem, z balkonami, tarasami i ogrodem.

Pod siatką oddzielającą ogród tej willi od naszego podwórka stała stara ławka i trzepak numer jeden. Był okupowany głównie przez starsze i młodsze dziewczynki, bo ten drugi często służył chłopakom jako bramka do „gały" (piłki kopanej). Dwa, trzy metry za tym drugim trzepakiem stała wielka, szara ściana jakiegoś garażu należącego do innego domku z ulicy Londyńskiej, który w porównaniu z willą, którą opisałam, wyglądał jak kurnik. Był tam też ogród, ale zapuszczony i byle jaki, oraz domek sklecony naprędce. Parterowy, szary, brzydki i ponury. Nie pamiętam, kto tam mieszkał. Dość, że nie przeszkadzało temu komuś to, że piłka kopana do trzepakowej bramki dudniła całymi latami o szary mur, aż kolejne pokolenia chłopaków z mojego bloku wyrastały z „kopanki".

Trzepak numer trzy, ten wiszący na ścianie śmietnika, *vis-à-vis* czwartej klatki schodowej, to było wyższe wtajemniczenie. Dosłownie i w przenośni, bo żeby wleźć na niego samodzielnie, trzeba było mieć co najmniej metr trzydzieści wzrostu! Trzeba było nauczyć podciągnąć się i mieć gumowane pepegi, żeby stopy nie ześlizgiwały się podczas wspinaczki. Na górze potrzebne było wyczucie równowagi i odwaga, żeby przesunąć mały tyłeczek na środek trzepaka i, trzymając dłonie specjalnie, fiknąć kozła, jednocześnie puścić ręce i zeskoczyć na beton. Gdy się nie oderwało w porę rąk, trzeszczały boleśnie w stawach, a delikwent spadał w bólu na chodnik.

Chłopaki potrafiły jeszcze po bocznych, na przemian wystających cegłach w śmietniku wejść na jego dach, a nieliczni śmiałkowie umieli wspiąć się na ten dach z trzepaka! To jednak była karkołomna umiejętność i nieraz słychać było, jak jakaś matka, widząc te szaleństwa, klęła i utyskiwała głośno na swoją „cholerę" i obiecywała, że jak: „Ty, cholero, przyjdziesz do domu, to dostaniesz od ojca!" No, był to pewien straszak, ale jakoś nikt się tych pogróżek nie bał. Matka zaś na ogół poprzestawała na tym, uważając, że w kwestii wychowania „cholery" zrobiła, co należało.

Fot. Katarzyna Sagatowska

Trzepak numer jeden, ten nasz dziewczyński, był solidny, z grubych stalowych rur, chyba kiedyś pomalowany na brązowo, ale miejsca, na których się fikało, wytarte były do błyszczącego metalu od rąk, ud i naszych tyłków. Czyli: mojego, Gośki, Anki, Kryśki i mogłabym znów wymieniać kolejną Gośkę i Ankę, bo w tamtych czasach imiona moich koleżanek były nader proste. Zwykłe dziewczyny to były: Gosie, Anki, Kaśki, Kryśki, Bożeny, Doroty i Ewki. W „elegantszych" rodzinach pojawiały się Iwonki, Hanie, Moniki, Kamile i Mariole.

Uwaga ważna: Ten rozdział można pominąć!

To długaśny opis moich koleżanek i kolegów z podwórka, z bloku przy Międzynarodowej 53. Uważam, że się im należy. Postaram się przedstawić wszystkich z naszego podwórka tak, jak ich pamiętam, a niezainteresowanych odsyłam od razu na stronę 33 ☺.

W pierwszej klatce na parterze mieszkały trzy siostry. Dwie jakieś starsze, a młodszą, Tereskę, pamiętam dobrze, bo często siedziała w kuchennym lufciku, lekko naburmuszona, podparta małą piąstką. Miała około pięciu lat, małe bystre oczka, prostą blond grzywkę i ułamany górny siekacz (na pewno spadła z trzepaka!). Nazywały się Kostro — tak, chyba tak!

Obok mieszkał pan dozorca z żoną i córką Anią, tą, co była najlepsza na trzepaku. Dozorca był bardzo porządnym człowiekiem i nazywał się chyba Janiszewski. Niewysoki, okrągły, niby groźny. Codziennie ubrany w szary kubrak i robocze spodnie, od świtu zamiatał podwórko brzozową miotłą albo odśnieżał. Sprzątał, mył klatki schodowe i burczał na niegrzeczne dzieci i psy. Jego żona, cicha i zapracowana kobieta, nie pokazywała się na podwórku.

Do dozorcy biegało się po klucz od suszarni, kiedy mama robiła pranie. W małych peerelowskich mieszkankach nie było miejsca na suszenie ubrań i pościeli. Raz na miesiąc robiło się pranie. W domu lub w piwnicy, gdzie była pralnia, do której klucz miał dozorca. Potem taszczyło się mokre pranie na strych, żeby wszystko powiesić. Na każdej klatce, na ostatnim piętrze, był strych i mieszkający obok lokatorzy zazwyczaj mieli klucz. (U nas, na drugiej klatce, to byli Skrobiszowie).

Pranie w tamtych czasach pachniało mydlinami, krochmalem i szklaną wodą. Czasem dodawało się sody, a do białej bielizny i pościeli lekkiego krochmalu (kiślu) ugotowanego z mąki ziemniaczanej z dodatkiem farbki. Niebieskiej.

Obok dozorcy mieszkała z rodzicami moja wielka przyjaciółka, Gosia Poboży. Jej tata był wysoki, lekko się garbił, gdy szedł jesienią czy zimą do domu, i nigdy się nie zapinał. Nosił teczkę aktówkę i odkłaniał się zawsze, gdy się mu mówiło „dzień dobry". Z dygnięciem. „Dzień dobry" mówiło się wszystkim dorosłym. Obowiązkowo. Można było nie mówić tylko pijakom albo sąsiadom, z którymi się kłóciło.

Mama Gosi miała na imię przecudnie: Irmina. Było to imię iście królewskie i bardzo mi się podobało. (Wtedy jeszcze nie wiedziałam, że Małgosia nazwisko też ma królewskie). Pani Irmina podobała mi się, bo często się uśmiechała, była pulchna i wesoła, miała natapirowane włosy, nosiła płytkie czółenka z wąskimi czubeczkami, na maleńkiej szpilce, i cudownie gotowała. Lubiłam, gdy robiła pyzy ziemniaczane z dziurką, żeberka z majerankiem i pytała: „Zjecie, dziewczynki?" I myśmy zjadały.

Moja mama nigdy nie robiła pyz ani żeberek, bo była nauczycielką w Gimnazjum im. Marii Curie-Skłodowskiej na Saskiej Kępie, a jak wiadomo, nauczycielki jadały w szkolnych stołówkach. Obiady dla mężów przynosiły w menażkach, bo poprawiając klasówki, nie miały czasu na gotowanie.

Menażki to był ulepszony model glinianych trojaków, w jakich żniwiarze w całej Polsce i w *Chłopach* Reymonta dostawali obiad od swoich żon, chłopek. W jednym garnku były ziemniaki, czyli kartofle, czyli pyry, czyli grule, a w drugim biały barszcz, żurek, zalewajka, „kwaśna" lub zsiadłe mleko. Menażki były z aluminium lub emaliowane. Składały się z głębszego garnuszka (dolnego) na zupę, na nim stawał płytszy na ziemniaki, kaszę lub kluski, na nim następny na mięsko lub gołąbka i ostatni, płyciutki — na surówkę. Kisiel albo kompot brało się w słoiku. To wszystko było łączone długą, metalową rączką w kształcie odwróconej litery „U". Nie będę szczegółowiej ich opisywała, bo prędzej czy później będzie je można zobaczyć w jakimś muzeum, antykwariacie czy Internecie jako relikt przeszłości.

Współczesne trojaki.

(Jakież było moje zdziwienie, gdy na lotnisku w Barcelonie zobaczyłam niedawno... menażki! Nowoczesne, ładne, z plastiku, pełniące tę samą funkcję! Czyli to wynalazek wszechczasów?)

Tak więc mama w tygodniu nie gotowała. Ja też jadałam w szkolnej stołówce. U nas obiady gotowało się w soboty i niedziele.

Obok Gosi mieszkało rodzeństwo Gośka i Grzesiek Malarscy, starsi od nas. Na pierwszym piętrze mieszkali państwo Piotrowscy, starzejący się aktorzy teatru lalkowego. Mieli psa rzadkiej rasy collie, którego uwielbiali z racji braku dzieci. Pani Piotrowska często strzepywała ściereczki od kurzu, stojąc na balkonie w spłowiałym, niebieskim szlafroku. Trzepiąc ściereczkę tysięczny raz, przyglądała się po prostu całemu światu, bo ona, bądź co bądź aktorka, nie może tak sobie stać na balkonie i gapić się, jak niektóre prostaczki spoczywające biustem na poduszce wyłożonej w lufciku.

Pani Piotrowska nosiła starannie zrolowane na spinki włosy koloru pomarańczowego (od jakiejś dziwnej farbki), zupełnie nie przykładając wagi do panującej mody. Jej misterne loki pochodziły żywcem z filmów przedwojennych. Tak czesała się Mieczysława Ćwiklińska, tak też czesała się pani Piotrowska! Pan Piotrowski, niski i łysiejący starszy pan, dreptał zawsze grzecznie takim jakby truchcikiem z zakupami ze sklepu albo na spacer z psem (rzadkiej rasy collie!). Byli uroczą parą, bardzo ich lubiłam.

Na pierwszym albo drugim piętrze w narożnym mieszkaniu mieszkała starsza od nas dziewczyna — drobna i niezwykle urodziwa. Miała delikatne rysy Nefretete, spory, garbaty jak u Kleopatry nos, wielkie oczy i wspaniałą kaskadę długich włosów, zawsze dość luźno zaplecionych w puszysty warkocz.

Cicha i skupiona nigdy nie zahaczała o podwórko. Za dorosła, ale pamiętam mój zachwyt nad jej pięknem.

Na przedostatnim piętrze mieszkała Anka Grabowska z rodzicami i starszą siostrą. Być może miała jeszcze brata, ale ja najlepiej pamiętam Ankę i jej mamę. Anka była o rok starsza ode mnie, miała kręcone, bardzo gęste włosy i przyjaźniła się z Krysią z mojej klatki schodowej.

Na trzecim piętrze mieszkali też państwo Pawełkowie z synem i córką. Ela była już panienką, jej brat podrostkiem i byli dla nas za dorośli. Kiedy Ela była licealistką, pani Pawełkowa urodziła jeszcze jedno dziecko. Ten maluch był dla nas za dziecinny. Nie pamiętam, co robił brat Eli, pewnie nic szczególnego. Za to Ela świetnie się uczyła. Spotkałam ją parę lat temu na korytarzu pewnego biura, gdzie, jak się okazało, pracowała w redakcji kobiecego czasopisma. Jej teksty i wywiady zawsze są ambitne, interesujące i nie byle jakie, jak sama Ela.

Na ostatnim piętrze, obok suszarni, w mieszkaniu z wielkim balkonem mieszkała śpiewaczka operowa, pani Jadwiga Dzikówna z córką Małgorzatą. Starszą od nas, wyniosłą dziewczynką, która była równie dobrze wychowana, co samotna. Mama nie pozwalała jej się bawić na brudnym podwórku na trzepaku, z którego można było spaść. Małgosia nosiła się czysto i elegancko, nie pamiętam, żeby siadywała z nami na trzepaku.

Wieczorami pani Dzikówna, zamyślona i poważna, szła w stronę klatki schodowej pewnym, mocnym krokiem, ubrana w chanelowskie kostiumy, bluzeczki z koronkowym kołnierzykiem, piękne broszki pod szyją i gustowne pantofelki, zazwyczaj z czarnego aksamitu lub brązowej skórki, na francuskim obcasie. Za nią snuł się zapach perfum i wielkiego świata. Mieszkała z nimi gosposia, bo pani Dzikówna, mając piękny głos i perłowe paznokcie, nie mogła być jednocześnie gospodynią domową. Nie pamiętam mężczyzny, więc chyba mieszkały we trzy: pani Dzikówna, Małgosia i gosposia.

Parę lat później byłam w Teatrze Wielkim Opery i Baletu w Warszawie z moim kolegą Sławkiem Sielickim, a pani Dzikówna śpiewała arię w *Halce*. Miała dopięte długie warkocze i zieloną sukienkę. Śpiewała sopranem piękne arie Moniuszki, na koniec rzucała się ze skały z miłości do Jontka.

W drugiej klatce, na parterze mieszkałam ja, moja mama i mój tata bez ręki (lewej — był w czasie wojny saperem i w ręku wybuchł mu zapalnik). Z nami mieszkał zawsze jakiś pies. Zawsze duży. Tatko nie znosił małych.

Obok nas mieszkał pan Brański z bratem. Inwalida bez obu nóg. Chodził na okropnie skrzypiących i źle funkcjonujących protezach, podpierając się kulami. To go tak męczyło, że wracał do domu wściekły i obolały. Wtedy wszystko go irytowało, a szczególnie nasz pies, który szczekał jak każdy pies, ale najbardziej, gdy nas nocą okradli, i wtedy tata, żeby pan Brański się nie wściekał, uciszał psa i wciskał go pod łóżko, a złodzieje weszli przez lufcik w kuchni i ukradli z przedpokoju różne rzeczy.

Na wprost schodów mieszkał pan Kwiatkowski z panią Kwiatkowską. Ich dorosły już syn mieszkał gdzie indziej i przyjeżdżał tylko na obiady w niedzielę. Pani Kwiatkowska była mała, sucha i bardzo kochała piwniczne koty. Żeby im umilić życie, stawiała przy piwnicznych okienkach spodeczki z mlekiem, a na kawałku gazety resztki wędlin lub wędzonej ryby, której nie dojadała, żeby dać kotom. W lecie kocie szczyny, na pół zgniła ryba i resztki śmierdziały, więc dozorca sprzątał to wszystko, wykłócając się z panią Kwiatkowską. Ona wykrzykiwała o nieszczęsnym losie biednych kotów, on, że „porządek musi być", a na to wszystko patrzyła z wyższością pani Piotrowska z pierwszego piętra, strząsając pyłki ze ściereczki. Z wyższością, bo ona miała psa rzadkiej rasy collie!

Pan Kwiatkowski nosił okulary w okrągłej, rogowej oprawie. Chodził w szarych garniturach, pod którymi nosił stare, wełniane kamizelki na błękitnej koszuli. Był cichy, skromny i dość miły, no i mówiło się, że to rodzony brat Ireny Kwiatkowskiej, TEJ aktorki, ale „oni się nie gościują".

Obok państwa Kwiatkowskich mieszkali państwo Serwatko. Mieli trzy lub cztery córki. Dorosłe, ich nie pamiętam, za to z młodszymi — Bożeną i Teresą — bawiłam się nieraz. Pani Serwatko była gospodynią domową, chyba później pracowała gdzieś na pół etatu. Była duża, gruba, a włosy, skręcone mocno wiekową trwałą, upinała za uszami rogowymi grzebieniami. Często widywałam ją przepasaną fartuchem, wiecznie coś robiącą w domu. Gotowała, prasowała, prała. No, taka Mama Domowa.

Bożena, starsza z młodszych sióstr, miała ciemne, falujące włosy. Warkocz gruby i piękny obcięła po komunii i już zawsze nosiła krótkie. Była smutnawa i chodziła lekko kołysząc się na boki.

Najmłodsza Teresa, czyli Dzidka, była blondynką, prostą i nieskomplikowaną dzieciną. Ojciec dziewczynek, czerwony na twarzy czerstwy chłop, pan Serwatko, pracował w bardzo ciekawym zawodzie. Zawsze nas zastanawiało to, że wstaje przed świtem i wychodzi z domu, potem wraca i znów przed zmierzchem wychodzi, trzymając w ręku dziwny, haczykowaty przyrząd. Pewnego razu zobaczyłam go na Żoliborzu, gdy byłam z wizytą u mojej babci Helci. Otóż pan Serwatko zapalał i gasił gazowe latarnie, które jeszcze gdzieniegdzie zostały po wojnie na ulicach Warszawy. To była cicha i spokojna rodzina. Czemu smutni? No, może poważni. Po prostu tacy byli.

Na piętrze nad nami mieszkała z rodzicami Iwonka. Mama Iwonki urodziła potem synka. To była grzeczna i dobrze ułożona rodzina. Tato Iwonki, szczupły i bardzo przystojny pan, pracował gdzieś jako urzędnik. Nosił się bardzo elegancko i pachniał dobrą wodą kolońską. Mama Iwonki mogłaby być dziewczyną z okładki ówczesnego czasopisma kobiecego typu „Przyjaciółka" lub „Uroda". Była bardzo ładna, zadbana, nosiła się modnie i po kobiecemu. Wysoko tapirowała włosy i układała je w sporą „banię", podpinając na dole dużą, owalną, miedzianą klamrą. Malowała czarne kreseczki na górnej powiece (jak wszystkie wtedy aktorki!) i usta na różowo. Nosiła niskie szpilki, najczęściej białe, i ortalionowy płaszcz, ówczesny hit. W talii zaciśnięty paskiem. Często w niedzielę zapinała na uszach duże klipsy. Miała wydatne łydki, grube w pęcinach (takie podobają się do dziś mojemu bratu). Pachniała perfumami „Być może" i robiła z ust dzióbek, tak jak Beata Tyszkiewicz.

Iwonka była chuda jak patyk. Nosiła wysoko zawiązany „koński ogon" albo warkocze. Oczy i kokardy miała wielkie. OGROMNE. Zawsze była czyściutko ubrana, cicha i bardzo grzeczna. Nigdy nie dyndała z nami na trzepaku. Nigdy też nie bawiła się w piachu i nie udawała partyzanta. Kiedy jej mama urodziła braciszka, Iwonka stała się jego opiekunką i obie z mamą zajmowały się dzieckiem.

Obok Iwonki mieszkali państwo Walczakowie z córkami. Starsza, bodajże Krysia, była panienką prychającą na zabawy podwórkowe. Za to młodsza, Renata — półdiablę — była takim Piotrusiem Panienką. Krótko obcięta, często w spodenkach i pepegach, choć młodsza od nas, to dorównywała nam w zabawach. Fantastyczna na trzepaku, świetnie łaziła po drzewach, była wesoła i psotliwa. Pan Walczak chodził w szarym lub popielatym prochowcu, nosił okulary w grubych, ciemnych oprawkach, miał zakola i był zapracowany i baaardzo poważny, może też nosił wąsik?

Za to mama Renaty wyglądała czasem jak modelka z żurnala albo włoska aktorka, choć była to pani powściągliwa, o nienagannych manierach. Pięknie wyglądała w biało-granatowej szmizjerce, której dół ładnie „kloszował się" na krochmalonej haleczce. W cienkiej talii biały pasek, białe skarpetki do białych sandałów na niewielkim koturnie, z odkrytymi noskami i cudo, które sprawiało, że wyglądała tajemniczo i elegancko — ciemne okulary w białych oprawkach! Miała też piękne, gęste włosy, które odgarniała charakterystycznym gestem, kiedy stała pod klatką schodową, a Renata wydzierała się spod trzepaka:

— Mamuś, jeszcze chwilkę!

Kiedy nie było taty, pani Walczakowa groziła Renacie palcem i uśmiechem dawała przyzwolenie na „chwilkę". Gdy tata był w domu, Renata bez słowa wsiąkała za mamą w czeluść klatki schodowej, bo z panem Walczakiem się nie dyskutowało.

Na drugim piętrze, w pionie nad nami, mieszkało małżeństwo z dwoma dorosłymi synami, z których starszy, chyba Jurek, utykał na nogę. Młodszy, Wojtek, jeszcze czasem wychodził pograć w „gałę" z naszymi chłopakami, chociaż coraz rzadziej, bo ojciec kupił chłopakom „kolarki", wyścigowe rowery.

Były to czasy, w których Wyścig Pokoju był dorocznym wydarzeniem sportowym, wielkim, masowym świętem, które wyganiało ludzi na trasy jego przebiegu albo usadzało na długie, pełne napięcia godziny przy radiu. KAŻDA rodzina słuchała sprawozdań, które były komentowane w tak fenomenalny sposób, że wszystkim skakało ciśnienie, wszystkim udzielała się masowa histeria i dręczące pytania: „Czy nasi wygrają? Czy dokopiemy sąsiadom zza wschodniej granicy, czy będzie medal?"

Na ulicach i w parkach gromadzono się wokół megafonów albo posiadaczy ręcznych, tranzystorowych radyjek (wielkim szpanem, honorem, dumą było mieć tranzystor!). Ekscytacje podnosiły słuchaczy z ławek, krzeseł, foteli, gdy Królak, Mytnik, Szurkowski, Szozda czy Krzeszowiec pokazywali, na co ich stać. Gdy toczyli cichą, czasem brutalną walkę z bezwzględnymi Rosjanami (Lichaczew) lub Niemcami, z którymi trzymali też Czesi. To dlatego nasi kolarze mieli w Polsce tak kolosalny entuzjastyczny, czasem na granicy histerii aplauz. Gra szła nie tylko o medale. Była wyrazem naszych skrywanych sympatii i antypatii politycznych.

Marzeniem każdego chłopaka był oczywiście rower, a kolarka to już był szczyt uniesień. Trzy, cztery przerzutki, opony „szytki", hamulce przy kierownicy i ogólnie posiadacz kolarki to był gość! Z czasem, gdy pojawiły się u nas w bloku telewizory, szaleństwo Wyścigu Pokoju sięgnęło zenitu. Spraszało się ulubionych sąsiadów i wrzeszczało, wyło lub zawodziło gromadnie. Do dzisiaj mam w uszach krzyki i niemal szlochy ówczesnych sprawozdawców. Bohdan Tomaszewski dawał oprawę kolarstwu i lekkiej atletyce, Jan Ciszewski piłce nożnej i żużlowi. Ich słynne lapsusy (odsyłam do lektur) nadawały koloryt ówczesnym transmisjom.

Mnie nie obchodziło to kompletnie. Owszem, chodziłam na telewizję, ale nie na głupi wyścig! Byłam za mała na te emocje. Później, gdy już zdałam do liceum, i mnie się one udzielały, ale nie aż tak, żebym sama z siebie gnała do radia czy do telewizyjnych sprawozdań.

Na drugim piętrze mieszkał mój najlepszy kolega z dzieciństwa, Kuba Mosz. Jako małe, cztero-, pięcioletnie dzieci byliśmy już jak brat i siostra. Przyjaźniły się nasze mamy. Ciocia Basia była jedyną sąsiadką, z którą przyjaźniła się moja mama.

Kuba i ja bawiliśmy się, odkąd sięgnę pamięcią. Najpierw pluszakami. Ja tygryskiem, Kuba psem. Dużym, żółtym, który był psem czarodziejskim, oczywiście. Potem mieliśmy wyimaginowane zwierzęta. Ja krowę, Kuba konia. Koń Kuby nazywał się Tornado, bo Kuba miał w domu telewizor, a w środy leciał o szesnastej trzydzieści serial *Zorro*. Koniem Zorro był właśnie Tornado.

WSZYSTKIE dzieci oglądały *Zorro* i nic dziwnego, że po podwórkach biegało takich zorrów, dużych i małych, bez liku. Kapelusze z czarnej tektury, wymodlone u ojców lub braci, oraz czarne peleryny, wymodlone u mam. Zdarzało się, że opornej matce ginęła czarna halka lub satynowy fartuch. Nie chciała uszyć? To nie! Zorro sobie poradzi! A szpada? Krzaków było pod dostatkiem, brało się nóż albo starszego brata z nożem i była szpada!

Mieliśmy, ja i Kuba, niespożytą energię i fantazję. Nasze zabawy były pełne niebezpieczeństw, ciężkich wypraw i szczęśliwych zakończeń. Kuba miał dwa pudła klocków, plastikowych (wzorowanych na lego) i drewnianych. Z tych klocków budowaliśmy wszystko, a czego nie dało się zrobić z klocków, robiliśmy z plasteliny. Do dziś pamiętam jej okropny zapach. Była bura, bo kolory były wielokrotnie ze sobą zmieszane, i bardzo plastyczna. Świetna! Gorzej było w piękne słoneczne dni. Kuba, osiągnąwszy wiek męski (jakieś... siedem czy dziewięć lat), zdecydowanie stronił ode mnie i bawił się wtedy z chłopakami. Zawsze mu wybaczałam te zdrady. W dni deszczowe odnawiał naszą znajomość i bawiliśmy się w domu.

Ciocia Basia, mama Kuby, była bardzo niezwykłą ciocią, pełną humoru, czeszącą się w wysoko upięty koński ogon, co przy małym wzroście dodawało jej animuszu. Śmiała się jak mały chochlik i pozwalała nam na różne psikusy.

Tata Kuby był już „wyprowadzony", bo właśnie się z ciocią rozwiedli. Ciocia zrobiła wszystko, by Kuba odczuł to najmniej, ale to się i tak żadnej matce nie udaje. Kuba przeżywał po cichu rozwód rodziców. W tym czasie też „zdradzał" mnie czasami ze swoim nowym przyjacielem, Tomkiem Burdzym, który wraz z rodzicami mieszkał na Międzynarodowej 51, a więc na podwórku obok.

Ponieważ między rodzicami Tomka też się coś kotłowało, mama Tomka zaprzyjaźniła się z ciocią Basią, co moja mama też chyba odczuła jako rodzaj zdrady. Dziś wiem, że może zbyt poważnie to traktowałam, bo dobrze jest mieć wielu przyjaciół. Zawsze jednak przyjacielem chce się być tym jednym, jedynym, wyjątkowym.

Ciocia zgrabnie dzieliła czas między przyjaciółki i po pewnym czasie wszystko się unormowało. Między nimi, bo ja musiałam pogodzić się z tym, że Kubę wciągnęły do swojego grona chłopaki. Wkrótce przestał mi być potrzebny, bo nie rozumiał moich dziewczyńskich westchnień do Seweryna Krajewskiego, Janka Kosa z *Czterech pancernych* i innych przecudnych aktorów i piosenkarzy. Może Kuba też czuł się zdradzany tymi miłościami?

Z czasem zaczęły mi rosnąć piersi i w nosie miałam chłopaków.

Na trzecim piętrze mieszkali Kryśka i Krzysiek Gołębiewscy z mamą. Krzysiek był dorosły (jak dla nas). Miał z piętnaście lat, nosił farmerki (namiastka jeansów), czerwone (!!!) skarpetki, nie obcinał włosów (o matko!) i pyskował. Mieszkali bez ojca i to chyba Krzyśka specjalnie „żarło", więc się stawał trudny.

Krysia, starsza ode mnie o rok, kolegowała się z Anką Grabowską z pierwszej klatki schodowej. Chodziły do jednej klasy. Była ładna i miała piękny głos, bardzo kobiecy. Miała też bardzo mocny charakter, a przynajmniej taką siebie dawała światu. Żadnych łez ani słabości. Czułam, że w środku jest romantyczką, ale byłyśmy tylko koleżankami z klatki, więc nie łączyła nas taka zażyłość, bym to mogła zweryfikować.

Mama Kryśki i Krzyśka miała wąskie, zacięte usta. Zawsze się spieszyła. Z przystanku do domu prawie biegła. Pewnie chciała skontrolować Krzyśka, czy nie pali papierosów, ugotować obiad... Krzysiek i tak w domu nie palił, a jak już, to zdążał wywietrzyć. Czasem w niedzielę wkładała białe korale i szła z dziećmi lub samą Krysią do kościoła, znacznie wolniej niż w tygodniu.

W trzeciej klatce schodowej, na parterze, nie było moich równolatków. Mieszkali tam Milejowie. Świeżo przyjechali z jakiejś wsi. Mieli małe dzieciaczki o bieluchnych włosach i szarobłękitnych oczach. Młodszy, Andrzejek, śmieszny brzdąc o pełnych ustach naburmuszonego dziecka, miał pieprzyk nad wargą. Seplenił. Jego starsza siostra, Joasia, miała mleczną cerę i urodę leśnego duszka. Była cicha i delikatna. Obydwoje grzeczni, choć jak Andrzejek podrósł, wyhodował sobie różki i rozrabiał jak mały koziołek. Ich mama, niepiękna i prosta kobieta, nosiła bardzo silne szkła. Mówiła, zaciągając po białostocku (może byli spod Słupska, z Kurpi albo... no, nie wiem). Nosiła sandały na płaskim obcasie i całymi dniami siedziała na ławce, szydełkując, cerując lub robiąc na drutach. Rozmawiała z kobietami i spoglądała na Andrzejka robiącego babki w piaskownicy. Kiedy Asia wracała ze szkoły, mama, Asia i Andrzejek szli do domu robić obiad, bo niedługo wracał tata, prosty chłopina upijający się w soboty, harujący gdzieś w mieście jako robotnik.

Wyżej (piętra nie pamiętam) mieszkali Jasińscy. Mieli córkę Ewę, starszą ode mnie, i Roberta, w moim wieku, który był też kolegą Kuby. Ewka miała piekielny temperament. Była typem dziewczyny-rozrabiaki. Chłopaki bały się jej, bo umiała przylać, no i klęła jak dorożkarz.

Robert, wychowywany trochę przez rodziców, trochę przez Ewkę (no i przez podwórko), był zwykłym saskokępskim łobuziakiem. Jako kumpel z podwórka, bardzo fajny i koleżeński. Gdy bawiliśmy się w wojsko, nigdy się nie kłócił z dowódcą, no i mnie, dziewczyny, nie traktował źle. Lubiłam go za to.

Na pierwszym piętrze zaś mieszkała ze starszą siostrą i rodzicami moja koleżanka z klasy, Ewa Frączyk. Jej mama była tęgawą, sympatyczną panią w okularach w beżowej oprawce. Miała krótkie, ciemnoblond włosy i charakterystyczny, męski chód. Była dość wesoła i sympatyczna.

Tata Ewy, zapracowany jak wszyscy ojcowie, pojawiał się na chodniku po południu, gdy wracał z pracy. Pamiętam, że zawsze nosił kurtki, nie płaszcze. Ewka nosiła krótkie fryzury i miała chłopięcą naturę, dawała chłopakom popalić, grając świetnie w „gałę". Właziła na śmietnik bez problemu, przełaziła przez płoty, skakała po drzewach, znakomicie operowała scyzorykiem. Na trzepaku tylko siadała, żeby pogadać, nie stanowił dla niej atrakcji. Nigdy nie mówiła brzydkich słów, chociaż potrafiła pobić się z najgorszym chuliganem z sąsiedztwa. Była świetna! Dopiero w siódmej klasie zapuściła włosy i wykobieciała. Przyjaźniła się z moją późniejszą przyjaciółką, Gosią Woźniak, która mieszkała w tej samej klatce schodowej, co Ewa.

Gosia miała brata Krzyśka, starszego od siebie zbuntowanego, pryszczatego nastolatka, którego bunt polegał na tym, że dokuczał Gośce. Woźniakowie byli bardzo porządną rodziną. Pan Tadeusz, zawsze z aktówką, zawsze w eleganckim garniturze i czyściutkich butach, pracował w jakimś ministerstwie. Bałam się go, bo był bardzo surowy i zasadniczy.

Mama Gosi, drobna blondynka w okularach, była gospodynią domową. Nigdy się nie malowała, była taka... naturalna. Gdy nie było w domu pana Tadeusza, była wesoła i z poczuciem humoru, przy mężu poważniała. Hodowała na mokrej ligninie rzeżuchę, którą wkładała Gosi do kanapek. Tylko jej kanapki miały ten wyjątkowy zapach. Wiem, bo siedziałam z Gosią w jednej ławce w ósmej klasie.

Na pierwszym od frontu mieszkała Aśka Kaśka Iwaszkiewicz, ciemnowłosa koleżanka, która nauczyła mnie bekać i ogólnie była straszną śmieszką. Chodziłyśmy razem po kwaszone ogórki na Walecznych i gadałyśmy, siedząc na trzepaku. Tym środkowym.

Na drugim piętrze nad Ewą mieszkali państwo Bednarscy. Mieli starszą córkę Jolę i młodszego syna Janusza. Jola była dobrą uczennicą, za dorosłą na trzepak i podwórko. Widywałam ją, jak nienagannie ubrana w granatowy fartuch z bielutkim kołnierzykiem, z teczką maszerowała do liceum. Uczyła się w Mickiewiczu na Saskiej. Jola miała długaśny, piękny warkocz. Najgrubszy, jaki kiedykolwiek widziałam. Ona, mama i Janusz mieli błyszczące, czarne włosy. Dziś Jola mogłaby reklamować szampony, a zdjęć jej włosów nie trzeba by obrabiać komputerowo.

Pani Bednarska, niewysoka, okrąglutka kobieta, upinała włosy w ciasny kok i nosiła okulary. Nad ustami miała ciemny meszek, który nadawał jej urodzie jakiegoś takiego hiszpańskiego charakteru. No i miała nieokiełznany język. Była jazgotliwa, gdy ze swojego okna pouczała rozrabiające dzieciaki.

Janusz był starszy o rok, dwa ode mnie. Bardzo charakterystycznie wymawiał „r". Do szkoły mama zawsze ubierała go w porządne spodnie, granatowo-szafirowy sweter w serek, spod którego wyglądał śnieżnobiały kołnierzyk koszuli. Uczył się bardzo dobrze, ale jeszcze lepiej śpiewał i aż do mutacji był filarem naszego szkolnego chóru. Kiedy nie mógł już śpiewać, zajął się metaloplastyką. Robił piękne, wypukłe rzeźby z blachy. Chyba też poszedł do Mickiewicza, a może do Liceum Sztuk Plastycznych?

Wyżej, na trzecim i czwartym piętrze, mieszkali jacyś ludzie bez dzieci i dlatego ich nie pamiętam, ale wrócę jeszcze na drugie piętro. Otóż mieszkał tam zjawiskowo piękny mężczyzna z brzydkim kundlem. Aktor, Marek Barbasiewicz. Gdyby przypadkowo trafił wtedy do Hollywood, to James Dean czy Rock Hudson wpadliby w kompleksy. Dziś pan Marek jest ogromnie przystojnym, siwiejącym panem, ale wtedy był tak oszałamiająco piękny i tajemniczy, że... nie zwracaliśmy na niego zbytniej uwagi. Był jakiś taki... nierzeczywisty.

Ostatnia klatka była bardzo „męska". Tam mieszkali koledzy Kuby, którzy ukradli mi przyjaciela z dzieciństwa, choć przecież byli to też moi koledzy — najlepsi.

Na parterze mieszkał z rodzicami i braćmi najfajniejszy chłopak z całego podwórka, Krzysiek Frankowski. Jego rodzice, prości ludzie, wychowali czterech synów, jak mogli najlepiej, byli to ludzie z charakterem.

Ojciec Krzyśka pracował i trzymał chłopaków dość

mocną ręką. Upijał się tylko w soboty. Mama Krzyśka, kobieta o cygańskiej urodzie, wciąż była szczupła, długowłosa, a jej okrągłe cygańskie kolczyki, kołyszące się przy uszach, nadawały jej takiego właśnie carmenowskiego charakteru. Lubiła „lufcikować". Zupełnie jak mama Janusza. Ich najstarszy syn, przystojny dwudziestolatek o blond włosach, zginął tragicznie gdzieś na Pradze. Podobno znaleziono go powieszonego w jakiejś bramie. Starszy od Krzyśka Bogdan wkrótce usamodzielnił się i wyprowadził. W domu został Krzysiek, starszy ode mnie o rok, i jego młodszy o trzy, cztery lata brat Jurek, który podczas zabaw na podwórku zawsze był sierżantem Garcią z *Zorro*. Jurek też chciał być Zorrem, ale był najmłodszy, gruby i nie miał nic do gadania.

No i jeszcze był ich pies, wściekły wilczur Bary, który gdzieś rozharatał sobie łapę i lekarz, żeby ją ratować, usztywnił ją metalowym wszczepem. Podziwialiśmy Barego, jak sobie świetnie radził ze sztywną nogą, ale baliśmy się go okropnie, więc nie został nigdy naszym Szarikiem w czasach, kiedy wszyscy byliśmy bohaterami *Czterech pancernych i psa*. Dobrze, że w serialu, oprócz czterech pancernych, psa i Czereśniaka byli jeszcze inni (Marusia i Lidka), bo wszystkie dzieciaki z podwórka mogły mieć role do odegrania. Raz byłam Marusią! No i oczywiście Jankiem zawsze był Krzysiek Frankowski, nasz najlepszy kolega z podwórka.

Krzysiek nie chodził z nami do szkoły. Chodził na ulicę Paryską, gdzie była szkoła specjalna dla dzieci opóźnionych. Byliśmy wszyscy, a już na pewno ja i Kuba, bardzo skonfundowani (to najlepsze słowo, jakie odzwierciedla to, cośmy czuli) tym faktem. Krzysiek był wspaniałym przywódcą. Był sprawiedliwy, koleżeński, pomagał słabszym (mnie na przykład). Nie dyskryminował dziewczyn, świetnie jeździł na rowerze, grał w „gałę", penetrował działki po drugiej stronie Międzynarodowej, układał scenariusze naszych zabaw w wojsko, partyzantkę, Indian, policjantów i złodziei i ON NIE NADAWAŁ SIĘ DO NORMALNEJ SZKOŁY??!!! Absurd. Zamierzaliśmy coś z tym zrobić, iść do kogoś ważnego na skargę, no i na dobrych chęciach się skończyło.

Pamiętam doskonale, jak kiedyś, w niedzielę rano, wyrwałam się na podwórko i poszłam z chłopakami na drugą stronę Międzynarodowej, na kartofliska! To musiała być piękna, ciepła, październikowa lub wrześniowa niedziela. Nazbieraliśmy suchych badyli, cieńszych i grubszych, jak Krzysiek kazał, i rozpaliliśmy ognisko. Później, gdy zrobił się żar, powkładaliśmy ziemniaki. Było świetnie. Wtedy właśnie usłyszałam, jak Gośka Woźniak woła z balkonu, że ojciec mnie szuka.

Zawsze było tak, że jak któregoś z nas nie było na podwórku, to szukający rodzic nadawał sprawę komuś z nieletnich. Wybrany przeszukiwał sąsiadujące podwórka, działki i śmietniki, wydzierając się nieludzko. Zwykle wystarczało, góra, piętnaście minut i poszukiwany stawał przed rodzicem.

Pognałam do domu. Rodzice ze mną wybierali się na jakieś rodzinne nudy, więc zostałam umyta i przebrana w sukienkę. Podrapane kolana zaklejono plastrem, a ręce partyzanta nakazano trzymać z dala od ludzkich oczu. Z nimi nie dało się nic zrobić. Tata w garniturze, pachnąc wodą kolońską, i ja w tej głupiej sukience, czekaliśmy w pokoju, aż mama się wyszykuje. Oboje równie nieszczęśliwi z powodu rodzinnej nudy, do której musieliśmy się ubrać po ludzku. Mama czesała się w łazience. Czekaliśmy. Wtem usłyszałam pukanie.

U mnie w domu nigdy nie otwierało drzwi dziecko, więc otworzył je tata. Stanęłam za nim. Za drzwiami stał mój dowódca Krzysiek Frankowski, trzymając w ręku liść łopianu, a w nim dwa pieczone ziemniaki. Powiedział do mojego ojca: „Dzień dobry" i patrząc na mnie, dodał: „Tu są twoje ziemniaki... przydziałowe" i wyciągnął łapę z prowiantem. Mój ojciec, były saper i dowódca batalionu, wtedy już w stanie spoczynku, spojrzał na Krzyśka z uznaniem i szturchnął mnie: „No, weź!" Byłam tak wzruszona i ogłupiała, że burknęłam jakieś „Dzięki" i zaniosłam ziemniaki, czarne i osmolone, na stół. Mama dopiero zakręciła wodę w łazience, więc ojciec szepnął: „Zjedz, tylko się nie ubrudź".

Dziś ucałowałabym Krzyśka. Żaden z chłopaków nie pamiętałby o mnie. Zeżarliby te cudowności z ogniska jak dzikie psy. On jeden pamiętał, że byłam z nimi i to był mój przydział!

Dziękuję ci, Krzychu!

Obok Krzyśka na parterze mieszkali Grzegorkowie. Małżeństwo z synem Andrzejem, naszym rówieśnikiem, który miał siostry bliźniaczki, Ankę i Grażynę, zwane krasnoludkami, bo były małe, no i bliźniaki. Andrzej był pulpetowaty, nosił okulary i seplenił. Szybko się denerwował. Jak biegał, to się pocił i nie umiał wejść na ten trzepak na śmietniku, ale był dobrym kolegą i słuchał Krzyśka. Jego tato pracował gdzieś w jakimś zakładzie czy fabryce, nosił spodnie na szelkach i jedno oko miał bardziej przymknięte, szczególnie jak się denerwował lub napił (w sobotę).

Sporo w naszym domu mieszkało ludzi prostych, pracowników fizycznych, dozorców, wozaków, niektórzy przyjechali ze wsi lub małych miasteczek. Właściwie nigdy nie pili w tygodniu. Sobota, no, czasem już piątkowy wieczór stanowiły okazję do wypicia. Wracali skądś „nadymieni", rozchełstani, pijani, ale nierobiący awantur. Wpadali, szczególnie w lecie, w ręce siedzących na podwórku żon, które pomstując głośno, poganiały tych swoich mężów do domu. Pozostałe panie nie przerywały rozmowy, machały ręką lub kiwały głową, bo za tydzień lub za godzinę mógł ich małżonek wrócić „nalany".

Mamy inteligentki raczej nie wychodziły na ławki. Miały swoje zajęcia w domu i sprzed wojny jeszcze wyniesiony kodeks zachowania damy, że przed dom się nie wychodzi. To dobre było dla panien służących, dorożkarzy, kucharek i maglarek.

Mama Andrzeja, urodziwszy bliźniaczki, musiała się całkowicie poświęcić dzieciom, bo jedna z dziewczynek, Grażynka, urodziła się z drobnym uszkodzeniem okołoporodowym i wymagała sporo troski. Druga, Ania, rosła sobie śliczna i zdrowiutka.

Wyżej, na pierwszym piętrze, mieszkała rodzina Pazurów z córką Izą, młodszą ode mnie, i kolejnym Krzyśkiem, starszym od nas, właściwie wyrastającym już z okresu podwórkowego. To była rodzina inteligencka. Tata Izy był chyba urzędnikiem (tak wyglądał), a mama, bardzo przystojna i dystyngowana pani, pracowała jako polonistka w Technikum Łączności.

Iza była miłą i wesołą koleżanką, z którą bardzo lubiłam się bawić, bo była czyściutka, pachnąca i warkocze zawsze miała ładnie zaplecione. Nad prawą brwią, na linii włosów miała wicherek, a jej blond kosmyki, nieujęte w warkocze, wiły się pięknie. Moje nigdy. Ja miałam też blond włosy, ale proste i cienkie. Iza miała taki prowokujący uśmiech, zawsze było wiadomo, że po nim będzie się śmiała prawie tak pięknie jak moja ówczesna idolka, aktorka Elżbieta Czyżewska. Iza doskonale grała w klasy, nigdy nie mówiła brzydkich słów, ale była filuterna i miała niski, jak na dziewczynkę, tembr głosu. Uważałam, że obie — ona i Krysia z mojej klatki — mają cudny głos. Nawet czasem starałam się swój zniżyć, ale wychodziło z tego niedźwiedzie mruczenie, więc znów paplałam swoim dość wysokim, dziecięcym świergotem. Byłam (jestem do dziś) okropną gadułą.

Fot. PAP/CAF

Elżbieta Czyżewska — aktorka, moja ówczesna idolka.

Na drugim piętrze mieszkał mały Rysiek Filipiak, czy Filipek? Z dorosłą już siostrą (robiła maturę czy coś) i rodzicami. Mama Ryśka przypominała mi moją ciotkę Ziutę, która pracowała w Orbisie jako pilotka grup. Była szalenie elegancka, zupełnie nie w gazeciano-bazarowym stylu, po prostu Europejka. Mama Ryśka prezentowała podobny typ elegancji. Pamiętam jej płaszcz z brązowego kaszmiru. Rozkloszowany, z ogromnym, szalowym kołnierzem... Może dostała go z amerykańskiej paczki lub kupiła na ciuchach? Nie wiem, gdzie pracowała. Była to rodzina inteligencka.

Rysiek był malutki i zadziorny. Z dziewczynami nie zadawał się w ogóle. Zęby mleczaki miał prawie czarne. Mama mi mówiła, że to od żucia surowej cytryny albo oranżady w proszku jedzonej prosto z torebki, że „szkliwo pęka i tak oto dziecko wygląda". Nie wiem, ile było w tym prawdy, dość, że po mleczakach wyrosły mu normalne zęby i nikt już nie widział w tym nic dziwnego. Rysiek był mało wylewnym kolegą, słuchał tylko Krzyśka Frankowskiego albo ojca i matki. Namiętnie grał w „gałę".

Obok Filipków mieszkał Paweł Czerak z rodzicami. Chyba urzędnicza rodzina. Mama Pawła była drobną, rudą, ładną kobietą, której oczy, gdy się uśmiechała, tworzyły drobne szparki. Przypomina mi dziś, gdy o niej myślę, amerykańską aktorkę, Dianne West. Była zatroskaną mamą, dbającą bardzo o dziecko, co było widać, bo Paweł należał do chłopców zawsze czysto ubranych, dobrze przystrzyżonych, prawie nie klął i jako pierwszy z naszego pokolenia dostał od rodziców kolarkę, więc rzadziej z nami buszował po krzakach i działkach.

Na trzecim piętrze, dużo później chyba, sprowadzili się państwo Pachniewscy z Jurkiem, naszym rówieśnikiem, i starszym synem. Zapracowani rodzice Jurka kojarzą mi się jak przez mgłę. Mama blondynka, często w prochowcu, wracała z pracy lekko pochylona do przodu. Tato, typ naukowca, łysiejący, w garniturze, z okularami na czole, chodził z teczką i często z gazetami w ręku. Czasem, zapomniawszy klucza, siadywał na ławce koło trzepaka i czytał prasę. Jurek mało uczestniczył w indiańskich wyprawach, nie przeprawiał się z nami czołgiem, bo nie był jednym z pancernych. Często przekomarzał się z nami, no i oczywiście grał w „gałę", ale słabo, i siadywał na trzepaku, by pokłócić się z dziewczynami. Kolegował się z takim chłopcem, który mieszkał sam z mamą na czwartym piętrze (jeśli miał ojca, to zupełnie go nie pamiętam). Chyba miał na imię Darek, a na pewno prawie nie miał włosów, był odrobinę opóźniony w rozwoju (nie chodził z nami do szkoły, dołączył później), źle się uczył i miał wiecznie spierzchnięte wargi i... katar. Ustawiczny. Bawił się tylko z Jurkiem. Jurek też miewał spierzchnięte wargi. I Kuba, i my wszyscy podwórkowi.

No i wszyscy mieliśmy kurzajki i poobijane kolana.

I to już wszyscy! Koniec!

Część 1

Saska Kępa

Fot. Janusz Czarnecki

O Międzynarodowej słowa dwa...

Ulica Międzynarodowa była nową ulicą, ciągnącą się od alei Waszyngtona po „Skowronkowe pole" — dziś rejon od ulicy Zwycięzców aż po Trasę Łazienkowską. Czteropiętrowe bloki, na przemian piaskowe i szare (szare były wyższe), zbudowano między 1956 a 1960 rokiem. Wysokościowce siedmio-, ośmiopiętrowe stały blisko ulicy Waszyngtona, a ostatni na rogu Angorskiej i Międzynarodowej. W tym budynku mieszkał aktor Henryk Bąk, a na parterze była i jest do dziś biblioteka publiczna i sklep spożywczy.

Zabudowana była tylko prawa strona Międzynarodowej, lewą stronę stanowiły ogródki działkowe, które w połowie przecinał kanałek łączący jeziorko Kamionkowskie z jeziorkiem Gocławskim. *Vis-à-vis* naszego bloku rozciągało się spore kartoflisko, a u wylotu Międzynarodowej 53 i 51, otoczone owocowymi drzewami i krzakami dzikiego bzu, uchowało się między działkami gospodarstwo rolne. Chłop uprawiał ziemniaki, hodował krowy, kury i świnie, a jego żona dorabiała sobie, sprzedając zakwas żurkowy własnej roboty. Stał on w sieni, w dużym baniaku ośmio-, dziesięciolitrowym, takim od wina. Kobieta kisiła go z żytniej mąki, dodawała czosnek i wlewała do naczynia, z którym się przyszło, mieszając najpierw porządnie w butli okorowaną, wierzbową witką. Mały kubek lub słoik kosztował złotówkę, butelka od mleka dwa złote. Niosąc ten żurek do domu, zawsze wąchałam go z lubością, bo pachniał kwasem i czosnkiem tak pięknie, że aż łaskotał w ślinianki.

Dalej rozciągały się pola pełne kapusty, zbóż i ziemniaków, a tu, gdzie stoi Szkoła 168 (obecnie Zespół Szkół Dwujęzycznych) i dalej ulica Brazylijska, rozciągały się pola zwane „skowronkowymi". Porastały zielskiem i niegdyś uprawianymi tu roślinami: łubinem, resztkami zbóż, dzikim rzepakiem. Bardzo dużo kwitło tam malw, które, zdaje się, do dzisiaj jako samosiejki rosną na trawnikach i podwórkach.

Kiedy już było się na tyle dorosłym, że można było opuścić podwórko (8-9 lat) i miało się rower, można było polnymi dróżkami dojechać przez pola aż do wielkiego nasypu. Gdy porzuciło się u jego stóp rowery i wdrapało na górę, oczom ukazywało się lotnisko Aeroklubu Warszawskiego. Przy odrobinie szczęścia można było zobaczyć, jak samoloty startują z przyczepionymi szybowcami, windują je wysoko, odczepiają hol i cienki jak ważka samolocik szybuje unoszony prądami powietrznymi. Czekaliśmy, aż wystartowały samoloty ze spadochroniarzami. Cierpliwość się opłacała, bo leżąc na plecach, patrzyliśmy w niebo, na którym malutki już samolocik wypluwał z siebie paproszki, które po minutach rozkwitały parasolami i opadały wolno na płytę lotniska lub obok. Widać było poprzyczepianych do spadochronów ludzików i chłopacy umierali z zazdrości, marząc o tym, by dane im było tak skoczyć. Ja tam nie umierałam i wolałam leżeć na nasypie.

Wracaliśmy gęsiego, rowerami, przez kukurydziane pola. Po przyjeździe do domu kładłam w kuchni przed mamą gwizdniętą z pola kukurydzę o wielkich grubych kolbach. Po ugotowaniu, polana masłem, była świetną przekąską, w której lubował się mój tata i ja oczywiście. Mama próbowała dydaktyzować, „że to przecież kradzież", ale ojciec, nie odzywając się, udzielał mi milczącego poparcia. Państwowa gospodarka nie zbiedniała od tych paru żółtych kolb.

Z czasem Międzynarodowa zaczynała się zmieniać. Zlikwidowano działki i chłop zwinął swoje gospodarstwo. Pojawiły się parkany budowlane, a po ulicy często jeździły wielkie ciężarówy wypełnione ziemią, gruzem i kamieniami. Wracały z piaskiem, wapnem i cementem. Od tego nasza ulica zrobiła się okropnie brudna, a nam, dzieciakom, żal się zrobiło działek. Takie fantastyczne miejsce na ogniska, zabawy, pogonie, no i źródło owoców! Tumany pyłu unosiły się odtąd po Międzynarodowej. Trawniki i drzewka pokrywał cały czas ten cement z wapnem. Cud, że przeżyły. Mamy żaliły się stale na nieokiełznany brud i kurz. Ich sprzątanie było iście syzyfową pracą. Na trzepakach częściej trzepano kapy i dywany.

Ciężarówki przywiozły wielkie, żelazne elementy i wkrótce za parkanami wyrósł ogromny dźwig, o którym mówiło się „żuraw". Poruszał się po prawdziwych torach, takich od pociągu. Wiem, bo chłopacy zakradli się po południu na budowę i wszystko widzieli. Nie łazili tam za często, bo stróż był bardzo czujny, a jeszcze czujniejszego miał psa, który bez pardonu rozrywał gacie na tyłkach wścibskich chłopaków.

Żuraw jeździł i jeździł, ciężarówki woziły tony tego piachu i cementu, i cegieł, i nic... Zza parkanu nic nie wystawało! Chłopaki mówili, że wszystko idzie pod ziemię i że pewnie to będą schrony atomowe! Krzysiek Pazura, brat Izy, śmiał się okropnie i mówił tylko, że Frankowski to dureń, skoro tak gada. Byłam oburzona, bo Krzysiek Frankowski wiedział zawsze i wszystko, więc na pewno to miały być schrony. Ostatecznie po rozwianie wątpliwości poszłam do taty. W końcu czyta gazety i wie! Tato, wtedy czymś zajęty, mruknął tylko: „Możliwe, możliwe", i tyle. Trzeba było czekać...

Wreszcie któregoś dnia Gośka, co mieszkała na drugim piętrze, powiedziała, że z balkonu widzi mury, strasznie długie, ale wyraźnie ciągnięte do góry. Kuby balkon też wychodził na tamtą stronę, więc poszliśmy zobaczyć. Rzeczywiście, daleko od naszego domu, na budowie, widać było mury wzdłuż kanałku. Od tamtej pory nasze zainteresowanie budową osłabło, a Krzysiek jakoś więcej czasu spędzał w szkole.

Międzynarodowa po drugiej stronie rosła, nie angażując naszej uwagi, bo my też rośliśmy i mieliśmy głowy zajęte już zupełnie czym innym. Wybudowano długie budynki mieszkalne wzdłuż kanałku, punktowce przy samej ulicy, a między nimi niskie pawilony handlowo-usługowe. Do naszej szkoły doszło mnóstwo nowych dzieciaków, co się powprowadzały do nowych bloków. Po krótkim okresie fochów wszyscy się zakolegowaliśmy. Powoli robiono trawniki i sadzono chuderlawe drzewka. Pojawiły się piaskownice, ławki i trzepaki. Dzieciaki z innych dzielnic, te, co się sprowadziły do nas, też umiały robić sztuczki na trzepakach. Jak my. Naprzeciw ulicy Angorskiej pojawił się pawilon z „Delikatesami" i bar mleczny „Alpejski". Dotychczas jedyny „mleczak" był na Francuskiej, daleko...

Powoli przywykliśmy do nowej Międzynarodowej, choć dla mnie wciąż było sprawą dyskusyjną, czy likwidacja ukochanych działek była w porządku wobec nas, dzieci.

Gdzie się kupowało... czyli skąd się brały wiktuały

Na samym początku, gdy Międzynarodowa miała tylko jedną stronę zabudowaną, po zakupy chodziło się do sklepu spożywczego na Angorską lub na Walecznych. Z tym, że na Walecznych był sklep z częścią samoobsługową, a ten na Angorskiej był taki nasz podręczny. Sporo zakupów robiły też matki na bazarach, ale tam nas, dzieci, nie zabierano. Za to wysyłano nas po zakupy z siatką plecionką albo z kanką. Człowieczek skakał sobie po chodniku podwórka, bo chodniki były ułożone w naprzemienne kwadraty i skakało się jak w klasy — skik! Skik! Jak zające. Zazwyczaj parami, a jeśli w pojedynkę, to pędem, by nie tracić czasu! Zabawa czekała! Wpadało się do sklepu, z niego tachało się siatę albo kankę z mlekiem do mamy. I znów na podwórko.

Pamiętam najszybszą metodę: matka wołała delikwenta przez okno i rzucała mu siatkę i moniaki, znaczy drobne:

— Krzysiek, skocz no po chleb, musztardę i słoik dżemu, tam ci napisałam!

Krzysiek się odwracał i wołał Roberta na pomoc. Gra w państwa, w pikuty, w wojnę, musiała poczekać. Także my, dziewczynki, odkładałyśmy fikołki, zabawę w dom albo w klasy, gdy któraś musiała lecieć do sklepu. Stopklatka!

W naszym sklepie przy wejściu, po lewej stronie stały drewniane regały na pieczywo. Wybór był taki: owalny, zwykły chleb „lubelski", prostokątny z formy „pytlowy" (lub mówiło się „mleczny") i zwykły, czarny razowiec (obecnie „na miodzie"; wtedy był bez miodu i równie pyszny), bułka paryska (pszenna), kajzerki i rogale. Czasem pojawiały się bułeczki maślane i okrągłe chlebki posypane czarnuszką. W soboty owalny chleb bywał posypany makiem grubiej niż w tygodniu.

Dalej znajdowały się lady, za którymi stała pani Stefa — szefowa, i pani Zosia — personel, obie w białych fartuchach, z białymi opaskami na włosach, coś jak czepki pielęgniarkie, przypinane wsuwkami. Zawsze miały co robić, bo sól, cukier i kaszę przywożono w pięćdziesięciokilowych workach i trzeba było rozważać to „na detal" w brudnobeżowe, papierowe torby wykończone u góry ząbkami (czemu mi te ząbki tak utkwiły w pamięci?!).

W ladzie chłodniczej stała wielka aluminiowa bańka z mlekiem, w której był zanurzony półlitrowy nalewak. Po mleko przychodziło się z metalową, emaliowaną bańką — kanką. W butelkach kupowało się rzadziej. Obok stały na tacach ogromne bloki masła świeżego, solonego i blok marmolady (robiono ją z jabłek, śliwek, buraków, melasy, pektyn). Była pyszna! Masło kupowało się na wagę. Było zawijane w woskowany papier.

Lepiej było koło mojej ciotki Teresy na Muranowie. Tam stały w sklepach obok zwykłego masła bloki masła kakaowego. Miało brązowy kolor i pachniało jak kakao, ale u nas na Kępie takie cuda się nie pojawiały. Bywał za to tzw. blok (po prostu blok). Była to słodka masa koloru szarokakaowego, przypominająca ni to lukier, ni to kajmak z odrobiną kakao, do której wrzucano połamane ciastka, herbatniki i wafelki. Taki sposób na zagospodarowanie cukru i resztek piekarskich. Blok był na wagę i musiał zastąpić bajeczną, niezastąpioną, drogą i nieistniejącą właściwie w sklepach CHAŁWĘ. Nie miałam pojęcia, co to jest chałwa, więc od czasu do czasu odrobina bloku zaspokajała rosnące pragnienia zjedzenia czegoś lepszego niż dropsy.

Obok wagi stało wiadro emaliowane, granatowe od zewnątrz, białe w środku, przykryte białą pieluszką. W wiadrze była łyżka wazowa, taka jak do zupy, zatopiona w gęstej, kwaśnej śmietanie, po którą wysyłały nas matki ze słoiczkiem. Śmietana była tak pyszna, że zawsze ze słoiczka w drodze powrotnej ubywało tak, że zupę trzeba było dodatkowo zabielić resztką mleka ze śniadania. Gorzej, jak śmietana była do śledzi, naleśników lub ruskich pierogów. Matka, widząc ślady przestępstwa na górnej wardze pod nosem i pusty słoik, posyłała delikwenta raz jeszcze, obiecując, że „da w ten głupi łeb, jak wyliżesz choć jeszcze kroplę!" Tak naprawdę nikt za zeżarcie śmietany w łeb nie dostawał, bo uważano, że śmietana jest zdrowa, ale mores musiał być!

Na tacach leżał jeszcze biały ser chudy i prawie tłusty. Stała też beczka ze śledziami, najtańszymi — z głowami. Na półkach za panią Zosią stały słoiki z musztardą sarepską. Miały świetny kształt i po opróżnieniu zastępowały szklaneczki do taniej wódki. Dalej, słoiki ze śledziami w occie, rosyjskie puszki ze szprotem lub byczkami w zalewie pomidorowej, dwa, trzy rodzaje dżemów, ocet i cukierki na wagę. Stały sobie w brzydkich pudłach, przesypane do przeźroczystych słoików „dla demonstracji" — landrynki, krówki — drogie, pyszne, upragnione (szczególnie, gdy to były ciągutki), toffi, kukułki (takie... z czekoladowo-orzechowym środkiem) i bardzo lubiane raczki, białe w czerwone paseczki, smak nie do opisania. Oczywiście bywał też blok. Inne łakocie nie sprzedawały się na Angorskiej, bo były za drogie.

W ladzie po prawej stronie stała miednica z kiełbasą zwyczajną, druga z kaszanką, a na desce leżały salcesony, zwykły i brunszwicki, pasztetowa i podgardlanka, serdelki, kiełbasa szynkowo-wołowa i czasem czarny blok nerkowy, ale to rzadko. Mięsa u nas nie sprzedawano. Mięsny był na Zwycięzców.

Dla nas, dzieciaków, leżały piramidki tanich dropsów, mlecznych i owocowych, oranżada w proszku, w drewnianych skrzynkach stały syfony z wodą sodową, piwo i oranżada zwykła w butelkach z metalowo-gumowym zamknięciem. Oczywiście była też wódka z czerwoną i niebieską kartką i tanie wino.

Oranżada w proszku to była mieszanina sody, kwasku cytrynowego i cukru o aromacie pomarańczowym lub wiśniowym. Jadło się ją palcem ślinionym obficie i panierowanym w owym proszku. Zawartość torebki po trafieniu do ust musowała przyjemnie, pieniąc się słodko-kwaśno. Pękało szkliwo, tworzyły się wrzody, a może i wypadały włosy — według lekarzy i matek — ale nie było takiej siły, by zabronić nam, dzieciom, tego specjału. Najlepiej smakowała w krzakach lub na trzepaku.

Owoce dostępne nam, dzieciom, to było tylko to, co urodziło się na polskiej wsi zmęczonej wojną (odległą już, co prawda), ale nastawionej głównie na produkcję zbóż, trzody, bydła i ziemniaków. PGR-y, utworzone po wojnie na wzór rosyjskich kołchozów, produkowały mięso i warzywa na potrzeby Układu Warszawskiego, czyli karmiły sowieckie wojsko i ludność ZSRR. Tłumaczono nam stale, że trzeba zapełnić magazyny, bo „wróg czai się, by nam skoczyć do gardła". Więc wszystko szło na wschód, a na polski rynek trafiało niewiele. Polityka mnie nie interesowała i brak szynek i delikatesów kompletnie mnie nie obchodził. Jadło się to, co było, a już mamy i babcie dwoiły się, by to, co było, smakowało.

Sadownictwo ledwo się kształtowało. W PGR-ach nie myślano o owocach, no może trochę uprawiało się truskawek, porzeczek i jabłek na dżemy i marmolady. Prywatni gospodarze bali się posadzić więcej niż dziesięć drzew w ogródku, by nikt ich nie posądził o kułactwo. Pomarańcze, banany i mandarynki pojawiały się głównie w opowiadaniach cioć i babć, które wychowane przed wojną w bogatych domach zetknęły się z tymi cudami.

My, dzieci biedniejszych dzielnic i rodziców, zadowalaliśmy się jesienią jabłkami, gruszkami i śliwkami, a latem mama przynosiła czasem z bazaru porzeczki, wiśnie czy truskawki na przetwory zimowe i pozwalała zjadać miseczkę umytych owoców, posypanych cukrem. Jadło się też zielony, łuskany groszek, rabarbar obrany ze skórki i maczany w cukrze, rosnące na wsiach morwy i agrest, dziś kompletnie zlekceważony jako owoc.

Zdarzało się, że późnym latem nasze podwórka rozbrzmiewały rano głosem kobiety, która handlowała uzbieranymi w lesie jagodami i poziomkami. Szła z koszami po podwórkach, zaśpiewując charakterystycznie: „Jagod... jagod... poziom..." Jeśli mama w porę wymyśliła na obiad kluski z jagodami, leciało się ze słoiczkiem i pieniążkiem po jagody, poziomki lub maliny.

Przychodziły też cichutko do domów i trwożliwie pukały „spadochroniary", babki obładowane świeżo zabitą świnią, cielakiem. Na plecach, w białych prześcieradłach nosiły po 20-30 kilogramów mięsa, pokrojonego w porcje i owiniętego w płócienne szmatki nasączone octem. Czasem kupowało się coś lepszego na niedzielny obiad, bo sklepy mięsne były zaopatrzone tak, jakby krowy i świnie składały się głównie ze słoniny i uszu. Wędrowały też takie babki z wiadrami, sprzedając masło, sery i śmietanę, ale u nas bywały rzadko, bo na Angorskiej masło i śmietana były stale i to zadowalającej świeżości. Naszych mam nie stać było na komercyjne ceny tego, co ofiarowały wędrowne handlarki.

No i jeszcze co tydzień przez podwórko niósł się donośny głos szmaciarza, pchającego przed sobą rower z dużą naczepą, na której leżały butelki i szmaty. Wołał tak:

— Butel... kupuję, butel... stare szmaty... butel... karton... dektureeee... makulatureeee...

Wynosiło się z domu szkło po occie i innych tam wódkach lub winie i dostawało po 5 gr za czystą butelkę i 2 gr za zabrudzoną lakiem (to te po occie). Szmaty, makulatura i tektura były płacone według uznania handlarza. Recykling!

Był też jeszcze jeden, bardzo charakterystyczny dźwięk dobiegający z podwórka. To wędrowny ostrzyciel noży. Chodził od podwórka do podwórka i nosił na ramieniu maszynę napędzaną na pedał, do ostrzenia noży i nożyczek. Kręciły się tam koła szlifierskie, bardzo różne. Inne do noży, inne do siekier i motyczek, inne do cążków takich do manikiuru. Nie wydzierał się. Z boku miał przyczepioną blachę, w którą walił młotkiem i ten brzęk oznaczał przybycie ostrzyciela. Dzwonił tą swoją blachą i tym się wyróżniał. Biegło się z tępymi nożami, tasakami, toporkami i wtedy ostrzyciel uruchamiał nogą taki pedał, jak w maszynie do szycia, i ostrzył. Ruchy jego rąk były zamaszyste i zawadiackie. Trochę się popisywał, jak nie był zmęczony, i spod ostrzonych noży wybuchały snopy iskier. Ostrzyciel zaś krzyczał do młodych dziewczyn i panienek: „Uważać! Nie zbliżać się, bo pięknym oczkom zaszkodzić może!"

Znany piosenkarz i piewca Warszawy, Jarema Stępowski, śpiewał o ostrzycielu. Tekst zapamiętałam tak:

A ja puszczam maszynerię moją w ruch!
Moim iskrom mogą gwiazdy pozazdrościć!
Ostrzę noże i uwijam się za dwóch.
No, bo czego się nie robi dla miłości!

Po warzywa wysyłała mnie mama na Walecznych do warzywniaka. Obok sklepu papierniczego, w którym kupowało się wszystko do szkoły, był sklep warzywny prowadzony przez rodzinę. Szefem był czerstwy i groźny ojciec, ekspedientkami dwie córki grubo ubrane w zimie, bo sklep był nieogrzewany. W piątki, jak był duży ruch, z boku ustawiała się z wagą matka i sprzedaż szła! Kapusta kiszona w drewnianych beczkach i kiszone ogórki już NIGDY nie smakowały mi jak wtedy. A po sok z kapusty i ogórków przychodziło się ze słoikiem i dostawało go za darmo!

Tęsknota za owocami dawała nam się we znaki. Byliśmy nieszczęśliwi, kiedy opuszczone ogródki działkowe po drugiej stronie Międzynarodowej zostały zlikwidowane. Działkowicze pozabierali wszystko to, co nam, dzieciom, było niepotrzebne: narzędzia, meble, firanki z budek, czasem ogrodzenie. Zostało to, co najlepsze: drzewa owocowe, krzewy, no i ogrom chaszczy do zabaw w chowanego lub Indian — hulaj dusza!

Podwórko zrobiło się nudne. Ze dwa lata, do przyjazdu buldożerów, bawiliśmy się tam i zbieraliśmy owoce wprost do stęsknionych pyszczków. Jedliśmy, co się dało: zielone niedojrzałe jabłka, czereśnie ledwo różowe, porzeczki kwaśne jak ocet, wysysaliśmy cierpko-kwaśny rabarbar. CZYSTE, ŻYWE WITAMINY. A ile przy tym narobiło się dziur w gaciach, koszulkach, bluzkach, sukienkach! Częściej niż zwykle trapiły nas niestrawności od zielonego grochu. Od kwaśnych, niedojrzałych owoców dostawaliśmy sraczki, bolały brzuchy i bywało, że rzygaliśmy jak koty. Po tabletkach węgla, kroplach żołądkowych lub sulfaguanidynie znów mogliśmy leźć w chaszcze, bo właśnie czerniały dzikie jeżyny lub czarne porzeczki. Matki załamywały ręce, myśmy zdrowo rośli!

Kiedyś po Saskiej Kępie „poszedł chyr", że na Mokotowie zaczęli budowę supersamu. Wielki będzie, mówili, jak lotnisko! A w nim, mówili, same delikatesy! Moja mama jakoś się do tego supersamu nie wybierała, a i ja nie miałam pojęcia, co za cuda tam są. Wszystko wiedziałam z plotek, że szynka tam jest i kabanosy nawet można normalnie kupić. I chałwa jest i to w różnych smakach. Stoi tam sobie w wielkich blokach, a dookoła czekolad i batoników masa!!! Ach, tylko mieć pieniądze! Moich rodziców ani sąsiadów nie stać było na takie rarytasy, więc supersam pozostał dla nas jak muzeum — odległy, niedostępny i nudny. Nawet marzyć nam się nie chciało o tych pysznościach. Wystarczały lody „Bambino" i oranżada w proszku ze sklepu na Angorskiej.

Charakterystycznym dźwiękiem porannej, wczesnej, śpiącej jeszcze Warszawy był łomot metalowych skrzynek, pełnych butelek. To o piątej rano hałasowali mleczarze. Dziś mleko stoi w lodówce tygodniami i nikt się nie troszczy o to, czy jest na śniadanie świeże. Wtedy nasze kawusie poranne, kakao i puste kubeczki do mleka czekały na poranną dostawę. Najczęściej dozorcy, czasem studenci dorabiali sobie roznoszeniem mleka, które sprzedawano w litrowych butlach z grubego szkła. Chude miało srebrny kapsel z folii, tłuste — złoty. Bywało jeszcze pośrednie ze srebrnym kapslem ze słotą przepaską.

Co rano, ręcznymi wózkami, czy to mróz czy deszcz listopadowy, bury poranek lutowy czy też cudny majowy świt, roznosiciele rozwozili butelki ułożone w metalowych skrzynko-koszach. Klatka po klatce, mieszkanie po mieszkaniu stawiali pod drzwiami butelkę lub dwie, by nasze śniadanko było „pożywne i zdrowe". Abonament opłacało się w sklepie. My płaciliśmy na Angorskiej, a mleko stawiał pod drzwiami Janiszewski — dozorca. No i tyle...

Jak przedszkolak chodził do gimnazjum

Saska Kępa była podzielona niewidzialną linią na dwie części. Ta willowa, zaczynająca się już za ulicą Saską w stronę Wisły, była nam mniej znana, a to, co było między Francuską a Wałem Miedzeszyńskim, to tereny zupełnie nie nasze. Z pewnym wyjątkiem. Na ulicy Obrońców, mniej więcej 150 metrów od Francuskiej w stronę Wału Miedzeszyńskiego, mieściło się Gimnazjum im. Marii Curie-Skłodowskiej, miejsce pracy mojej mamy, a znów 150 metrów dalej w lewo — przedszkole. Moje miejsce „pracy".

Moją ukochaną panią była pani Wandziulka. Tylko dzieci potrafią zdrobnić do absurdu ładne imię. Kochałyśmy ją bardzo. Miała gęste, proste, ciemne włosy i wąskie usta skore do smutnego troszkę uśmiechu. Pamiętam jej głos, taki chropawy, jakby miała chrypkę. Nie zapamiętałam żadnego kolegi czy koleżanki z grupy. Za to dobrze pamiętałam sposób jedzenia zup. Okazało się, że wszyscy moi znajomi chodzący do przedszkoli też tak właśnie jadali zupy! Najpierw wyjadaliśmy łyżką samo rzadkie. Gdy na dnie talerza zostały już tylko ziemniaki, rozgniataliśmy je na „paprę"! Najlepiej smakował tak barszcz buraczany ze śmietaną, ogórkowa i szczawiowa. Niedawno zgadałam się z kolegami i koleżankami na ten temat. Stare konie jak ja i okazało się, że też tak jadali!

Na podwieczorek przynoszono nam kanapki, bardzo różne. Na pewno nie z wędliną! Były to takie rarytasy, jak na przykład marmolada z bloku na chlebku, brązowa, słodko-kwaskowa, krojona w grube plastry. Do tego mleko. Czasem salceson, smalec ze skwareczkami i kiszonym ogórkiem i herbatka z wiadra, nalewana przez panią Bronię. Najbardziej jednak lubiliśmy chleb ze śledziem solonym albo... O! To było najlepsze: chleb z margaryną i siekaną cebulą z solą. Mama nigdy mi tego w domu nie robiła!

Jestem ukochanym przedszkolakiem mamy, ale nie wiem, kogo bardziej lubię – mamę czy panią Wandziulkę.

Czasem przychodziła na zastępstwo pani Danusia. Jej nie lubiliśmy. Miała długie, kasztanowe włosy, ładnie skręcone, małe dość oczy i duże, wydatne usta, jakby nadęte. Była kąśliwa, ironiczna i nie lubiła nas chyba. My jej też. I jeszcze zabierała nam na leżakowaniu małe maskotki, które przemycaliśmy pod koce, wiedząc, że nie zaśniemy i będziemy umierać z nudów przez tę godzinę.

Była jeszcze pani Bronia, woźna. Starsza i gruba. Swoje ciemne włosy, przetykane siwymi pasmami, gładko ulizywała do tyłu i wiązała w luźny kok. Zwykły albo z warkocza. Nosiła wielki fartuch i wciąż myła podłogi szarą ścierą, którą owijała szczotkę do zamiatania.

Kiedyś mama, gdy wracała ze mną z przedszkola, spytała mnie odwiecznym, macierzyńskim pytaniem (jest chyba zakodowane gdzieś w DNA każdej kobiety):

— Grzeczna byłaś, Gosiu, dzisiaj?

— Tak, mamusiu — odparłam uszczęśliwiona. — Pani Bronia to nawet powiedziała, że... ma ze mną krzyż pański!

Z tą grzecznością to coś musi być na rzeczy skoro A.A. Milne machnął taki wierszyk o tym:

Grzeczna dziewczynka (fragment)

To zabawne, jak ciągle mnie pytają w kółeczko
Tatuś z mamą: — I jak tam? Grzeczna byłaś, córeczko?
Byłaś grzeczna, *Haneczko?*
Kiedy wreszcie ustanie to okropne pytanie:
„Grzeczna *byłaś, Haneczko? Byłaś* grzeczna, *córeczko?"*

Kiedy wracam z zabawy lub z imienin u Kasi
albo ze wsi na przykład wracam od cioci Basi
czy ze szkoły — to w kółko słyszę ciągle to samo
i wiem z góry, że zaczną pytać tatuś mnie z mamą:
— No i jak tam, córeczko?
Grzeczna *byłaś, Haneczko?*
Byłaś grzeczna, *Haneczko?*
Grzeczna *byłaś, córeczko?*

Każdy dzień tym się kończy, co się zaczął wesoło.
Nie szukając daleko, gdy wróciłam dziś z Zoo,
już mnie tym przywitali, już od progu pytali:
— No i jak tam, córeczko?
Grzeczna *byłaś, Haneczko?*
Byłaś grzeczna, *Haneczko?*
Grzeczna *byłaś, córeczko?* (...)

Jak ja lubiłam ten wierszyk! Jak pan Milne znakomicie rozumiał małe dziecko zadręczane tą grzecznością!

Gdy byłam przedszkolakiem, mama miała mnie pod ręką, bo nieopodal, jak napisałam, była jej szkoła. Jej, bo kończyła tę szkołę na tajnych kursach i teraz w niej pracowała. Większość nauczycieli po wojnie wróciło do swych „macierzystych jednostek", jak to się teraz mówi. Gdy Marynka „wydeptała" nakaz pracy w wolnej Warszawie, właśnie u Skłodowskiej na Obrońców poczuła się niemal jak w domu, choć oczywiście ogromnie stremowana. Grono pedagogiczne pamiętało ją jako uczennicę i przyjęło przychylnie. Gorzej było z uczennicami. Niektóre później niż ich rocznik trafiły do gimnazjum i były wiekiem zbliżone do mamy. Ponadto wyglądały poważniej. Większość to były damy postury Warszawskiej Syrenki. Dorodne, piersiaste, dobrze już odżywione, piękne kobiety. Mama, sierota, długo głodująca lub jedząca bardzo oszczędnie, maleńka, krucha blondyneczka, wyglądała jak ich młodsza siostra. Gdy weszła do swojej pierwszej w życiu sali lekcyjnej jako nauczycielka, pełnej tych kobiet (gimnazjum żeńskie), i stanęła za katedrą, dziewczyny zaniemówiły na chwilę, a później wybuchnęły gromkim śmiechem. Maryna poradziła sobie jednak. Zawsze umiała bardzo stanowczym głosem i powagą zjednać sobie słuchaczy. Ponadto różniły się strojem. Dziewczyny były ubrane w niezgrabne, wielkie i długie aż za kolana satynowe, czarne fartuchy z białymi kołnierzami, a Marynka mogła mieć popielatą spódniczkę i bluzkę, nawet kolorową! Zrobiła sobie „trwałą", no i malowała usta. Na czerwono. Dziś te panie to już leciwe damy (około siedemdziesiątki). Niektóre siwiutkie, z osiągnięciami nie lada. To było świetne powojenne pokolenie nastawione na naukę, zachłanne na życie.

Wkrótce mama dostała wychowawstwo. Pierwsze w życiu. Z tą swoją klasą zżyła się tak serdecznie jak już chyba z żadną inną. Dziewczynki bardzo przeżywały życie osobiste swojej pani. Cieszyły się z jej zamążpójścia, wkrótce też z rosnącego brzucha. Gdy się urodziłam, okazało się, że mam mnóstwo starszych sióstr. O ich przemiłym zaangażowaniu świadczą listy pisane przez nie do mnie(!), pięknie ilustrowane rysunkami.

Najmilej wspominam Małgosię Bokiewicz, bo wraz z przyjaciółką Hanką Peńsko nosiły grubaśne warkocze i dużo się śmiały. Magdę Magielnicką — skrytą, wspaniałą harcerkę, taką dość męską w stylu bycia, ale też bardzo dowcipną. Najbardziej jednak kochałam Hanię, tę z warkoczem. Haniśka — tak nazywano ją u nas w domu — była pyzata, rumiana i ślicznie oczy się jej śmiały, zamieniając się w dwie figlarne szparki. Bardzo naturalna i ciepła. Przykleiła się do naszej rodziny na długo. Wszyscyśmy ją bardzo lubili, nawet moi przyrodni bracia.

Mama opowiadała mi, że kiedyś, na wakacjach Haniśka nie poszła nad rzekę w jakiś upalny dzień i została w domu z hasłem: „Ugotuję obiad dla wszystkich i Gosi!" Po powrocie oczywiście obiad dla wszystkich był, ale moją zupkę Haniśka dopiero kroiła. Wszystkie warzywa były pokrojone w półcentymetrową kosteczkę!

— Haniu! Czemu aż tak drobno? — spytała mama.

— Żeby Gosia się nie udławiła — odparła Hania (właśnie przestałam jadać zupki przecierane i zaczynałam normalne).

Haniśka opiekowała się mną jak starsza siostra, długo i cierpliwie. Czytała mi bajki, zabawiała. Była też harcerką. Widziałam ją parę razy w mundurze. To była duża, szara sukienka za kolana, skórzany pas, mnóstwo sprawności naszytych na ramieniu i chusta z lilijką! Fascynowało mnie to, szczególnie jak Hania opowiadała o harcerskich zwiadach, ogniskach... Haniśka skończyła medycynę i była pediatrą. Wiąże się z nią jeszcze jedno ważne przeżycie, znacznie późniejsze.

Byliśmy w Pucku wszyscy, moi rodzice, ciotka Teresa z Michasiem i ja z Kaśką, już siedemnastolatki. Haniśka przyjechała z ówczesnym narzeczonym, Jurkiem. Właśnie było po obiedzie. Leniwie wygrzewaliśmy się na kocach przed domkami, gdy cały obóz dobiegła dramatyczna wiadomość o topieli w Cetniewie. Ktoś tonął, ktoś ratował i też tonął, i znów ktoś skoczył ich ratować. Nagle na naszym „dużym" boisku za obozem wylądował helikopter, więc rzuciliśmy się wszyscy wyśledzić sensację. Wkrótce na sygnałach przyjechała sanitarka, nawet dwie, i przeładowano jakichś chorych na noszach do helikoptera. Ktoś się tam gorączkowo miotał, a potem nic. Cisza. Stoją i czekają. Na co?!... No, przecież trzeba startować! Lecieć!

Pobiegłam do helikoptera i pytam, czemu nie wiozą tych chorych? Okazało się, że ci topielcy z Cetniewa byli ledwo żywi.

— Nie ma lekarza, a bez niego nie mogę lecieć — powiedział pilot.

Przybiegłam prosto do Haniśki i wołam:

— Leć z nimi, jesteś lekarzem!

— Ale ja nie mam dokumentów, Gosiu, nic! Wszystko w domku!

— No to co? Powiedz im, uwierzą ci.

Haniśka w kostiumie kąpielowym i lekkiej, plażowej sukience pobiegła. Coś tam gadali, zabrali ją i polecieli. Tłum się rozszedł. Minęły długie godziny i po kolacji karetka z Gdańska przywiozła naszą Hanię z honorami. Pokazała nawet swoje papiery, tak *pro forma,* i wycałowana po rękach raz jeszcze przez kierowcę i towarzyszącego jej lekarza, usiadła z nami, by opowiedzieć wszystko. Lekarz na odjezdne mówił nam z uwielbieniem, że „ta Hania, to wspaniała osoba, o wielkim sercu, no, bo kto by się tak rzucił z pomocą w samej plażówce? I taka kompetentna, no bohaterka!!!"

Byliśmy z Haniśki bardzo dumni, bo podobno aż do Gdańska ratowała życie chłopca będącego w stanie mocno niestabilnym.

Wracając do klasy mamy, jej dziewczyny zdobyły różne stopnie naukowe i pozycje życiowe. Zrobiły jej po maturze, na „do widzenia" piękny album ze zdjęciami i dedykacjami i długo, bardzo długo utrzymywały kontakt ze swoją panią. Magda i Haniśka zawsze na święta przysyłały mamie pocztówki zapisane pięknym „maczkiem". Takoż z podróży. Hani listy zawsze zaczynały się od słów: „Kochana moja Pani!" Nie chciała przejść z mamą na ty. „Całe życie była pani Moją Panią, a teraz mam mówić: Marysiu? Proszę — nie".

Hania była świetnym zakaźnikiem. Człowiekiem o kryształowej duszy idealistki. Zmarła, niestety, jak wszyscy cudowni ludzie, za wcześnie. Miała zaledwie 60 lat...

Młody wygląd mamy był solą w oku jednej z pań profesorek.

Pewnego dnia mama z rozbawieniem opowiadała, jak to jechała ze swoimi uczennicami tramwajem na jakąś wystawę, a ktoś z podróżnych wziąła ją za jedną z dziewcząt i ofuknął za umalowane usta.

Na to odezwała się madame Piwowońska:

— Och, Marynko, takie kobietki z urodą dziewczęcia są bardzo długo młode, młode, młode! Aż pewnego dnia budzą się... stare! Zobaczysz!

Zdarzało się, że mama, mając mało lekcji, zabierała mnie do szkoły na obiad. Stołówka mieściła się w piwnicy. Jadłyśmy w niewielkiej salce dla profesorów, gdzie stoły były ustawione w „U".

Pamiętam dobrze rusycystkę, starszą już panią Lenę Sobolewską. Podobno za młodu była damą na carskim dworze. Była (dla mnie, krasnala) bardzo wysoka, postawna, miała rude, wypłowiałe dość włosy, skręcone w misterne loki upięte nad czołem, a z tyłu na specjalnym drucie uformowane w rogala, tuż nad karkiem. Miała wielkie „mokre" oczy w sinej otoczce, jakby w wielkich cieniach. Mama mi mówiła, że to dlatego, iż prawie wszystkich pochowała i to od płakania z rozpaczy. Pani Lena (Jelena) miała też piękne, wydatne usta mocno szminkowane, ale ponieważ nie panowała nad mimiką, często zagryzała wargi, zwilżała je językiem, zjadając tony szminek. Zawsze jej bluzka lub suknia były udekorowane ładną broszką. Zawsze też miała lakier na dużych i zadbanych paznokciach i... lisa. Prawdziwe futro lisie, którym niby etolą niedbale owijała ramiona. Mówiła śpiewnym akcentem i mimo nieszczęść osobistych, śmiała się często. Lubiłam ją bardzo.

Gdy byłam już mężatką, a pani Lena samotnie gasła w Domu Matysiaków (dom opieki dla pracowników oświaty, działający na Saskiej Kępie w latach sześćdziesiątych aż do osiemdziesiątych; dzisiaj po prostu dom opieki), zapraszaliśmy ją do domu. Była już bardzo stara, trochę trwożliwa, ale intelektualnie sprawna i tak szczęśliwa, że je posiłek u nas! Na Gwiazdkę, gdy była naszym gościem, ofiarowała mamie sprytną łopatkę — nożyk do sera. Gdy mama zdumiona spytała:

— A co to jest?

Pani Lena, wychowana przed wojną w domu z manierami, odparła dobrotliwie, acz dobitnie:

— Nożyk do sera, Maryniu, bo u was ktoś tu bardzo grubo ser kroi!

Niezwykła, stara dama.

W tym gimnazjum w gronie pedagogicznym było mnóstwo kobiet, panów — niewielu. Pamiętam doskonale jednego z kilku rodzynków, był to pan profesor Erenfeught. Wspaniała i znana w świecie nauki postać. Autor podręczników do fizyki i astronomii. Uczył tych przedmiotów. Bardzo wysoki i chudy. Proste, ciemne, szpakowate włosy gładziutko zaczesywał na bok, lekko w tył. Nosił w zimie szare garnitury z wełnianej surówki, błękitne lub białe koszule i muszki — jak mój tato. Jego miały inny krój. Chyba były wiązane, a nie przypinane. Miał też wielkie, kościste dłonie, proste wąsiska i lekko wysunięte do przodu górne zęby. Był ogromnie dowcipny, miły i dobrotliwy. Zdarzało mu się mieć w kieszeni iryska, dla mnie specjalnie — jak mawiał, a ja mu wierzyłam. Jego żona, pani profesor Erenfeughtowa była znakomitym chemikiem. Też pisała podręczniki. Jej nie pamiętam, bo nie uczyła w Curie-Skłodowskiej.

Pani profesor Czyżewiczowa uczyła biologii. Głośna, pewna siebie, niepiękna, z wielką brodawką na nosie. Czasem zabierała mnie do sali, gdzie zbierała troskliwie, skąd się dało, preparaty w formalinie i wieszała na ścianie zrobione przez dziewczynki piękne tablice: „Ciąg rozwojowy mchu", „Przekrój żaby", „Tkanka roślinna — powiększenie".

Była też profesor Halina Dybczyńska, starsza od mojej mamy, drobniutka myszka o żelaznym charakterze. Bałam się jej. Matematyki uczyła pani Herfurthowa, francuskiego — madame Piwowońska.

Z Gimnazjum Skłodowskiej pamiętam jeszcze silny zapach nawoskowanych parkietów i te menażki, w których mama przynosiła do domu obiad dla taty, bo tak było wygodniej. W tamtych czasach każda instytucja starała się odciążyć pracujące kobiety, tworząc stołówki zakładowe dofinansowywane z funduszy socjalnych. Obiady były tanie, często bardzo smaczne i trzydaniowe! U taty w pracy stołówki nie było. A może po prostu tato wolał obiady z Curie-Skłodowskiej, jedzone w domu? Na pewno był bufet z kiełbasą i parówkami na gorąco i czarną kawą, herbatą, oranżadą i herbatnikami. W stołówkach pracowały dobrotliwe kobiety rozumiejące prostą zasadę: „Jak ty komu, tak on tobie". Pitrasiły więc z tego, co przywieziono do kuchni, dania proste i smaczne. Potwornym upiorem stała się szybko Centralna Decyzyjność. Ktoś, gdzieś opracował recepty, gramatury i trzeba było ich przestrzegać pod groźbą kar. Skończyło się „smacznie", zaczęło się byle jak, bo „z receptury". Wtedy mama zaczęła gotować w domu, choć ja długo jeszcze jadłam w swojej szkole. Mnie smakowało prawie wszystko, oprócz zupy owocowej z grubaśnym makaronem typu rurki i dań słodkich. Oczywiście funkcjonowały powszechne kanapki, ale u nas ten zwyczaj się nie przyjął. Mamie nie chciało się chyba, bo ani mnie, ani sobie, ani tacie zbyt często nie przygotowywała śniadań. Wyrosłam bez tego.

Budynek, w którym było Gimnazjum im. Marii Curie-Skłodowskiej, stoi sobie do dziś na ulicy Obrońców. Niegdyś tętnił życiem, słychać było dobiegający z niego gwar i dźwięk szkolnego dzwonka. Dziś pusto tam i cicho, nie słychać gwaru dziewczyn... Za to można się naczytać o tej wspaniałej szkole, nazywanej „najbardziej reakcyjną z powojennych szkół warszawskich", w książkach (dwa tomy) *Panienki z Saskiej Kępy.* Praca zbiorowa pod redakcją Małgorzaty Malewicz. Na portalu Czas Warszawski jest też artykuł pani Julity Głębockiej *Do łezki łezka.* To ewenement taka szkoła i takie więzi łączące wszystkie uczennice i grono pedagogiczne. W pewien szczególny sposób czuję się dzieckiem Curie-Skłodowskiej. Nie uczennicą — dzieckiem!

Tak byłam ubrana — spodenki i chusteczka zawiązana „na gosposię". Stoję na rogu Międzynarodowej i Waszyngtona — widoczny w tle budynek należy do parku Paderewskiego.

Refleksja napisana
na spotkanie uczennic tego gimnazjum
z okazji premiery *Panienek z Saskiej Kępy*

Pamiętam kolory i zapach porannej Saskiej Kępy, gdy w majowy ranek dreptałam z mamą do przedszkola. Było jeszcze chłodno, więc miałam na sobie spodenki i kurtkę. Pewnie na głowie chusteczkę zawiązaną „na gosposię". Ulice były wilgotne po nocnym deszczu albo właśnie polewane wodą przez dozorców i właścicieli mijanych posesji. Ulice: Walecznych, Obrońców, Królowej Aldony, Berezyńska i inne małe uliczki wciąż jeszcze pokrywał bruk. Pewnie kwitły kasztanowce tymi swoimi maturalnymi kwiatkami, na pewno wokół można było zobaczyć mnóstwo rozkwitających mleczy, z ogródków pachniało liśćmi i kwiatkami porzeczek. Zagadywałam mamę tysiącem pytań i pewnie milkłam koło Francuskiej, zmęczona nieco dreptaniem. O 7.30 rano Saska Kępa była pustawa, jeśli nie liczyć uczniów, uczennic, mleczarzy i dozorców. Cicha, spokojna dzielnica. Samochodów malutko. Jeśli nawet, to w dzielnicy willowej kryły się w garażach. Mama odprowadzała mnie do szatni, gdzie pozbawiona spodenek, podciągałam szelki od burych pończoch, wkładałam obowiązkowy fartuszek (WSZYSTKIE przedszkolaki musiały nosić fartuszki, kolorowe, takie jak kucharki — krzyżujące się na plecach, z kieszonką na brzuchu). Mój był biały w niebieskie paseczki, drugi w żółte. Jeszcze tylko nałożyć kapciuszki, zamknąć szafkę z muchomorkiem, żabką albo słonecznikiem i ledwo cmoknąwszy mamę, gnałam już do pani Wandziulki.

Po południu znów dreptałyśmy z mamą rozgrzaną już Saską Kępą, pełną ludzi, psów i straganów z jarzynami, z powrotem do domu. Mama, obładowana furą zeszytów do poprawiania i menażkami, ja na pewno niosłam moje spodenki i kurteczkę. Tak wracałyśmy do domu.

Saska Kępa — willowa i nie tylko

Starsza, willowa dzielnica Saskiej Kępy ciągnęła się ulicą Paryską prawie do Wału Miedzeszyńskiego. Między ulicą Saską a Francuską było mnóstwo uliczek z przedstawicielstwami i ambasadami oraz zwykła dzielnica willowa z wieloma przedwojennymi domami znanych i cenionych architektów. Dalej ulicą Francuską, piękną i godną piosenki, tej o kawiarence, którą śpiewała Sława Przybylska. Od Francuskiej do Wału Miedzeszyńskiego ciągnęła się dzielnica domów jednorodzinnych, kamieniczek, willi. Funkcjonowała tam inna kawiarenka, „Sułtan", o której pan Jeremi Przybora taką piękną piosenkę napisał, a Kalina Jędrusik zaśpiewała w Kabarecie Starszych Panów:

W kawiarence „Sułtan"
Przed panią róża żółta
A obok pan, co znał tę panią
I różę dał...

Dzielnicy willowej prawie nie znałam. To nie była „moja" Saska Kępa, ale lubiłam, zaplątawszy się czasem w tamte rejony, przypatrywać się willom. Naprawdę ładnym... Tak jak na Żoliborzu, tak i na Saskiej Kępie w tych willach właśnie cichutko żył sobie establishment intelektualny naszej stolicy. Później też prywaciarze, których stać było na willę w dobrej dzielnicy. Powstało więc kilka powojennych, nowobogackich domów jednorodzinnych, często o dość nowoczesnej linii, nie pasujących do przedwojennej reszty... Niestety, wstawiane tam do niedawna „plomby" jeszcze bardziej niszczyły urokliwy charakter tej części Saskiej Kępy. Niektóre rodziny, przed wojną cieszące się wysoką rangą społeczną swych członków, profesorów, lekarzy, oficerów sanacyjnych, literatów, teraz klepały biedę w odziedziczonych po przodkach willach, prowadząc jednak salonowe, intelektualne życie i sadząc prymulki w ogródkach. Ludzie ci byli niejednokrotnie biedni, ale bogaci duchem. W wielu tych domach, będących cackami architektury, na przykład art déco, mieściły się przedstawicielstwa, ambasady i takie tam dziwne urzędy nam, dzieciom, do niczego niepotrzebne.

Kalina Jędrusik, aktorka teatralna i filmowa. Śpiewająca muza Kabaretu Starszych Panów.

U wylotu ulicy Saskiej w aleję Waszyngtona stała sobie willa, w której mieszkał z rodziną Władysław Gomułka. Często można było spotkać pana i panią Gomułków na niedzielnym spacerze w parku Paderewskiego, gdy szli sobie dostojnie, rzucając leniwie patyk psu rasy chow-chow. Psiak ponoć był darem pana przewodniczącego Chińskiej Republiki Ludowej Mao... Może faktycznie był? Mówiło się, że kundla mieli, widocznie ten chow-chow nie był w Polsce zbyt znaną rasą.

Mój tatko twierdził, że podczas ich spacerów nie było z nimi obstawy. Na forach Naszej Klasy toczył się spór tych, którzy go „na własne oczy widzieli" i „mieszkali w pobliżu". Jedni twierdzą, że nie widzieli żadnej obstawy, inni, że owszem. Mało ważne.

Żaden to zaszczyt widzieć Gomułkę, ale ciekawostka. Nie mieszkał bowiem w Belwederze ani na strzeżonym pilnie osiedlu, tylko skromnie na Saskiej Kępie i już. Widocznie ochronę miał cywilną, czy jak... Psa miał. To pamiętają wszyscy.

Saska Kępa była naprawdę ładna, bo bardzo zielona, a stare przeplatało się tam z nowym. My mieszkaliśmy na nowej ulicy. Koło nas rosły nowe domy i osiedla. Widać było, jak buduje się Kamionek, Zatrasie, Brazylijska. Na rogu Saskiej i Zwycięzców stał (i nadal stoi) ładny budynek stacji krwiodawstwa. Wzdłuż niego, z tyłu biegła mała uliczka A. Nobla, przy której stał kościół, a za nim dokładnie, między Nobla, Walecznych a Saską — ogródek jordanowski ze świetlicą!

Ogródki jordanowskie wyrastały jak grzyby po deszczu. Musiał być choć jeden w każdej dzielnicy. Nasz jakoś wyjątkowo piękny nie był, ale miał dużą górkę do sanek, boisko do piłki nożnej, siatkowej i koszykówki, ławeczki koło piaskownic dla maluchów oraz drabinki dla starszych i młodszych. Aha! No i huśtawki! W świetlicy można było pograć w ping-ponga, wypożyczyć sprzęt sportowy (nawet drewniane szczudła!) i gry planszowe. Mało?

Nie chodziłam jednak do jordanka. Podwórko wystarczało mi absolutnie. Do czasu oczywiście, gdy odkryłam urok samotnych wypraw w uliczki saskokępskie, do kina (rzadko, z powodu braku funduszy...) oraz do parku Paderewskiego, wtedy pięknego i bezpiecznego. Zieleń świeża i bardzo zadbana. Ogromne ilości kwitnących krzewów i wielkich, pięknych drzew. Wyżwirowane alejki, dużo ławek i atrakcja — wielkie jezioro, na którym była wyspa połączona z lądem romantyczną groblą z mostkiem oraz zaciszne altany obrośnięte jaśminami. Grota kamienna z wodospadem, otoczona jałowcami i niskopiennymi tujami. Muszla koncertowa, w której w niedziele i święta występowały zespoły muzyczne,

Grota w okresie świetności. Woda leci...

artyści, dalej było rozarium z piękną rzeźbą roztańczonej dziewczynki oraz korty tenisowe — ceglane, z klubem sportowym. Nad jeziorkiem rzeźba nagiej kobiety Henryka Kuny, odlana w brązie. Jako dziecko mówiłam o tej rzeźbie „kuna". Alejki były nienagannie czyste, śmieci tkwiły nieruchomo w śmietnikach, wszystko było polewane, zamiatane i strzyżone. Strzeżone też.

Wzdłuż alei Waszyngtona, od ronda do Międzynarodowej, wyrosły wysokie, piękne budynki, w których mieszkali moi koledzy i koleżanki. Na parterach tych domów było dużo sklepów i zakładów usługowych. Gdy skręciło się w Międzynarodową, w cofniętym trochę wieżowcu, był bar „Fregata", obrzydliwa dość knajpa szybkiej obsługi, w której miejscowa kawalerka chętnie moczyła pyski w wódce i piwie. Podobno dawano tam pyszne cynaderki z kaszą. Nie wiem, nie bywałam we „Fregacie", ale po zapachu wiadomo było, co podają.

A dalej już „moja" Międzynarodowa!...

O knajpkach i innych małych przyjemnościach

Powoli pojawiły się na Kępie bary i restauracje. Ku wielkiej uciesze nas, dzieciaków na rogu Walecznych i Londyńskiej zagnieździł się maleńki bar kawowy „Figaro". (Nie kawiarnia! Na szyldzie był napis BISTRO, co trąciło wielkim światem). Ponieważ brakowało takich, co by siedzieli w „Figaro" długo i często, właściciele postawili ladę chłodniczą z LODAMI!!! Robione starą metodą, „kręcone", pyszne gałkowe lody w okrągłych wafelkach po obu stronach zgrabnej kulki. Najbardziej lubiłam śmietankowo-waniliowe. Smak nie do opisania! Miały konsystencję śniegu. Rozkoszne, z prawdziwą wanilią chyba, bo widać w nich było maleńkie czarne nasionka. Już żadne nigdy nie smakowały tak jak tamte. Koleżanki zdecydowanie wolały czekoladowe. Wkrótce pojawiły się kakaowe i truskawkowe. Gałeczka po 1 złoty i 20 groszy była w lecie ogromną pokusą i ściboliło się na nią uzbierane skądś grosiki. To nie były czasy, gdy dzieciom pieniądze walały się po kieszeniach, 50 groszy było majątkiem!

Mama wcina kulkowe lody z baru „Figaro".

W lecie „Figaro" wystawiło kilka krzeseł na zewnątrz, co było dla nas, dzieci, dziwne i bardzo zajmujące, bo można było obserwować ludzi siedzących przy maleńkich filiżaneczkach kawy. Nasi rodzice nigdy tak nie siadywali...

Na rondzie Waszyngtona powstał też bar kawowy „Milano", z ekspresem do kawy, wielkim, błyszczącym i puszczającym obłoki pary jak lokomotywa. Tam, za wielką szybą, jak w akwarium, widać było z ulicy eleganckie panie i panów. Pili wolno kawę przy bardzo wysokiej ladzie, twarzami do ulicy, a panie leniwie majtały nóżką w zgrabnej szpileczce, siedząc na wysokim, barowym stołku. Paliły papierosa, trzymając go w wypielęgnowanej dłoni, zakończonej pazurkami piłowanymi w migdał, z perłowym lakierem. Ach! Jakie one były śliczne, te panie! I jeszcze miały włosy utapirowane w wielką banię z mnóstwem lakieru, a niektóre, wywinięte pejsy na policzki. Nasze mamy... nasze mamy były całkiem inne, choć w niedzielę też ślicznie się ubierały i tapirowały. Troszkę.

Dalej, gdy zjeżdżało się z ronda Waszyngtona Francuską w dół, od razu za Cepelią, po prawej stronie był bar i restauracja „Na Kępie". W czasach, gdy było nam już lepiej finansowo, tata zapraszał mnie i mamę w niedzielę na obiad tam właśnie. „Żebyś nie musiała gotować i zmywać, Marynko!" — mawiał do mamy. Z początku mama czuła się trochę nieswojo, bo nigdy nie bywała w restauracjach ot, tak sobie. Szybko jednak polubiła choćby to, że rzeczywiście nie musi pitrasić i zmywać (nigdy to nie było jej ulubionym zajęciem). Dla mnie pójście do restauracji było wielką radością, bo były tam... frytki. Pamiętałam ich smak z pociągu, którym jechaliśmy do Moskwy. Mama w domu nigdy nie robiła frytek. Nie robiło się ich w domu babci, więc jakby ich wcale nie było. Ponadto były znamieniem luksusu, bo podawano je w restauracjach, a nasz dom był zwyczajny. W tamtych czasach nie produkowano mrożonych, fabrycznych frytek. W ogóle żadnych mrożonek nie było. W knajpach robiono je ręcznie. Cierpliwie trzeba było zaczekać, aż się usmażą. Grzecznie więc czekałam. Tata zamawiał pyzy. Delektował się nimi. Tylko babcia Stefa robiła takie ziemniaczane, sine, pyszne. W restauracji też robiono je ręcznie, nie z mrożonek. Do tego to coś tam w sosie myśliwskim, bardzo pikantnym, bo tata lubił na ostro. Mama brała jakieś mdłe bukiety z jarzyn, które, przyznaję, wyglądały imponująco, z jajem sadzonym w środku, ale nie rozumiałam, jak z własnej woli, mając takie wspaniałości do wyboru, można było jeść gotowane warzywa, brrr!...

Umierałam z rozkoszy przy menu i czułam się jak ten osiołek, co mu dano „w jeden owies, w drugi siano". Korcił mnie zawsze szaszłyk i kurczak z pieczoną skórką! (Mama robiła faszerowanego, na „mokro", w sosie), bryzol wołowy (co za nazwa!). Zawsze jednak kończyło się na rostbefie. Angielskim. Anielskim! „Rostbef po angielsku" to było specyficznie upieczone mięso, tak na półsurowo, że brzegi były brązowe, a środek różowy. Do tego te niebiańskie frytki, cięte z ziemniaka w ósemki, jak ćwiartki pomarańczy, chrupiące z wierzchu, zrumienione porządnie. Jeszcze różne tam „garni" — róża z marchewki, wiórki surowego chrzanu, gwiazdki z rzodkiewek i listki pietruszki. Takie ładne to było! Niestety w skład tego cudu wchodziły jeszcze buraczki zasmażane, podawane w osobnej, aluminiowej patelence, więc najpierw zjadałam te buraczki. Szybko i bez marudzenia, bo potem to już było samo dobre. Deser też bywał zjawiskowy, zwłaszcza w lecie. Mój ojciec nigdy, NIGDY nie pił wódki. Czasem w domu białe lub czerwone wino. W restauracji pozwalał sobie na... piwo! Po obiedzie zamawiał butelkę Żywca, a dla mnie — i dla siebie, jeśli to było lato — mus malinowy! Maliny zmiksowane z galaretką i pianą z białek. Wielki słodki turban. Bardzo go lubiliśmy. Mama — nie. Ona subtelnie poprzestawała na „małej czarnej" po włosku.

Widać nie my jedni lubiliśmy naszą restaurację, bo z czasem zaczęłam rozpoznawać stałych, niedzielnych bywalców. Między 13.00 a 15.00 było pełniuteńko.

Dalej, za restauracją, gdy się szło Francuską w dół, po lewej stronie, w kamieniczce była „Kawiarenka na Francuskiej", o której, jak już wspominałam, piosenkę śpiewała Sława Przybylska.

Na Francuskiej, na Francuskiej,
Jest maleńka kawiarenka,
Malowanka w śmieszne serca,
Co znajdują, gubiąc się.

Na Francuskiej kwitną bluzki,
Wiatr powiewa jak sukienka.
Suknia modna, dzień pogodny,
Suknia strojna, blask i cień. (...)

Na Francuskiej, na Francuskiej
Jest maleńka kawiarenka,
Kawiarenka, gdzie kelnerka
Najpiękniejsze oczy ma.

Idąc dalej Francuską, po prawej stronie, można było spotkać bar mleczny, jakich tysiące rozpleniło się po całej Polsce.

Bary mleczne! Za ten wynalazek jestem wdzięczna PRL-owi. Zapewne nie ja jedna! To była ogólnopolska sieć tanich jadłodajni, których kuchnia opierała się na produktach nabiałowych. Czasem zdarzały się „mielaki", o jakiejś tam zawartości mielonego wieprzowego mięsa i „kotlet pożarski", z kurzego, mielonego mięsa. Zdarzały się podroby w rodzaju „dudków" do żurku (pokrojone na kawałki i ugotowane płucka), cynaderki w ciemnym sosie (świńskie nerki w plasterkach, mniej lub bardziej wypłukane z moczu i uduszone w smażonej cebuli z marchewką, pieprzem i majerankiem), wątróbka z cebulką, no i oczywiście flaki. To jednak były dania marginalne. W barach mlecznych królowały dania śniadaniowe i obiadowe, bezmięsne. Tak więc na śniadanie można było zamówić: jajka we wszystkich, popularnych postaciach — sadzone, po wiedeńsku (sic!) i jajecznice różne (na maśle, z kiełbasą lub na smalcu). Twarożki, żółty ser tani jakiś, bułki z masłem, marmolada, dżemy i napoje: herbata, kawa zbożowa z mlekiem, kakao, samo mleko. To wszystko w kubasach i na talerzach z grubego porcelitu, z napisem-logo „WSS Społem", niebieskim jak farbka do bielizny. Były niepiękne, ale za to trzymały ciepło i nawet przy długiej rozmowie kawusia była cieplutka...

Dania obiadowe, te podstawowe, bezmięsne, były identyczne w całej Polsce, jak dziś buła z kotletem w McDonaldach.

Zupy, najukochańsze w polskiej kuchni, były takie (staram się przytoczyć pisownię z tamtych czasów):
— mleczna z makar. lub z ryż.
— chłodnik z jajkiem
— ogórkowa
— pomidorowa
— żurek z ziem.
— żurek z jaj. lub piecz.
— barszczyk z fasolką (białą) lub czysty w kubku
— ziemniaczana zabiel.
— pieczarkowa zabiel. z makar.
— flaki z piecz.
— kapuśniak
— krupnik
— owocowa z makar.

Dania drugie też brzmią dla wielu z nas jak poezja:
— ziemniaki ze skwar.
— makaron z serem, masłem i cukrem
— makaron z pieczark.
— pyzy ze skwar.
— kopytka z masł.
— kopytka ze skwar.
— kopytka z pieczar.
— ryż ze śmiet. i cukr.
— kluski śląsk.
— pierogi ruskie ze skwar.
— pierogi leniwe z masł.
— kasza grycz. ze skwar.
— naleśniki z serem, jabłkami praż. dżemem

— szpinak z jajem
— fasolka po bret.
— bigos

Desery niewyszukane, ale jakże miłe sercu!:
— kompot
— kisiel
— kisiel z owoc. (owoc to było tarte jabłko)
— budyń z dż.

Surówki sezonowe, taniutkie i zdrowe!:
— sałata ze śmiet.
— ogór. ze śmiet.
— pomid. z ceb.
— z kap. kisz.
— ogór. kisz.

Oj! Łza się kręci na myśl o „mleczakach", ze stolikami przykrytymi ceratą w kwiatki albo w krateczkę, w niektórych niestety były same blaty z laminatu, tłuste już od wielokrotnego przecierania ich szmatą. Za sztućcami z aluminium i cenami za dania na każdą kieszeń. W „mleczakach" panowała pełna demokracja: nauczyciele, uczniowie, urzędnicy, nurki śmietnikowe, dyrektorzy w cywilu, żołnierze na przepustkach... Wszyscy zgodnie wcinali, za niewielki pieniążek to, co lubili najbardziej. Nie chodziliśmy tam jednak. W dzień powszedni wystarczała stołówka mamy i moja, a w niedziele tato chciał, żeby było tak „niestołówkowo".

Przytoczę piękną barową anegdotę. Przydarzyło się to znanej aktorce Marcie Lipińskiej, choć oczywiście wiele osób przytacza ją bez opamiętania, zapominając albo nie wiedząc, kto był prawdziwym uczestnikiem zajścia. Ja rozmawiałam z panią Martą i powtarzam za jej zgodą:

Było lato. Mąż pani Marty wyjechał z dziećmi, a ona szczęśliwa, że nie musi gotować, stołowała się w barze mlecznym na Madalińskiego. Zamówiła sobie to, co lubiła — leniwe i chłodnik. Gdy poszła po sztućce i wróciła do stolika, zobaczyła przy nim czarnoskórego studenta wcinającego zachłannie ów chłodnik! Siadła więc lekko zdziwiona i zajęła się leniwymi.

— Co, kryzys? — zagadnął student.

— Tak, tak, kryzys — odparła pani Marta, kiwając głową.

Po zjedzeniu wstał, pożegnał się i wyszedł. Gdy pani Marta zjadła pierogi i wstała, obok na stoliczku, zobaczyła swój chłodnik i swoje nietknięte leniuchy...

O! I jeszcze jedna — już moja.

W barze jako studentka zamówiłam obiad z kolegą Niuńkiem. Ja zapewne śląskie, on jajecznicę z trzech jaj. Dostał ją niedbale usmażoną, a brzydził się „wolnego białka", więc podszedł do okienka:

— Proszę pani, pani weźmie i te jajka jakoś... Nieścięte są!

Po chwili z okienka usłyszeliśmy głośne zawołanie:

— Tan pan, co miał nieścięte jaja, już mu ścięłam!

Jeszcze jedną? Proszę bardzo!

Gdy byłam studentką dowiedziałam się, że na słabe włosy i paznokcie doskonale wpływa żelatyna, więc gdy z tym samym Niuńkiem zamawialiśmy jakieś pyzy czy inne leniuchy, za każdym razem szarpałam go za rękaw, mówiąc:

— I galaletkę!

Niuniek najpoważniej dodawał :

— A!... i galaletkę!

Smętna pani za kasą wklikiwała to i podawała beznamiętnie numerek.

Pewnego razu zapomniałam i ja, i Niuniek o „galaletce". Po złożonym zamówieniu zza wielkiej kasy wychyliła się smętna twarz pani z pytaniem i pretensją w głosie:

— No a... GALALETKĘ?

Bary, bary! To se ne vrati?!

Gdy szło się lewą stroną Francuskiej, to między ulicą Berezyńską a Walecznych była fantastyczna lodziarnia w takim jakby garażu. Tam były lody po prostu bajeczne! No, proszę spytać kogokolwiek, kto pamięta tamte czasy! W niedzielę, przy dobrym nastroju taty i przyzwoleniu mamy, jeszcze pozwalaliśmy sobie na kulkę lodów. Ja cytrynową i śmietankową, mama śmietankową, tato czekoladową albo też śmietankową. Bo te śmietankowe to był poemat. Czuć je było delikatnie śmietanką i prawdziwą wanilią.

Gdy dochodziło się do Paryskiej, która jest przedłużeniem Francuskiej, to po prawej stronie, tuż-tuż za spożywczym, był sklepik prywatny typu szwarc, mydło i powidło. Uwielbiały ten sklep dziewczynki i kobiety saskokępskie. Były tam takie, prywatnie gdzieś robione, perfumki i szminki. Był też krem przeciw piegom „Halina", sztuczne rzęsy, korale, zioła do farbowania włosów, szklane buteleczki z pompką do rozpylania lakieru, białkowe lakiery do włosów i lakiery do paznokci. Był też tusz do rzęs Arcan-Pol w kamieniu, nakładany na rzęsy szczoteczką — podróbka francuskiego Arcansilu, wielce udana, bo namiętnie używana w charakteryzatorniach warszawskiej wytwórni filmowej. Tusz był tani i naprawdę świetny. Były też, w plastikowym etui, maleńkie jak dla lalek szmineczki z cieniami do powiek. Nie zawierały talku, więc rozmazywały się, ale były! I były tanie. Srebrne, błękitne, seledynowe i fioletowe. Zdaje się też białe, ale nie daję głowy. Najlepiej mi było w fioletowym. Delikatna lila kreseczka, namalowana na górnej powiece sprawiała, że czułam się taka śliczna, dorosła! Wkrótce pokazał się błyszczyk do ust, bo już niemodne były perłowe szminki. To było dobre dla dziewczyn „ze wsi". My, miastowe, zaczęłyśmy mieć, jak nakazała moda „zmysłowe, wilgotne wargi".

Była też sztuczna biżuteria. Taniutkie pierścionki jak z odpustu i trochę droższe, niby jak z „Jabloneksu". „Jablonex" to była czesko-socjalistyczna odpowiedź na — jednakowoż nie do wytępienia — miłość kobiety do błyskotek. Świat zachodni, „ropiejący i umierający za żelazną kurtyną" (jak pisano o nim w prasie), produkował tony sztucznej biżuterii dla kobiet lat sześćdziesiątych. Trudno! Ten „trąd" przeszedł też do socjalistycznych regionów i kobiety w demoludach też chciały się nosić, o zgrozo, światowo! Widać nie do końca były przekonane o tym, że powinny wyglądać jak „kariatydy" z Pałacu Kultury.

Gomułka, ówczesny dyktator partyjny, i jego urzędnicy próbowali wmówić kobietom PRL-u, że Polka powinna wyzbyć się arystokratyczno-burżuazyjnych naleciałości w postaci ciągotek do upiększania się i pozostać surowa, przaśna i mieć postawę kołchoźnicy. Mile widziane muskuły, chustki na głowie, a z biżuterii najwyżej zegarek i obrączka. No, najlepiej srebrna, bo oddanie złotej na budowę stolicy było zaszczytem! Innym prawom podlegały małżonki panów przewodniczących, premierów i dyrektorów. Żony ówczesnych dygnitarzy, występujące w TV, błyszczały sztucznymi koliami i diademami, otulały się etolami i nosiły się niczym paryżanki. Pokazywane w telewizji lub w kronice filmowej epatowały kobiecością w zupełnie niekołchoźnym stylu.

Polki nie poddały się powszechnemu odurnieniu, więc na ulicy Kruczej otwarto sklep „Jabloneksu", wypełniony (do dzisiaj) fantastycznymi, syntetycznymi lub szklanymi brylantami, rubinami i szmaragdami z Czechosłowacji rodem. Jednak i to było dla biedniejszych panien za drogie, więc prywaciarze ruszyli ze swoją produkcją i oto na Paryskiej upatrzyłam sobie „złoty" pierścionek ze sztucznym rubinem, na który długo zbierałam pieniądze, odmawiając sobie lodów i perfumek.

Dalej, po lewej stronie, wybudowano nam w sześćdziesiątych latach ultranowoczesne kino „Sawa", do którego na niedzielne poranki chodziły rodziny po lekką rozrywkę. Największym wzięciem cieszyły się westerny. Niemiecko-jugosłowiańsko-rumuńskie. Wielce udane! Prawie jak amerykańskie! Każdy seans był poprzedzony Polską Kroniką Filmową i filmem krótkometrażowym. Czasem była to kreskówka, czasem dokument. Co tydzień nowy materiał w minifelietonach filmowych PKF-u, podany był w krótkiej, dowcipnej formie. Oczywiście w każdym tygodniu, wśród michałków i dyrdymałków, musiał się znaleźć materiał poństwowotwórczy, często chwalący najnowsze osiągnięcia partii i rządu. Jednak kronika przemycała też mnóstwo złośliwostek, ciekawostek i mody!!! Pokazywane gwiazdy, na scenie i prywatnie, dostarczały wzorców i wiadomości o tym, co i jak się nosi. Operatorem ówczesnej kroniki był Karol Szczeciński dokonujący prestidigitatorskich sztuczek, żeby zrobić dobre zdjęcia, niekwestionowany mistrz reportreskiej kamery, a słynnymi głosami — Władysław Hańcza (lata pięćdziesiąte) i Andrzej Łapicki, o pięknym, nieco nosowym głosie, ówczesny amant kinowy. Kronika każdemu z nas kojarzy się z Jego komentarzami pisanymi wówczas przez grono dobrych dziennikarzy — Karola Małcużyńskiego, Wiesława Górnickiego, Stanisława Ryszarda Dobrowolskiego czy Jerzego Bossaka.

Żal mi PKF-u. „Teleexpress" to już nie to samo...

Za kinem, za chaszczami było liceum A. Mickiewicza, a w kwartale obecnych ulic: Saskiej, alei Stanów Zjednoczonych (dziś Trasa Łazienkowska), Zwycięzców, Międzynarodowej nie było prawie nic. Buldożery i dźwigi świadczyły o tym, że dopiero będzie. W latach sześćdziesiątych stanęły pierwsze bloki na Brazylijskiej, ale wciąż jeszcze było tam mnóstwo rozkopów. Od Francuskiej do Zwycięzców w stronę Międzynarodowej cała prawa strona było dzika i chaszczowa. Na Zwycięzców kończyła się „moja" część Saskiej Kępy. Tu nie było żadnych kawiarenek, barów... nic.

Z kolei u wylotu Międzynarodowej w aleję Waszyngtona otwarto kawiarnię „Basia". Świetnie prowadzona przez niezwykle atrakcyjne panie. Szefowa natapirowana, zawsze umalowana, w wielkich klipsach obsługiwała ogromny ekspres do kawy, który przypominał piękny parowóz, zupełnie jak ten z kawiarni „Milano". Lubiła być adorowana przez wstępujących tu gości, bo byli na wyższym poziomie niż obszczymury z baru „Fregata". Słodycze i wino sprzedawała pani Basia, właścicielka końskiego ogona, długich rzęs i obfitego biustu. Cienka w talii i zawsze uśmiechnięta również była ulubienicą klientów. Tato często kupował tam kawę i czasem do kolacji czerwone wino „Gellala" lub białe „Cotnari" i „Murfatlar". Wiem, że też lubił poflirtować z paniami. Pięknie tam pachniało świeżo zmieloną kawą i dobrymi perfumami.

Wracając Międzynarodową do domu, jeszcze przed Angorską, koło sklepu rybnego, można było zobaczyć maleńki parterowy domek z ogródkiem, w którym rosły drzewa owocowe i piękne, wypieszczone róże, które mój tato kupował czasem mamie całkiem bez okazji. Tam również kupowaliśmy róże na zakończenie roku szkolnego dla nauczycielek.

Dalej już tylko biblioteka na rogu Angorskiej, buda z piwem we wnęce domu i nasze podwórko.... W tej wnęce pani odziana w szarobiały fartuch sprzedawała dropsiaki, lizaki, tanią kawę, jakieś ciastka, herbatniki... No i naturalnie — piwo kuflowe. W zimie było też „grzane". Pani miała elektryczną fajerkę, na której puszczał parę czajnik pełen wrzątku. Jeśli ktoś życzył sobie grzane piwko, pani sypała do kufla cukier, lała piwo i dolewała tego wrzątku. Zawsze pełno tam było kolesi, stojących i pijących niespiesznie kufelek za kufelkiem. Wśród nich był też pan bez nóg. Stracił je chyba na wojnie, a może w wypadku? Nie wiem, pamiętam tylko, że ciachnięte miał je do bioder i dół kikuta podszyty miał grubą skórą, takim pokrowcem, i na tym skórzanym pokrowcu się poruszał. W dłoniach miał dwie drewniane packi, jak do tynku, i tymi packami się podpierał. Często popijał piwo z kolesiami w tej wnęce. W niedzielę „chodził" po Saskiej Kępie z naondulowaną żoną wystrojony w elegancką marynarkę i koszulę.

Część 2

Zwykłe życie

Fot. Janusz Czarnecki

Weekend...

Kiedy byłam mała, nie było pojęcia „weekend". Soboty były „pracujące", krócej, oczywiście, ale jednak. Od wieków w soboty się sprzątało, by w niedzielę odpocząć samemu lub z rodziną. Teraz mnóstwo ludzi żyje w kompletnej izolacji od rodziny. Kiedyś, właściwie wszyscy mieli bliższą lub dalszą rodzinę, z którą się „gościowali", najczęściej w niedzielę. „Gościowanie" u nas w bloku było częstą, coniedzielną rozrywką lub obowiązkiem. No, jeszcze czasem kino, majówki i znienawidzone przez dzieci rodzinne spacery.

Latem w mieście było gorąco, chociaż dozorca zlewał co rano całe podwórko wodą. Nie tylko on. Wszystkie warszawskie podwórka były rano zraszane. I ulice też. Jeździły po Warszawie, i pewnie po innych miastach, rano i wieczorem, samochody-polewaczki. W soboty — obowiązkowo!

Soboty, wolne od popołudnia, wszyscy traktowali jednakowo. W soboty się sprzątało.

Trzepaki od rana były zajęte, bo trzepało się dywany, chodniki i przeróżne kapy. Z otwartych balkonów, z balustrad zwisała wietrząca się pościel. Ze szpar w powłoczkach, najczęściej białych lub w niebieską kratkę, wyzierał różowy inlet pełen pierza. Z poszwy, zawsze wyciętej w karo pośrodku i obrębionej koronką, widać było puchowe pierzyny lub pikowane kołdry z satyny, starej już i przyszarzałej. Najczęściej w kolorze łososiowym, różowym, rzadziej żółtym czy niebieskim. Byli tacy, co uratowali pościel przedwojenną pełną haftów i koronek. Niektóre poszwy i poszewki pięknie mieniły się adamaszkowym wzorkiem, leżąc sobie w słoneczku, na kocu w burobrązową kratkę. Ten koc zawsze w jakimś miejscu miał jeden lub kilka brązowych śladów po żelazku. Obok pościeli na balkonach suszyło się pranie, bo kobiety między śniadaniem a odkurzaniem robiły przepierkę.

Dzieci właśnie wracały ze szkoły, bo w soboty było mniej lekcji, i od razu bywały zapędzane do porządków lub musiały zniknąć matce z oczu, po kanapce lub talerzu wczorajszej zupy. Często też były wysyłane do sklepów po drobniejsze zakupy, więc łączyliśmy się w pary. Było raźniej. Ja chodziłam z Małgosią Poboży, bo moja mama przed południem jeszcze nie wracała ze szkoły. W tamtych czasach w każdej kuchni na klamce wisiała siatka na zakupy i torba. Siatka była upleciona z mocnego szpagatu (rodzaj sznurka) lub nowocześniejsza, z plastiku. Takiego jak nasze skakanki, tylko cieńszego. Grube rączki były specjalnie tak wyplatane, żeby ciężkie siaty „nie piły" w ręce. Torby na zakupy szyto ręcznie lub kupowano na bazarze. Były brzydkie, wielkie, z drelichu, świetnie jednak nadawały się do noszenia mąki, cukru i ziemniaków. U mnie na podwórku jedni mówili „ziemniaki", inni z niemiecka „kartofle". Myślę, że zależało to od regionu, z którego kto pochodził. Czasami jeszcze na tej klamce dyndała siateczka czy też torebka z materiału, czyściutka taka, tylko do chleba. Pośrodku drzwi, nad siatkami zwisał z gwoździa pęk kluczy domowych oraz bura tasiemka z kluczami dla „podwórkowicza". Kiedy się szło po zakupy, dostawało się kartkę od mamy i pieniądze w portmonetce. Trzeba było wziąć odpowiednie torby, siatki oraz pojemniki na śmietanę i mleko, czyli słoik i kankę. Tak wyposażone szłyśmy z Gosią do sklepów. Najpierw na Angorską po chleb, bułki i nabiał. Właśnie pojawił się nowy gatunek bułek pszennych z makiem. Były podwójne i nazywały się „Małgośki". Umówiłyśmy się, że to na naszą cześć. Potem leciałyśmy na Walecznych po warzywa, mijając po drodze café „Figaro", z którego przyjemnie zalatywało kawą i flakami, bo w „Figaro" zaczęto serwować ciepłe obiadowe dania i francuskie śniadanka. Nie rozumiałam zupełnie, jak można jeść coś takiego jak FLAKI! Co prawda nigdy ich nie jadłam i nie miałam pojęcia, jak smakują, ale już sama nazwa... Gosia twierdziła, że na jakimś weselu próbowała, a jej tato to nawet je bardzo lubi, ale mnie to nie przekonało.

Stojąc w kolejce po ziemniaki i kapustę, oczywiście gadałyśmy namiętnie. Bardzo lubiłam Gosię. Była straszną śmieszką, świetnie skakała na skakance i miałyśmy mnóstwo własnych tajemnic. Robiłyśmy na przykład na podwórku „widoczki". W dołek wyryty w ziemi kładło się kolorowe papierki, kwiatki, złotko i zakrywało się to szkiełkiem-odłamkiem. Potem zarzucało się to ziemią i po potarciu ręką, oczom ukazywał się widoczek za szkłem. Można go było odsłaniać i pokazywać do czasu, aż kwiatki nie zwiędły, no i dopóki pamiętało się, gdzie on jest!

Po zakupach pomagałam Małgosi zatachać ciężkie torby do domu. Tam, w pokoju (rodzice Gosi też mieli tylko jeden pokój z kuchnią) stała pani Irmina, mama Gosi, w papilotach, podomce i aksamitnych kapciach z różowymi puszkami. Na kocyku w kratkę, położonym na stole, coś zawzięcie prasowała.

— O! Dziewczynki! Już jesteście! — wołała, uśmiechając się ślicznie. — Zjecie zupki?

Najczęściej odmawiałyśmy, bo właśnie strasznie nam się zachciało pójść sobie nad kanałek. (Chyba że w pytaniu zawierało się słowo „pyzy", wówczas hamowałyśmy. Wszystko inne mogło poczekać!).

Raz mama Gosi wysłała nas do magla. Tego, co był pod pożarowymi schodami, w wąskim, parterowym budynku stojącym przy Walecznych. W nim na końcu, od Londyńskiej, było bistro „Figaro". Od podwórka Międzynarodowej 51 były te schody pożarowe, a pod nimi drzwi do magla. To był prawdziwy, przedwojenny, drewniany magiel. Wielka konstrukcja z drewna, o różnych tam przekładniach, rolkach, dźwigniach. Drewno było stare, popękane, ciemnomiodowe, bo pewnie z dębu i jakby wylakierowane, ale to od materiałów i dłoni ludzkich. Tam była właściwie samoobsługa, bo magiel należał do punktu usługowego „Praktyczna Pani", takiej spółdzielni ułatwiającej życie kobietom. W „Praktycznej Pani" były prowadzone różne kursy i punkty napraw odzieży, repasacja pończoch i magiel właśnie. Pamiętam jego specyficzny zapach i trzask rolek dociskających zawijas z pościelą. W tamtych czasach pościel była krochmalona rzadkim roztworem kisielu ziemniaczanego i po umaglowaniu na gorąco była sztywna jak kołnierzyk męskiej koszuli.

Ja nie nosiłam bielizny do magla i nawet jakoś rzadziej latałam po zakupy. U mnie w domu tak jakoś już było, że mama, idąc od strony Francuskiej ze szkoły, zahaczała o sklepy i przynosiła prawie wszystkie zakupy ze sobą. Tato, wracając, miał obowiązek kupić mięso. Bo się znał. Miał dużą wiedzę o mięsie, z rąbanki sklepowej potrafił wytrybować kości na zupę, drobne ochłapy na gulasz i kawałek na pieczeń lub zrazy. Kotlety schabowe były mi właściwie nieznane. Rodzice byli biedni, a szynka, schab i łopatka po prostu nie istniały... (można było je kupić prywatnie). Lepiej i taniej było kupić mielone na gołąbki lub mielaki. Wołowe było częściej i moja mama zgrabnie robiła nieśmiertelne bitki w sosie śmietanowym. Gdy była to sobota i ojcu się chciało (najczęściej zimą), robił z tych bitek, cebuli, grzybów, ziemniaków i śmietany zrazy nelsońskie. Poemat jednogarnkowy, doprawiony pieprzem, zielem angielskim i laurowym liściem.

Pod wieczór zmęczone panie wylegały na ławkę na podwórku, by w papilotach lub bez poplotkować trochę z sąsiadkami i poczekać na męża, który wolno i dostojnie wtaczał się na podwórko po paru piwach wypitych po pracy z kolegami. Porządni ojcowie, na przykład tato Izy, w dresach trzepali dywany... Pan Pachniewski nie trzepał nic, tylko czytał „Przekrój" na ławce, bo zapominał kluczy.

Ach! No przecież! Koło szesnastej biegłyśmy z Gosią do kiosku, bo w soboty był najciekawszy „Ekspress Wieczorny", gazeta, w której pracowała mama Kuby. W sobotę „Ekspress" fundował nam tanie sensacje i programy kin, teatrów, muzeów radia i TV. Moi rodzice nie kupowali „Ekspressu". Czytali „Trybunę Ludu" i „Życie Warszawy". Rzadko mama pozwalała sobie na „Przekrój".

Z otwartych okien buchały na podwórko zapachy obiadów gotowanych już na niedzielę. Prawie w każdej kuchni widać było zapalone światło i panią domu nad garnkami.

Podwórko jeszcze wciąż tętniło życiem, bo dzieci i młodzież, czując, że to sobota, szaleli, grając w zbijaka, klasy lub „gałę". W piaskownicach powoli gmerały w burym piachu senne maluchy i oto już mateczki wyciągały je półśpiące, by zanieść do domu, umyć i złożyć w pachnącą pościel. Taki umęczony może da pospać w niedzielę dłużej?

Koło dwudziestej z niektórych lufcików niosło się po podwórku na krzyż:

— Jaaanusz! Robert! Do domu!

— Fiuuuuuuu! — to brat Krzyśka, Bogdan. Krzysiek zawsze rozpozna ten gwizd i zabierze jeszcze Jurka, młodszego brata.

— Gosiu! — takie subtelne, to moja mama.

Żegnałam Gośkę i dziewczyny i wiałam do domu. Gosi nikt nie wołał. Ona zawsze wiedziała, kiedy ma wracać z podwórka. Na trzepaku, wreszcie wolnym, ostatnie salta wywijała Anka z Kryśką i powoli, powoli podwórko uspakajało się i cichło.

Z trzeciej klatki wychodził z psem na spacer piękny jak Apollo Pan Aktor ze swoim brzydkim psem, a mój tato właśnie wracał ze spaceru, też z psem. Ładniejszym.

Koło dwudziestej trzydzieści kurz osiadał, a trzepaki i liście krzewów pokrywała rosa. Na nasz dom świecił księżyc. Pościel już znikła z balkonów i tylko z otwartych okien sączyły się dźwięki tego, czego kto słuchał. Niektórzy oglądali telewizję, tych było już coraz więcej. Niektórzy słuchali radia, a ci, którzy zamykali okno, na pewno słuchali Radia Wolna Europa. Rozgłośni Wolna Europa pod żadnym pozorem nie wolno było słuchać, bo nadawała audycje o treściach wywrotowych, przeciw „bratniemu Związkowi Radzieckiemu" i ustrojowi socjalistycznemu. W ogóle nie kumałam, o co chodzi. Wiedziałam tylko, że ci, co latem tak zamykają okna o dwudziestej, pewnie łapią drgający sygnał, zagłuszany bezskutecznie przez polskie władze, i słuchają, słuchają w zadumie. To było jedyne źródło informacji w czasach żelaznej kurtyny (też nie rozumiałam, o jaką kurtynę chodzi; byłam za mała i przy dzieciach o tym się nie mówiło). Byliśmy zamknięci w obozie socjalistycznym, w którym miało nam być dobrze. Baaaardzo dobrze. Wmawiano nam, że zgniły kapitalizm umiera, ale kabareciarze dodawali, że jeśli tak, to piękną ma śmierć!

Władze ówczesne zagłuszały nie tylko Wolną Europę. Również rozrywkowe Radio Luksemburg, nadające jazz i big-beat! Zupełnie tak, jakby muzyka mogła kogokolwiek zdeprawować. Na szczęście Miles Davies, Ella Fitzgerald, „Szedousi", „Bitelsi", Paul Anka i inni „przeciekli" do nas zarówno na czarnych krążkach z przemytu, jak i na plastikach — pirackich pocztówkach grających. Muzyka powoli integrowała nas ze światem, potępiana przez panujących nam, niemiłosiernie drewnianouchych, nie pozwalających na jazz, swing czy cokolwiek innego niż pieśni Mazowsza czy rodzimych piosenkarzy śpiewających o pięknie stolicy, ciężkiej pracy murarzy czy tramwajach we Wrocławiu. Radia Luksemburg słuchał każdy młody człowiek. No, prawie każdy. Przecież narodził się big-beat!

Moja mama wieczorami z pewnością siedziała na plotkach u ciotki Baśki. Mój tata leżał na tapczanie i słuchał koncertu. Pewnie Bacha albo Vivaldiego. Był wielkim admiratorem klasyki. Ja, zmęczona podwórkiem, fikaniem i zabawami, zasypiałam bez telewizji i dobranocek, nad książką z bajkami albo później nad *Anią z Zielonego Wzgórza*. Do moich uszu dochodziły tatowe koncerty. Usypiały pięknie...

Niedziela

Niedzielny poranek, inny niż każdy dzień, otwierali właściciele psów. Zwierzęta nie szanowały niedzieli. Wszyscy chcieli sobie pospać, ale nie psy. Pani Piotrowska lub pan Piotrowski wyprowadzali swojego psa rasy collie — w piżamach. On — w niebieskie paseczki, ona w jakiejś koszuli i szlafroku. Zaraz potem Ewka, siostra Roberta, otwierała drzwi od klatki, by wypuścić na dwór ich jazgotliwego, okropnego kundla. Sama wracała na górę.

Słyszałam przez sen, jak wstaje mój tato, ubiera się i wychodzi z naszym psem. To są ich chwile. Tata idzie sobie nad kanałkiem lub do parku. Spuszcza ze smyczy Kubę (czy też przedtem piękną wilczurzycę Kirę) i rzuca mu patyki. Pies zgrabnie śmiga w trawę i łopiany i wraca do pana. Lubią się bardzo. Tato głaszcze psa i przemawia do niego czule. Potem sobie spaceruje, myśląc o różnych rzeczach. Nie wiem, o jakich. O swoich. Tato umie i lubi bywać sam. Wychował się właściwie jako jedynak. Miał przyrodnie rodzeństwo, ale nie byli szczególnie blisko. Spacerował więc sobie po parku lub wzdłuż byłych działek, aż pod lotnisko, rozmyślając i ciesząc się cichą, poranną porą dnia, gdy jeszcze wszyscy siedzieli w domach. Kuba szedł obok, pełen zrozumienia.

Pomału wychodziły z domów babcie na poranne nabożeństwo. W domach powoli wstawały mamy i dzieci. Ojcom było trudniej po „wczorajszym". Koło dziewiątej, dziesiątej wracał tato, a z okien sąsiadów już czuć było gotowane mleko i kawę. Gdzieniegdzie prawdziwą, ale na ogół smakowitą zbożówkę z cykorią.

Wcześnie, o siódmej rano, budziły się te rodziny, które zdecydowały się na majówkę. Matki już poprzedniego dnia przygotowały prowiant. Jakiś kocyk (ten przypalony zostawał w domu, bo służył do prasowania i wietrzenia pościeli) lub kapę z łóżka, wiklinowy kosz, butelki i termos. Teraz tylko trzeba było rozbudzić śpiące jeszcze dzieci i skacowanego męża i zdążyć na autobus, który wywoził ich gdzieś na peryferie miasta lub na przystań wiślaną. Rodziny z dawną warszawską tradycją co najmniej raz w roku spędzały majówkę na statku wiślanym. Tato opisał to w swojej książce *O Starówce, Pradze i Ciepokach*. Przy pięknej pogodzie była to nie lada atrakcja. Przed wojną płynęło się aż do Młocin. Zsiadało ze statku, szło na łąkę koło tancbudy i siedziało do wieczora. Panie zdejmowały suknie aż do halek, panowie podwijali nogawki, zdejmowali koszule, zostając w rozciągniętych podkoszulkach. Na głowie mieli chustki do nosa zawiązane na rogach w supełki lub słomiane kapelusze kupione na odpuście lub u baby koło przystani. Dzieci też ustrajano w kapelutki ze słomy lub wiórów, ale żaden się nie utrzymał na biegającym dzieciaku. Leżały porzucone na łące, koło kocyków, między pustymi butelkami po oranżadzie i niedojedzonymi obwarzankami. Bułki z kotletem i ogórkiem zjedzone, skorupki od jajek wyrzucone, mąż pijany jak bela, dzieci umajone i zmęczone — można wracać!

W czasach mojego dzieciństwa nie schodziło się ze statku. Po co? Gra muzyka, orkiestra jakaś lub z megafonu, radiowa. W bufecie sprzedają oranżadę i dropsy, dzieci zwisają przez poręcze statku z patykami i gapią się w wodę, a mąż nie ma z kim pić, więc prawie nie pije. Zresztą „my — Warsiawiacy, nie jakieś tam wieśniaki, nie robimy ze statku wesela. Żadnych kotletów w kanapkach! Kultura, pełnotłusta!" Mamy zrobiły eleganckie kanapki z serem i liściem sałaty, jak pokazano w czasopiśmie. Odwinięte do połowy z woskowego papieru giną subtelnie w ustach cywilizowanej rodziny. Dzieci piją wyłącznie oranżadę, mama herbatę z cytryną z termosu w kubeczku, jak dama. Tato ma „naparstek", z którego pięknie wychyla wiśnióweczkę. Żadnej wsi! Elegancko i z fasonem, jak u Jaremy Stępowskiego. Brzmiało to mniej więcej tak:

Słoneczny żar się z nieba leje,
Warszawa cała już od rana pustoszeje,
Do ciężkich pięt się asfalt lepi
I nawet lodziarz nie ma siły cię zaczepić. (...)

Statek do Młocin, do Młocin statek,
Wielka atrakcja dla dorosłych i dla dziatek.
To dla mnie życia urok, życia treść
Do Młocin statek, no i cześć.

Panowie, panie, to nie są kpiny,
Na letnie dni po prostu nie ma jak Młociny.
To dla mnie życia urok, życia treść
Do Młocin statek, no i cześć.

Na takiej wycieczce można poznać kogoś ciekawego, porozmawiać kulturalnie i podziwiać, jak pięknie budzi się ta nasza Warszawa!

Wracało się około piętnastej, szesnastej, bo przecież trzeba zdążyć na „Tele-Echo", plotki z sąsiadkami lub imieniny u cioci. Jak już jesteśmy przy „Tele-Echu", koniecznie muszę wtrącić historyjkę o pani Irenie Dziedzic, zasłyszaną od mojej koleżanki z klasy, Krysi Szkamruk (powtarzam za nią).

Zima 1981 rok, okolice Wigilii czy jakoś tak. Saska Kępa, noc, godzina koło 23.00. Na trawniku szukają miejsca na siku dwa pieski wyprowadzone na wieczorny spacer przez panią Irenę, zakutaną w futerko, w szalu... Zatrzymuje ją patrol — pan milicjant i wojskowy.

— Dobry wieczór, dokumenty proszę — salutuje pan milicjant.

— Jakie znów dokumenty? — Pani Irena odwraca się zdumiona. — Ja z psami wyszłam na nocną kupkę, proszę pana, po jakie licho mam brać dokumenty?!

— Mamy stan wojenny, proszę pani, a to już jest po godzinie policyjnej!

— Pan oszalał? Jaki znów stan?

Pan milicjant spogląda na pana wojskowego i zaczyna deklamację:

— Proszę pani, dnia 13 grudnia został wprowadzony stan wojenny...

Gdy skończył deklamację, pani Irena popatrzyła na nich z powątpiewaniem i zagadnęła logicznie:

— Zaraz... Ale tu u nas, na Saskiej Kępie — TEŻ?!

Z tego, co mówiła Krysia, zasalutowali i puścili ją do domu, bo pieski właśnie skończyły sikanie...

Saska Kępa zawsze była jak mała odrębna wyspa!

Wracam do niedzielnych obyczajów.

Inni w niedzielę lądowali w Świdrach, Józefowie, Milanówku, na Wale Miedzeszyńskim, gdzie tylko chcieli. Na obrzeżach całej Warszawy przy strudze, rzece, gliniance byle jakiej było aż gęsto od niedzielnych majówek. Na kocach, kapach siadały całe rodziny. Dzieciaki kąpały się w wodzie jak kaczki, a wokół rodzin rosły zamki z piasku i babki. Kobiety zwykle czytały książki i czasopisma dla pań: „Zarzewie", „Ty i Ja" lub „Urodę", spały w słońcu lub rozwiązywały krzyżówki. Panowie uczyli dzieci pływać w wodzie za kolana, popijali wódeczkę i czekali na powrót do domu, do niewygodnego fotela i telewizora.

Ja z tatą, wyposażeni przez mamę w kanapki i termos z herbatą, jechaliśmy na Wał Miedzeszyński, a tam, łąkami i pastwiskami, szliśmy aż do Wisły. Na wysokości Siekierek Wisła rozlana szeroko tworzyła ładne i czyste wówczas plaże z żółtym piaskiem. Pod rozłożystym krzakiem wierzby rozkładałam koc, bo to ja byłam tu gospodynią. W cieniu pod krzakiem robiłam zagłębienie i w wilgotnym piasku kładłam torbę, zakopywałam termos z herbatą. Wierzyłam, że tak lepiej utrzyma ciepło. Tato rozbierał się do kąpielówek i przeciągał, ciesząc się na ciche godziny wypoczynku. Po całym tygodniu biura potrzebował wyciszenia. Zawsze najlepiej wypoczywał z dala od ludzi, pogrążony w swoich myślach i marzeniach. Byłam jego najukochańszą córką, więc moje towarzystwo nie przeszkadzało mu wcale.

Zanim ja przebrałam się w kostium, robiąc ekwilibrystykę z ręcznikiem, i natarłam się tanim olejkiem, tato już spacerował brzegiem po mokrym piachu, przyzwyczajając stopy do zimnej, wiślanej wody. Wystawiał twarz na wiaterek, rozciągał mięśnie i ćwiczył przysiady, zataczał koła jedyną prawą ręką, bo po lewej został mu tylko wojenny kikut. Dla mnie mój tato z kikutem był najnormalniejszym tatą świata. Pamiętam, że rozlazły szew na kikucie miał kształt malutkiej bułki paryskiej.

Tato wracał na koc, jak ja już byłam w kostiumie, poukładałam ciuchy i wiktuały. Kładł się twarzą do słońca i zamykał oczy. Uwielbiał to. Był akumulatorem słonecznym. Pod powiekami przesuwały mu się obrazki jego fantazji, może przeszłość? Chłonął ciepłe słońce i drzemał. Ja w tym czasie wyciągałam szkolną lekturę do przeczytania, żeby czym prędzej mieć z głowy obowiązek. Nieuważnie przedzierałam się przez jakieś *Nasze szkapy* czy *Janki Muzykanty* i wreszcie miałam czas dla siebie.

Byłam „córeczką tatusia". Musiałam mu zastąpić chłopaków, synów, którzy zostali przy swojej mamie i nie garnęli się do ojca, karmieni przez nią niechęcią. Zraniony, przelał na mnie całą swą tęsknotę za domem, miłością ojcowską, której sam nie zaznał, za szczęściem po prostu. Nawet mówił do mnie „Motente" (w moim dziecinnym języku oznaczało to „moje szczęście").

Jak ojciec — umiałam być sama. Szłam sobie na „mokry" spacer brzegiem Wisły, mocząc stopy, i zbierałam piękne kamyki, szkło zeszlifowane przez fale, muszelki. Czasem ktoś mnie mijał, ale na tych łachach wiślanych mało było ludzi. Na koniuszku gdzieś siedział wędkarz lub pod odległym krzakiem ściskała się para zakochanych. Wracałam, gdy ojciec po drzemce siedział i uśmiechał się do mnie. Pięknie. Całym sobą. Przechylał lekko głowę i w oczach miał całą swoją ojcowską miłość do mnie. Szliśmy do wody. Najpierw tato badał dno. Był dobrym pływakiem. Stąpał powoli i sprawdzał, gdzie jest dobrze i stabilnie. Potem wyznaczał mi teren, gdzie nurt był leniwy i wchodziłam do wody, lodowatej, jak mi się zdawało. Potem pływaliśmy długo różnymi stylami. Ja głównie pieskiem i na wznak. Tato na boku i też na wznak. Oczywiście również nurkowałam po skarby na dno rzeki, aż wreszcie wargi mi siniały i szliśmy na brzeg, na którym leżał cieplutki i suchutki ręcznik! Dygocząc, dopadałam koca. Tato szedł powoli, jakby wcale nie zmarzł w wodzie, kładł się nieopodal i tak leżeliśmy z piętnaście minut w słońcu, aż się rozgrzaliśmy.

Potem wyjmowałam prowiant i zjadaliśmy kanapki z jajkiem i sałatą. Na razowcu. Pyszne! Niezbyt słodka herbata z cytryną była świetna — jak nigdy! Tato znów robił przechadzkę z gimnastyką, ja znów czytałam i jeszcze zostawała nam godzinka, dwie... Ja nudziłam się już troszkę. Tato leżał, opalając plecy, a ja kładłam się, układając głowę na jego plecach, i zaczynałam zadawać pytania. O to, jak było przed wojną, a kto był jego prawdziwą mamą, a dlaczego dym z siekierkowskiej kotłowni jest biały...

To ja, weekendowa córeczka taty. Takie zdjęcie stało u taty na biurku, w pracy.

Tato rozmawiał ze mną cicho i cierpliwie, aż nie wiadomo skąd WIEDZIAŁ, że już pierwsza, więc mówił: „Dobra, zbierajmy się". Wracając na przystanek przez łąki, robiłam sobie wianek z mleczów i tak ustrojona wsiadałam do autobusu. Wracaliśmy.

W domu czekała mama. Była z siebie dumna, bo poprawiła wszystkie klasówki, zrobiła nam obiad i jeszcze sobie poczytała. Też nigdy się ze sobą nie nudziła!

Uwielbiałam te niedzielne wypady z tatą. Byliśmy tylko MY i gdzieś reszta świata. Nic i nikt nie mącił naszego wypoczynku. Każde robiło to, co lubiło, i nie trzeba było gadać. Tylko troszkę...

Po obiedzie, koło 15.00, tato wyciągał jakąś książkę, a mama, pozmywawszy naczynia, robiła herbatę i... Nie wiem, co dalej, bo ja byłam już na podwórku! Po południu siedziałyśmy, najedzone i leniwe, na trzepaku, patrząc na to, kto skąd wraca i kto gdzie się wybiera. Wymiętoszeni tatowie obładowani koszami, spieczone słońcem mamy i zmęczone dzieci wracały ze Świdra lub statku na Wiśle. Ci szli szybko. Dostojnym krokiem, ładnie ubrani, znudzeni i leniwi wracali jacyś rodzice z dziećmi z zoo, parku lub kina. Z klatek zaś wychodzili eleganccy, pachnący panowie, naondulowane i wykoralowane panie z dziećmi ubranymi w najlepsze ubranko lub sukienusię. Ci na pewno szli Z WIZYTĄ, gościować się. Ojciec rodziny trzymał bombonierkę, mama kwiatki. Zawsze były to jedyne, dostępne w niedzielę goździki z asparagusem, kokardką i w „cefalonie".

Twarz dzieci przedstawiała mękę nie do opisania. Głównie chłopcy nienawidzili tych wyjść. Włosy sterczące na co dzień, ulizane brylantyną lśniły na odległość, a przedziałek był tak równy, jak w pysk strzelił. Ciut za mała koszulina „piła" pod szyją, a spod kołnierzyka zwisała smętnie czarna aksamitka. MUSOWO. Jeśli miłosierna matka wkładała spodenki długie, było dobrze. Były też mamusie potwory, które wkładały synkom niebieskie krótkie spodenki na szeleczkach. Oczywiście, już za małe i nieszczęśnik musiał jeszcze znieść białe (!) podkolanówki do trampek lub, co gorsza, sandałków (bo buciki od komunii już były absolutnie za małe). Żałośnie podciągnięte do góry, z przykrótkimi szelkami spodenki sprawiały, że chłopię co i rusz obciągało sobie te gatki z uciskanych jajeczek, a mama tylko go ofukiwała:

— Przestań natychmiast! Co to, owsiki masz?! Tadeusz! Powiedz mu!

I ojciec mówił:

— Przestań... — dla świętego spokoju.

Dziewczynki miały lepiej. Mama stroiła je w wytęsknione sukieneczki z falbanką. Pozwalała rozpuścić włosy, zawiązywała wielką kokardę lub upinała koczek. Różnie. Dziewczynka naśliniała brwi i rzęsy, które potem wywijała na łyżeczce od herbaty tajnym gestem nauczonym na trzepaku i oto stał przed mamusią niedzielny aniołek majtający rzęsiskami. Stało to cudo w białych skarpetkach i sandałkach, czyste i pachnące.

Ciocie będą piszczeć i głaskać po główce, pytać o stopnie i aniołek bez zająknięcia powie: „Bardzo dobrze, ciociu!" — mając na myśli wuef i plastykę. Babunia spyta, czy aniołek zna pacierz i czy go zmawia przed snem, i uspokojona wielkimi oczami oraz zapewnieniem: „Oczywiście, babciu", da aniołkowi 20 zł. „Na zeszyciki".

Braciszka nikt o nic nie pyta, bo całe przyjęcie u cioci przewierci się przy stole, nie mogąc się skupić z powodu cisnących spodenek, a na pytanie o stopnie natychmiast myśli o matematyce, więc czerwienieje jak burak i spuszcza wzrok w talerz. Ciocie wzdychają i żadna nie da nawet złotówki...

No, chyba że chrzestna. Resztę przyjęcia chłopię stoi na balkonie u cioci i pluje na przechodniów.

Wreszcie wszyscy się żegnają, falbankowy aniołek dyga i uśmiecha się do cioć, a synek kuli się za tatą i ciągnie „do domu". Wizyta skończona, można wracać! Wieczorem wraz z nimi tramwajem wraca mnóstwo im podobnych.

Zapalają się nocne latarnie, tramwaj piszczy niemiłosiernie na kolejnych przystankach, pan domu śpi przyklejony do klipsa żony, a dzieci przyklejają się do szyby, bo tramwaj jedzie przez całą Warszawę i coraz to nowe neony zapalają się i gasną, jak na stolicę przystało. Jeśli jest już 23.00, dzieci widzą, że ulice są już prawie puste, nieliczne samochody — moskwicze, warszawy, wołgi, skody i syrenki — stoją zaparkowane przy krawężnikach. A po ulicach Marszałkowskiej, Świętokrzyskiej, Alejach Jerozolimskich, moście Poniatowskiego jadą ogromne cysterny pełne wody i obficie zraszają ulice. Asfalt błyszczy, odbijając wszystkie światełka. Dzieci są zmęczone i ciche, rzadko widzą Śródmieście. Za każdym razem jest coś nowego.

— Patrz! Patrz! Ten neon się rusza!

Moi rodzice nieczęsto jeździli do rodziny i może dlatego tak mocno utkwiły mi w głowie te wyjazdy, a szczególnie powroty nocną Warszawą i neony. Niebieski zygzak na Centralnym Domu Dziecka, kolorowe kwiaty na rogu Kruczej i Alei Jerozolimskich, napis „Jubiler", wesoło migający, a na Powiślu „LUMEN" i „neony, neony, neony, neony" — reklama jakiejś „neonowej" firmy.

W domu szybkie mycie i sen napadający mnie i inne dzieci szybko i podstępnie. Jutro szkoła! Rodzice czasem jeszcze oglądają jakiś film dla dorosłych.

I już. Po niedzieli!

Przyjaźnie małe i duże

Moim najpierwszym i najlepszym kolegą z dzieciństwa był bez wątpienia Kubuś Mosz. Po przeprowadzce z Krynicznej na Międzynarodową, na parter, stałam się bardziej samodzielna i sama sobie znalazłam na podwórku Kubusia. Okazało się, że mieszka w tej samej klatce schodowej, co my, tylko wyżej, na drugim piętrze. Był w moim wieku, miał ładne, kręcone włoski, buzię okrągłą i podobne wiaderko do mojego. Podobnie nas ubierano, w szorty i sandałki, i lubiliśmy razem się bawić.

Nasze mamy szybko się zaprzyjaźniły. Tatowie mniej, bo obydwaj niezbyt łatwo obdarzali ludzi pełnym zaufaniem i musieliby zjeść ze sobą beczkę soli, by być blisko. Nie zjedli. Obaj byli dla siebie grzeczni i tylko tyle. Za to ja i Kuba gmyraliśmy razem w piaskownicy, ganialiśmy się w berka i bawili w chowanego.

Najlepiej jednak było nam ze sobą, gdy padał deszcz, bo siedzieliśmy przeważnie u niego (mieli większe mieszkanie) i budowaliśmy zamki z klocków. Tato Kuby pracował w telewizji i mało bywał w domu. Głównie wieczorami, więc go prawie nie widywałam. Bałam się go troszkę, bo był bardzo wysoki i umiał być zasadniczy.

Ciocia Basia, mama Kuby, szybko znalazła z moją mamą wspólny język. Obie miały małe dzieci i wspólne z tego tytułu wynikające tematy i problemy. Katarki, odparzenia i takie tam mamine ble-ble. Były inne, różne. Moja mama, nauczycielka, poważna dość i surowa w osądzaniu świata. Zdecydowanie idealistka, mocno wierząca w to, co się działo w ówczesnej polityce. Oboje z ojcem uważali, że owszem, nie wszystko jest idealnie, ale trzeba dać szansę „nowemu". Ciocia pracowała w popołudniówce „Ekspress Wieczorny", a poglądy miała chyba bardziej krytyczne, ale na użytek domowy. Zresztą bardziej od polityki pochłaniało ją dziecko i mąż.

My z Kubą mieliśmy spójny światopogląd: najlepsze są klocki z plastiku (podobne do słynnych lego, lecz rodzimej produkcji). Drewniane służą dobrze, ale do innych zabaw, a w ogóle to Kuba rządził i wymyślał, a ja asystowałam dzielnie. Byliśmy wszyscy tak zaprzyjaźnieni, że wujostwo, mając tylko miesiąc wakacji, chętnie kiedyś oddali Kubusia pod opiekę mojej mamy i tak razem, jako małe „gluty", spędziliśmy wakacje w Baranowie (patrz rozdział Wakacje).

Mieliśmy, ja i Kuba, swoje ukochane zwierzaki-pluszaki, swoje światy i fantazje, kłótnie też, ale takie szybkie („Gupi jesteś! A ty jeszcze bardziej!"). Oglądaliśmy serial *Zorro* i mieliśmy takie same jak główny bohater kapelusze, maski i szpady. Takież czarne peleryny i... zwierzęta. Kuba miał konia Tornado, a ja, aż wstyd przyznać (koń nie rozbudzał mojej fantazji), ja w zabawie miałam krowę Gajkę. Taką byłam Zorro-woman, z krową. To była oczywiście tajemnica, bo jakby to usłyszeli chłopaki z podwórka, umarliby za śmiechu. Kuba nigdy nikomu nie powiedział o naszych zwierzakach. Nigdy. (W Baranowie chodziliśmy po obejściu lub po łące, ciągnąc za sobą stary łańcuch, na końcu którego każde z nas prowadziło to swoje wyimaginowane zwierzę. Posypywałam trawę cukrem, bo wtedy Gajka dawała słodkie mleko. Wierzyłam w to. Kuba też).

Na podwórku musiałam dzielić się Kubą z chłopakami. Bawiliśmy się w partyzantów, wojsko, bandytów i Indian. Chłopacy byli fajni. Zawsze znaleźli rolę dla mnie! Przyjaźniąc się z Kubą, jeszcze jako maluch, przywykłam do dość chłopięcych zabaw, nic więc dziwnego, że jako dziewięcio-, dziesięciolatka chętnie pod dowództwem Krzyśka Frankowskiego buszowałam z chłopakami po dzikich działkach, zdobywałam twierdzę-śmietnik lub biegałam w masce Zorro, wywijając kijem, strzelałam z pistoletu (z patyka...), rzucałam nożem (z patyka...), nosiłam oficerki (no, nie z patyka, ale z kaloszy). Wkrótce te miejsca (podwórko, działki) przestały nam wystarczać i mimo zakazów mamy chodziłam z chłopakami do parku Paderewskiego leżącego po drugiej stronie alei Waszyngtona. Mówiło się też park Skaryszewski. Obie nazwy są OK. Sprawdziłam.

Chłopaki otaczali mnie opieką. Kuba, Krzysiek i Robert nie daliby mi krzywdy zrobić, co do tego byłam pewna! Ja, ale nie moja mama, która czytała czasem „Ekspress Wieczorny". Ta gazeta lubowała się w tytułach z pierwszej strony: *W parku Paderewskiego grasuje morderca*, *Poćwiartowane zwłoki w krzakach* itd. Nas nie obchodziło to nic a nic. Instynktownie czuliśmy, że do zmierzchu park jest bezpieczny. Znakomitym miejscem do wspinaczek i zabaw była duża, kamienna grota, i zarośla jałowców, pięknie pachnące świeżym igliwiem, a także kapliczka, która dla nas była biurem szeryfa — miejscem nietykalności i „zbiórkowym". Wkrótce jednak po odkryciu mojej niesubordynacji zagrożono mi laniem psią smyczą, a to był argument ostateczny. Nie chodziłam już do parku. Zresztą trzeba było iść koło baru „Fregata", który był miejscowym ściekiem i zawsze dookoła niego pełno było agresywnych, pijanych podrostków. Zaczęłam też doceniać zabawy z dziewczynami i powoli opuszczałam oddział Krzyśka. Tym bardziej, że oni coraz częściej grali w „gałę" z kolegą z willi — Markiem Sybidło, zwanym Styśkiem. Marek był gruby, ale w piłkę rżnął fantastycznie! Lubiłam go, bo był bardzo miły dla dziewczynek.

Pisałam już o moich wyprawach do spożywczaka z Małgosią Poboży, moją koleżanką z pierwszej klatki schodowej. Zaczęłam przyjaźnić się z nią, bo chłopaki stali się nie do wytrzymania i nic nie rozumieli. Gosia — wszystko. I to w lot, bez zbędnych słów. Lubiła te same piosenki, podobali jej się ci sami aktorzy, skakała w klasy bardzo chętnie i bardzo nam było fajnie razem. Była pulchna, jak jej mama Irmina, miała gęste blond włosy, niebieskie oczy i bardzo naturalny, ładny uśmiech. W ogóle była wesoła i dlatego zapewne tak dobrze było nam ze sobą. Obie śpiewałyśmy w chórze szkolnym, obie wywijałyśmy na trzepaku różne salta, obie chodziłyśmy na zakupy, jak Lisa i Britta z *Dzieci z Bullerbyn*, mojej najukochańszej książki z dzieciństwa. Często, siedząc na trzepaku, śpiewałyśmy piosenki, bo po prostu lubiłyśmy śpiewać. Moi rodzice też lubili Gosię. Tato często uśmiechał się do niej i żartował, prowokując ją do śmiechu. Chciał, żeby nie myślała o tym, że dzieci z podwórka podśmiewają się z jej tuszy, ani o tym, że nasza wychowawczyni robi jej z tego powodu kąśliwe uwagi.

Na początku piątej klasy Gosia z rodzicami wyprowadziła się i nasz kontakt się urwał. Rozstanie było łzawe i przysięgałyśmy sobie nie zapomnieć się do końca życia. Ułożyłyśmy nawet o tym długaśną piosenkę, pełną kwiecistych zwrotów, utkaną z rymów częstochowskich. Miała dwanaście zwrotek! Wiele lat później, już jako mężatka, spotkałam Gosię na przystanku tramwajowym. Była piękną, promienną kobietą. Wyszła za mąż za pana o równie królewskim, jak Gosia, arystokratycznym nazwisku — Poniatowski, i wciąż tak ładnie się uśmiechała. Jeszcze raz sprawdziła się baśń o brzydkim kaczątku.

W tym czasie w moim życiu pojawiło się jeszcze jedno

podwórko. Często jeździłam do ciotki Teresy, siostry mojej mamy, na Muranów. Gdy rodzice byli bardziej zapracowani, woleli, gdy byłam pod jej opieką. U ciotki było lepiej, bo miała małe dziecko (mojego ciotecznego brata — Michała). Michaś był jak duża lalka. Gdy padało, ciocia pozwalała mi zabawiać Michałka, gdy pogoda była piękna, nudziłam się na małym podwóreczku na ulicy Dubois. Do czasu...

Poznałam niezwykłą dziewczynkę z sąsiedniego bloku. Była w moim wieku, miała krótkie włosy z wicherkiem na czole i oczy jak czarne paciorki. Obie miałyśmy absolutnie nieokiełznaną wyobraźnię i nie potrzebowałyśmy niczego poza nią, by się zatopić w zabawie. Tato Marceliny (tak miała na imię), Bolesław Kowalski, był słynnym kapitanem jachtu „Śmiały", który z załogą (był w niej także Krzysztof Baranowski — wtedy jako kuk) opłynął świat. Opowiadania taty i jego listy dawały Marcelinie wiedzę o świecie i pożywkę dla wyobraźni. Resztę dodały książki, pocztówki, przeźrocza. Byłyśmy wędrownymi beduinkami, perskimi księżniczkami więzionymi przez złego chana, elfami z czarodziejskich ogrodów, a to wszystko w scenerii ulicy Miłej, Karmelickiej i Dubois.

Nieopodal podwórka stał otoczony tujami kamienny obelisk z żydowskimi napisami. Dla nas to był cyprysowy gaj z twierdzą, a wielkie rumowisko, pełne przeróżnych przedmiotów (dziwnie domowych) — pustynią lub księżycem. Wojna, w którą bawiłam się z chłopakami, okupacja z filmów i rozmów z rodzicami, to była dla mnie odległa historia. Tymczasem upłynęło od niej zaledwie 20 lat... NIE WIEDZIAŁAM, że wielkie rumowisko, które było dla nas miejscem zabaw, pełne widelców, szmat, połamanych mebli, cegieł, a czasem kości, to były ślady, pozostałości warszawskiego getta... Gdybyśmy, wbrew zakazom rodziców, poszły ulicą Miłą w stronę Woli, zobaczyłybyśmy pewnie szubienice, stojące tam jeszcze od czasów okupacji, pod którymi bawił się mój kolega ze studiów, Leszek Bielecki. On mieszkał bliżej ulicy Anielewicza, też bawił się na szczątkach getta.

Dziś, gdy o tym myślę, ciarki mi przechodzą, wtedy było to normalne.

Czemu dorośli nic nam nie mówili? Nie wiem. Prawdopodobnie uważali, że jesteśmy za mali i nie ma sensu rzucać cienia okrutnych dziejów getta na nasze dzieciństwo. Chyba tak.

Zabawy z Marceliną uratowały mnie od nudy. Niezwykle rozwinęły moją wyobraźnię i wiedzę. Pokazywała mi dużo pocztówek i zdjęć z podróży taty: wyspy, gorące źródła, tropikalne kraje. Przekazywała mi opowieści taty o portach, morzu i męskiej przygodzie, jaką był rejs „Śmiałego", o którym wówczas głośno było w prasie i TV. Wkrótce rodzice Marceliny wyprowadzili się do większego mieszkania i nasz kontakt się urwał. Nie mam jej zdjęcia, ale pamiętam uśmiech i sposób, w jaki wymawiała „r". Inaczej niż Janusz z trzeciej klatki schodowej. Ładniej.

Z sąsiedniego podwórka na Międzynarodowej miałam też koleżankę, Kryśkę Szkamruk (to ta, która sprzedała mi anegdotkę o pani Irenie), dość niezwykłą dziewczynę, o której wiem, że została „cyrkówką". To znaczy przez jakiś czas pracowała z mężem jako wrotkarka i rowerzystka wykonująca akrobacje w lokalach i teatrach. Tak mówiono. Niedawno przyszła na moje spotkanie autorskie. Właściwie nic się nie zmieniła. Ta sama Krysia!

Przyjaźniłam się też z Małgosią Woźniak z trzeciej klatki schodowej. Poznałyśmy się jeszcze w Moskwie, na kursach języka polskiego, prowadzonych przez moją mamę (o tym będzie później). W Polsce okazało się, że mieszkamy w tym samym domu. Trzymałyśmy się razem w ósmej klasie, potem Małgosia przeniosła się na Żoliborz i jakoś kontakt nam się urwał.

Bardzo ciepło wspominam Betę Burzyńską i naszą wspólną miłość do śpiewania i Beatlesów. To przyjaźn późniejsza, z końca podstawówki. Jej idolem i miłością największą był naturalnie Paul McCartney. Moją, eeeee... chyba Ringo, ale wolałam kochać Marka Ałaszewskiego z zespołu Klan. No. Był taki, ktoś pamięta?

Beta uparcie nie pozwalała, aby nazywać ją Elą. Była bardzo zaangażowana w chór harcerski śpiewający przy Teatrze Wielkim Opery i Baletu w Warszawie pod batutą Władysława Skoraczewskiego. Bardzo lubiłam słuchać jej relacji z obozów, prób i występów, na przykład w *Borysie Godunowie*. Dzisiaj kontaktujemy się znów, dzięki słynnemu szkolnemu portalowi. Beta jest bardzo pogodną osobą, uprawia nordic walking, robi zdjęcia, prowadzi bujne życie towarzyskie. Na zdjęciach pyzata i stale uśmiechnięta. Aktywna wspaniała dziewczyna — starość jej się nie ima!

Jako dwunastolatka, miałam jeszcze jednego przyjaciela. Był bardzo dorosły i nazywał się Stanisław Głąbiński. Był dziennikarzem PAP-u i korespondentem w Pekinie i Waszyngtonie. Poznałam go w pociągu, gdy jechałam z mamą nad morze, do Pucka. Było mnóstwo ludzi w tym pociągu. Wakacje! W połowie drogi wyludniło się trochę i obok nas zwolnił się przedział. Pan, który siedział przy nas i mile gawędził z mamą, poszedł do tego przedziału. Spytał, czy też bym poszła, bo w naszym przedziale dorośli palili papierosy i było duszno. Położył się na wolnych miejscach, a ja siadłam naprzeciw niego, przy oknie. Przegadaliśmy resztę drogi jak najlepsi kumple. Pan Stanisław opowiedział mi ciekawą historię:

Jego przyjaciel był leśniczym i mieszkał z żoną w głębi ogromnej puszczy, gdzieś chyba na wschodnich terenach. Na jakiejś akcji w lesie wraz z kolegą musieli w samoobronie zastrzelić atakującą ich niedźwiedzicę. W krzakach, okazało się, był maluch — miś. Leśniczy zaniósł miśka do domu. Jako że nie mieli dzieci, żona chętnie zajęła się niedźwiedziakiem, który traktował ją jak mamę. Biegał za nią krok w krok i łasił się jak pies. Wkrótce jednak urósł i musiał zamieszkać w budzie, na podwórku. Często zdarzało się, że urywał się z łańcucha i doganiał panią, idącą do miasteczka na zakupy (5 kilometrów), więc pani musiała wracać i ponownie wiązać go za obrożę do łańcucha przy budzie.

Pewnego razu pan leśniczy wyjechał, pani poszła do miasteczka, a tu, w połowie drogi, z krzaków znów wyłazi misiek z głupią miną. Pani się zezłościła, bo nie chciało jej się wracać taki kawał, i nawrzeszczała na miśka. Parasolką zapędziła go w krzaki, kłując w zad... Jakie było jej zdumienie, gdy po powrocie ujrzała miśka uwiązanego na łańcuchu, przy budzie! Wtedy przypomniała sobie, że ten misiek z lasu nie miał obroży...

Spotkałam pana Stanisława jeszcze parę razy w życiu. Był imponująco mądrym człowiekiem. Rozmowy z nim zawsze przynosiły mi dużo wiedzy i radości. Był serdecznie zaprzyjaźniony z wujkiem Włodkiem Źróbikiem (najpierw saneczkarzem, później dziennikarzem sportowym), mężem ciotki Hanki Źróbikowej. Hanka Źróbik była również saneczkarką, a potem, gdy skończyła karierę sportową, pracowała w Automobilklubie Warszawskim i to ONA była autorką słynnego powiedzonka:

— Panie dyrektorze, to ja dzisiaj wcześniej wyjdę, ale za to jutro później przyjdę, dobrze?

— Naturalnie, jak zawsze, pani Haniu!

Oczywiście były jeszcze w moim życiu przyjaciółki ze szkoły i podwórka. Hania Poddana — miła, „dobrze ułożona" śmieszka z wielką fantazją. Obie dość późno zwariowałyśmy na punkcie lalek-bobasków. Obie w piątej klasie paradowałyśmy po podwórku z wózkami, becikami i smoczkami, wiodąc dialogi stroskanych matek. Kompletny idiotyzm, w tym wieku, ale tak nas wzięło i już!

Była w szóstej klasie Ulka Bartel, szczupła, z fryzurą na pazia, której tak podcięłam kiedyś grzywkę, że nad czołem pojawiła jej się centymetrowa szczoteczka. Siostra Ulki śmiała się i pocieszała ją, że włosy odrosną, a Ulka nie obraziła się na mnie wcale. Była fajna. Znała się na muzyce, wiedziała, kto najlepiej śpiewa, co to jest Radio Luksemburg, kto się w kim podkochuje i że na świecie są HIPPISI! Na moje okrągłe ze zdziwienia oczy powiedziała mi, że wie od siostry, a one od kolegów ze starszych klas, że hippisi to taka młodzież jak ona (czyli doroślejsza niż my — Ulka i ja), że mieszkają w Ameryce, noszą kolorowe ubrania i nie chcą wojny... I żeby być hippiską, trzeba mieć mnóstwo łańcuszków na szyi albo koralików, różowe okrągłe okulary, szerokie spodnie, najlepiej wytarte farmerki („Jeansy", głupia, się mówi! — mitygowała mnie) i długie włosy spuszczone „na wodę" (to znaczy luźno, bez układania). Trzeba słuchać Janis Joplin i Jimiego Hendriksa i trząść się do tej ich muzyki i jeszcze palić marihuanę. Ale co to jest, Ulka miała się dopiero dowiedzieć. Spytałam Ulkę, czy zamierzamy być tymi „hispiskami", ale ona parsknęła tylko i powiedziała, że jak nie jestem w stanie zapamiętać ich nazwy, to po co mam się robić na hippiskę? Zresztą ani jej, ani mnie mama nie da na jeansy ani nie pozwoli nosić różowych okularów, ani malować kwiatów na twarzy. No i obie miałyśmy za krótkie włosy. Janis i Jimi byli stanowczo dla mnie za ostrzy i wolałam Beatelsów, więc na hippiskę nie nadawałam się zupełnie. Rzeczywiście mama powiedziała, że na razie mam chodzić w tej spódniczce, co to mi ją pani Helena uszyła, a spodni do szkoły i tak nie wolno było nosić, więc mam zapomnieć o sprawie. I zapomniałam.

Mama Uli była wdową, bo ich tato powiesił się, nie wiem nawet kiedy. Nie pytałam, bo wydawało mi się to zanadto dramatyczne, by wypytywać o to Ulkę. Za to jej mama robiła fantastyczne ogórki w słoikach i przecier z pomidorów w butelkach od oranżady, takich z metalowym „zaklikiem". Przecier był słony i kwaśny i miał w środku mnóstwo pesteczek. Bardzo lubiłyśmy z Ulką otworzyć taki przecier i popijać nim chleb, jedzony z ogórkiem słonym i naczosnkowanym. Potem, w zimie pewnie, Ulka dostała „choler" za te braki w spiżarce...

Ula była ważna w moim życiu, bo ona pierwsza zwróciła uwagę na to, że ja ciągle stoję „z boku" i mam się za kogoś gorszego niż jestem. To Ulka powiedziała mi, że jestem ładna i że chłopakom się podobam, i że nie powinnam być taka „sierota" i wciąż stać na uboczu. Przypomniały mi się słowa Andrzeja, brata Gosi z Garbatki (o tym jeszcze będzie), i zaczęłam się częściej uśmiechać na towarzyskich spotkaniach, a z czasem śmiać całkiem odważnie i czuć, że jestem FAJNA. (To słowo właśnie zaczęło robić karierę. Pamiętam, jak ciocia Basia zaczęła go używać. Moja mama jakoś później zaczęła, powoli — wszak polonistka!)

Moi rodzice nie lubili Uli i kiedyś wręcz zabronili mi się z nią przyjaźnić. Było mi ciężko, bo jak ja to miałam jej powiedzieć?! Jej i mnie było bardzo przykro, bo Ula wyczuła, że coś jest nie tak. Było mi wstyd, bo powinnam być (i byłam) posłuszna rodzicom, a czułam, że robię źle. Ulka nie była dla mnie żadnym zagrożeniem, zawdzięczam jej wiarę w siebie i to, że dała mi mnóstwo przyjaźni. Była inna niż ugrzecznione koleżanki, z którymi chętniej widzieliby mnie rodzice, ale to dzięki niej poznałam różne środowiska, miałam szerokie znajomości na Saskiej Kępie i czułam się akceptowana i lubiana, wszędzie.

To naprawdę zasługa Uli. Do dziś mi głupio, że posłuchałam rodziców i przeze mnie poczuła się gorsza. Chciałabym, żeby mi wybaczyła.

W ósmej klasie przyjaźniłam się z Danką Szafrańską. Śpiewałyśmy w chórze, w zespole wokalnym „Triola" (ze śliczną koleżanką z mojej klasy — Bożeną Maciak). Zakochiwałyśmy się bardzo w chłopakach z naszej szkoły i rozmawiałyśmy tylko o nich i o tym, co czułyśmy i myślałyśmy. Wtedy też zapuściłam włosy, jak Danka. Udało mi się. Raz w życiu. No i chodziłyśmy w miniówkach. Ja już wiedziałam, że mam zgrabne nogi. Danka też. Nauczyłam się od niej sztuczki, dzięki której zwracałam na moje nogi uwagę kolegów ze starszych klas w liceum. Otóż wkładałam miniówkę, pończoszki przejrzyste, cieniutkie i obwiązywałam nogę w kolanie bandażem elastycznym. Nie było takiego, który by nie spojrzał, nie wyraził żalu, że „taka nóżka w kontuzji", a ja dreptałam po szatni z lisią minką. Miałam swoje pięć minut!

Z Danuśką wiele mnie łączyło. Zresztą wszystkie moje przyjaźnie były pełne, „krwiste", bogate w przeżycia, które bez wątpienia miały na mnie niemały wpływ.

Słowo o ciuchach

Pamiętam, że zupełnie nie przywiązywałam wagi do ubrania. Byle bluzka i spodenki, na nogach pepegi lub sandały. Najważniejsze, żeby było wygodnie! Moja mama nasłuchała się od ciotek i sąsiadek, że takie „chłopię" ze mnie rośnie i czasem namawiała mnie na sukieneczkę. Wiązała mi kokardki i zaraz potem żałowała, bo dziury trzeba było zaszyć, zacerować falbanki lub koronki przyszywać na nowo. Na kolana ponaklejać plastry...

Dziwne, bo są takie dzieci, głównie dziewczynki, ale i chłopcy się zdarzają, że wypuszczone rano na podwórko w sukieneczce czy spodenkach, wracają po południu tak samo czyste i uczesane. Bawią się niby normalnie, razem skaczą i biegają, a po tym wszystkim, jak mutanty jakieś, czyściutkie wracają do domu. Nigdy mi ten numer nie wyszedł.

Najczęściej po powrocie do domu wyglądałam jak siedem nieszczęść. Tak mówiła mama, wzdychając. Też, jak ja obecnie, wychodziła z założenia, że „dzieci dzielą się na brudne i nieszczęśliwe"...

Powoli zaczynały się problemy związane z komunią. Pochodziłam z rodziny niewierzącej. Moje koleżanki różnie, ale sakramentów ich rodzice pilnowali „na wszelki wypadek". Przyszła pora nauk przedkomunijnych. Koleżanki chodziły do kościoła, ja — nie. Pamiętam, jak na starej ławce koło trzepaka usiadła obok czyjaś babcia i ciekawie podpytywała mnie o sprawy wiary. Po moich odpowiedziach odparła zdumiona:

— Dziecko, ty jesteś POGANKA!

Ach, jakie to było ładne słowo! Nie wiedziałam, co ono znaczy, ale w domu stałam i powtarzałam z zachwytem, patrząc w lustro: „Jestem POGANKA!... POGANKA!" (brzmiało mi to trochę jak „rusałka" czy coś...).

To ta muślinowa, błękitna, w białe wzorki. Bufki i kokardki ucięto i zrobiła się zwykła wakacyjna kiecka. Miałam wyglądać jak aniołek. Na ręku plastikowy zegarek z odpustu.

Najważniejszym tematem rozmów dziewczynek i ich matek stały się sukienki komunijne. Matki w szkole na zebraniach i po, na podwórkowych ławkach rozmawiały tylko o tym. W ruch szły krawcowe, stare ślubne stroje matek, paczki z Ameryki od rodzin, bazary pełne wielkiego dobra. Każda kombinowała jak mogła, by jej córcia wyglądała jak aniołek. Moja mama, chcąc uchronić mnie od tej przykrości, jaką bez wątpienia było nieposiadanie sukni z koronkami i falbankami (a problem ten dość istotnie opisała Lucy Maud Montgomery w *Ani z Zielonego Wzgórza*), chcąc uniknąć mojego bólu z powodu braku komunijnej kiecki, zaprosiła do domu znajomą handlarkę, która otrzymywała paczki z Ameryki i sprzedawała ciuchy.

Wybrano dla mnie dwie cudne sukieneczki: jedną jasnocytrynową, z kokardką w pasie, ufalbanioną, bufiastą i nahalkowaną, i drugą skromniejszą, też muślinową, błękitną w białe kwiatuszki czy gwiazdki i jakieś bufki czy coś. W komunijną niedzielę moje koleżanki wybielone, uświęcone, całe wyfiokowane w tiulach i koronkach wróciły z kościoła. Rodziny w skromnym składzie zasiadały do rodzinnych obiadów, a znudzone dzieci zaraz po otrzymaniu zegarka od chrzestnych i przed deserem poprzebierały się „po cywilnemu" i szły na dwór w zwykłych kieckach. Ja, wbita w cytrynowe falbany, udałam się na trzepak, później ganialiśmy w berka, graliśmy w państwa, przy których, stojąc w wielkim rozkroku, próbowałam odkroić sobie kawałek ziemi koleżanki. Tak to się grało i jeszcze się wołało:

— Wywołuję wojnę przeciwko-piwko, przeciwko-piwko... Sudanowi!!!

I leciało się po rzuceniu piłki, aż Sudan złapał ją i krzyknął: „Stop!"

I już wtedy usłyszałam trzask rozdartej halki, a gdy pobiegłam gonić chłopaków na śmietnik, zeskakując z murku, zahaczyłam falbankami o krzaki i z głośnym trach! rozdarłam muślinowe cacko w strzępy. Pognałam więc do domu, w którym pozbyłam się resztek kiecki, włożyłam szorty i wróciłam na podwórko szaleć do wieczora, bo rodzice kolegów zdążyli się już ponapijać za zdrowie swoich świętych pociech, a moja mama zasiedziała się u cioci Basi i mogłam wrócić do domu dopiero na kolację.

My, dzieciaki ze zwykłych warszawskich podwórek, byliśmy przyzwyczajeni do skromności, bo i w sklepach szaleństwa mód dziecięcych nie było. W Centralnym Domu Dziecka można było kupić ubrania szkolne: czarne, granatowe lub szare. Wieszaki były zawieszone spódniczkami, spodniami, fartuszkami, nawet płaszczami i kurtkami TYLKO w tych kolorach. Na półkach piętrzyły się stosy sweterków i bluzek. Wszystkie były brzydkie jak kilo gwoździ, ale PRAKTYCZNE. Nienawidziłam tego słowa. Wszystko, co było naprawdę ładne, można było kupić na ciuchach lub u prywaciarzy na Marszałkowskiej, ale ani moich rodziców, ani moich koleżanek z bloku nie było na to stać. Do szkoły wszystkie nosiłyśmy spódniczki z „zerówki", plisowane (ohyda!) lub w kontrafałdę. Białe lub granatowe bluzeczki z jakiejś elany, dederonu lub czegoś równie wstrętnego, co się wyciągało, „pociło" i było ogólnie brzydkie.

Zanim (a byłam w piątej klasie) pojawiły się pierwsze elastyczne i kolorowe rajstopy, u prywaciarzy oczywiście, bo te z ciuchów były horrendalnie drogie, nosiłyśmy brzydkie, bawełniane pończochy koloru brudnokakaowego, przyczepiane „żabkami" albo guzikami do szelek, z których spuszczały się pod spódniczką troczki do przyczepiania tychże pończoch. Bez krzty elastycznej czy gumowej nitki te obrzydlistwa rolowały się na nogach we wstrętne obwarzanki, urywały się z guzików, a szelki uwierały pod bluzką. Toteż, gdy okazało się, że jest coś takiego jak RAJTUZY, radośnie wyrzuciłyśmy szelki. Rajtuzy, bawełniane jak owe pończochy, ale już w pasie na gumce, były ciut lepszym rozwiązaniem, lecz wciąż jeszcze grubaśne i bez elastycznych dodatków. Wypychały się na kolanach i zwisały smętnie jak wory na naszych nogach. Ziały ohydą... Najbiedniejsi jednak byli chłopcy. Nikt wtedy, żadna fabryka, nie produkowała małych kaleson, więc oni też nosili te ohydne szelki z pończochami, a potem rajtuzy. Na nie często (naprawdę!) nakładali krótkie spodenki. Wszyscy wtedy wyglądaliśmy okropnie.

Z Zachodu przywiało do nas nowy wynalazek! Elastyczne, różnokolorowe rajstopki dla dzieci w ilościach hurtowych, sprowadzane najpierw przez przekupy z bazarów i prywaciarzy z pawilonów na Marszałkowskiej, później oswojone przez polski przemysł. Rodzinna produkcja umiała wyprodukować je jedynie w kolorze granatowym, szarym, szafirowym, brudnoczerwonym i białym. Moje koleżanki z lepszych domów (np. Małgosia Dzikówna, Monika Dobrowolska) miały zachodnie, w kolorowe paseczki, zielone, żółte, różowe i błękitne. Oczywiście o takich pięknościach mogłam tylko śnić! Nosiłam polskie, elastyczne, granatowe rajstopy bez żadnych tam ekstrawagancji. Niestety, trzeba było uważać, bo maleńka dziurka i już leciało oczko. Wszystkie więc miałyśmy te rajstopki pocerowane i pozszywane w stu miejscach, zanim mamy z westchnieniem: „Tyle pieniędzy!" wyrzucały je do kosza. Dzieci wtedy były znacznie mniej uzależnione od mody, metek i obowiązujących trendów. Owszem, zazdrościło się czasem koleżance jakiegoś ciuszka, ale to nie było nic, co spędzałoby nam spokój z powiek. Wszyscy cierpieliśmy na niedobory w garderobie, wszyscy donaszaliśmy po rodzeństwie, wszystkich łączył brak zainteresowania, czy byliśmy ubrani pięknie czy nie. Rządziła wygoda i już!

Lepsze rzeczy w mojej garderobie pochodziły od pani Hamerszmidtowej, krawcowej. Skądś ją mama wytrzasnęła, chyba od okupacji się znały. Zresztą w tamtych czasach bycie krawcową lub korzystanie z krawcowej było tak powszechne, jak kupowanie chleba. Krawcowe były tańsze od sklepów, umiały przerabiać ciuchy z „matki na córkę i z ojca na syna". Pani Helena mieszkała przy alei 3 Maja, w innej klatce schodowej niż babcia Nacholińska. Na piątym piętrze albo wyżej... Też jechało się do niej starą, metalową klekoczącą windą. Mama zanosiła do pani Heleny stare jesionki i garnitury po dziadku Felku albo inne starocie i odbierała piękne, nowe ciuchy, jak z żurnala, który leżał w pokoju, gdzie mierzyło się rzeczy. Trzeba było dokupić tylko nową podszewkę i guziki, ewentualnie „ekler" (tak mówiono na zamek błyskawiczny), pokazać i przedyskutować z panią Heleną krój i przyjść dwa razy do miary. Sklepy mogły się schować!

Niekiedy jakieś lepsze ciuchy mama dostawała od taty, gdy zdarzyło mu się wyjechać za granicę. Tak też było, gdy tato dostał delegację do Londynu, gdy byłam maleńka. Po powrocie obsypał mamę ubraniami, tylko że... nic do siebie nie pasowało! Każdy ciuch z osobna był śliczny i szykowny, ale nie dało się tego skompletować. Nadto tatuś mój miał zupełnie inny gust kolorystyczny niż mama i oto mamci dostało się:

Brązowe futro ze strzyżonych baranów, z szerokimi rękawami, rozszerzone ku dołowi, ciepluteńkie.

Czarne rękawiczki z cieniutkiej, koźlej skórki.

Kostium Chanel w kolorze rzodkiewkowym, choć dzisiaj powiedziałabym fuksja. No a mama w ogóle nienawidziła różowego.

Szmizjerka biała w granatowe paseczki, z wielkimi, nakładanymi kieszeniami.

Czerwony szeroki pasek z dwiema małymi klamerkami z przodu i czarne pantofelki na francuskim słupku. Była torebka też, ładna i gustowna, ale także „od Sasa".

No cóż, ważne były chęci i troska, a te kolory... trudno!

Kosmetyki dla mnie, dziecka, to było mydło i woda, a także szczotka do szorowania kolan. Ciut później mama pokazała mi dezodoranty, jak ich używać, żebym nie śmierdziała jak koza. Wówczas jak pamiętam, w latach sześćdziesiątych, pojawiły się już takie wynalazki w kulce. Nasze rodzime firmy dbały o kobiety i mama często używała kremu do twarzy „Różanego", dezodorantów Miraculum i perfum „Być może...". Dopiero później zmieniła je na „Panią Walewską" — te faktycznie miały bardzo piękną i nowoczesna nutę zapachową. Ja spsikiwałam się perfumami „Beata". Były jeszcze taki fajne i tanie „Alicja" — z tej samej linii, ale „Beatę" wolałam zdecydowanie. Później przerzuciłam się na „Marvel", zanim jako studentka odkryłam wraz z tysiącami innych „Masumi", ósmy cud świata z Peweksu. Niestety jakiś redaktor z „Polityki" opisywał w wielkim artykule życie warszawskich kurtyzan i nadmienił, że wszystkie one skrapiają się „Masumi". Sprzedaż drastycznie spadła.

Bywało, że gdy mamie zeszła henna, czerniła brwi tuszem do rzęs w kamieniu Celia, (ja gdy podrosłam na tyle, by zauważyć, że mam co malować, kupowałam wspomniany już Arcan-Pol i malowałam się w windzie). W etui była mała szczoteczka, na którą się pluło i szorowało po tuszu. Potem czerniło rzęsy, kóre robiły się gęste i piękne. Arcan -Pol nie spływał ze łzami w kinie, albo podczas deszczu!

Także bladobeżowe na co dzień i cyklamenowe na „odświętnie" pomadki mamy były firmy „Celia". Pamiętam też inne nasze kosmetyki polskich firm takich jak „Uroda", „Pollena Lechia" (pasty do zębów) i „Pollena Uroda" (proszki do prania). Ja ukrywałam w szufladce puder „Celii", a mama — „Urody" albo „Miraculum", nie pamiętam. Te ostanie były chyba najwyżej cenione, bo faktycznie używały ich panie wymagające. Były powszechnie dostępne, tanie i dobre. „Przynajmniej świeże" — mówiła mama, bo uważała, że te w Peweksie — francuskie — pochodzą ze starych zapasów magazynowych.

Przyszedł czas, że wykluła się ze mnie panienka i całkiem poważnie zachciało mi się sukienek. Mama zabrała mnie, dwie stare kiecki i pojechałyśmy do pani Heleny Hamerszmidt. Na szczęście miała ona córkę, starszą ode mnie Ewę, studentkę, i rozumiała potrzeby dziewczątka. We trzy oglądałyśmy zagraniczne katalogi mody, w których ze zdumieniem znalazłam dziecięce modele! Z jakiejś okropnej amerykańskiej tiulowej kreacji pani Helena wyczarowała dla mnie kieckę w typie Twiggy. Z innych staroci wyszły spódniczki w pepitkę i jeszcze jedna sukienka. Byłam bardzo zadowolona. Kiedy zaś zaczęły mi się zaokrąglać cycuszki i sylwetka „kobieciała", pani Helena uszyła mi śliczną „princeskę" z tego rzodkiewkowego kostiumu, do którego mama nie miała już serca (nosiła go parę lat dzielnie) oraz drugą, granatowo-białą, kloszowaną pod biustem, w paseczki, z jakiegoś zagranicznego materiału kupionego za grosze u handlary. Była też trzecia, ze starego płaszcza mamy.

Ach! Ten płaszcz mama uwielbiała! Zdaje się, że też wtedy przyjechał z Londynu. Był dwustronny, z kaszmirowej wełny, biało-turkusowy, z wielkim szalowym kołnierzem i bardzo kloszowy do dołu. Miał szerokie rękawy, odpowiednio z białymi lub turkusowymi mankietami, wywijanymi na zewnątrz. Powodował czkawkę u mijanych na ulicy kobiet. Był super! Po latach kaszmirowa wełna przetarła się tu i ówdzie, więc pani Helena skroiła mi z turkusowej strony dopasowaną sukienkę z odcinaną w biodrach spódniczką (ze starej spódnicy w turkusowo-czarną kratkę). Z tej kratki były też długie, namarszczone przy ramionach rękawy. W szwie, między spódniczką a górą, pani Hela ukryła kieszonkę, zaznaczając ją kokardką. Tę sukienkę lubiłam najbardziej. Z reszty płaszcza wyszły mamie dwie spódnice i kamizelka.

Kiedy miałam jakieś dziesięć lat, zapanowała pierwsza w moim życiu moda na coś ładnego. Tym czymś była „chłopka". Zupełnie nagle w sklepach odzieżowych i w „Domu Dziecka" zawisły kolorowe sukieneczki z białymi, bufiastymi rękawkami, żywcem wyjęte z Lipiec Reymontowskich albo, jak słusznie zauważyła moja mama, z Bawarii. Gorset był sznurowany, namarszczona spódnica z prawdziwą halką lub tylko doszytą białą koronką, fartuszek jednobarwny pod kolor kiecki i wyżej wymienione białe, bufiaste rękawki. Wymacawszy te kiecki w „Domu Dziecka", mama stwierdziła, że są z kiepskiego materiału, a jak na taki, cenę mają za wysoką. Już byłam bliska płaczu, gdy okazało się, że jedziemy do pani Hamerszmidtowej! Mama wyczarowała skądś śliczną korę w wielkie, pomarańczowo-zielone kwiaty, z której miała powstać chłopka dla mnie! Ze starego, zielonego bibliotekarskiego fartucha mamy pani Helena skroiła mi zgrabny fartuszek z kieszonką, a sukienka, oczywiście, wyszła piękna i niepowtarzalna. Pani Hamerszmidtowa miała nieziemski dar! Jej kroje były fenomenalne! Nawet kostiumy, które szyła ze starego garnituru taty, były super!

Wspomniałam szmizjerki. To był na długo hit lat sześćdziesiątych! Góra koszulowa, często z kołnierzem à la Słowacki, dopasowana w talii na zaszewkach i rozkloszowany, czasem marszczony dół do sztywnej halki. Rękawy długie lub krótkie, często tzw. trzy czwarte lub siedem ósmych (nie mam pojęcia, gdzie tkwi różnica). Wąskie. Pochodzenie: bazar, paczka z Ameryki, krawcowa, paczka z Anglii. Kolory — wszystkie. Ale najładniejsze były w wielkie kwiaty. Do szmizjerki koniecznie nosiło się szeroki, gumowy albo pleciony ze sznurka pasek w talii, którą ściskało się aż do wytrzeszczu oczu. Na nogach balerinki, rzadko na obcasie, a jeśli już, to na maleńkim. Płyciutkie, z kokardką.

Szerokaśne spódnice na krochmalonych lub tiulowych i taftowych zagranicznych halkach były absolutnym przebojem. Ciotka Teresa miała taką. Czarną w poprzeczne, kolorowe pasy. Do takich spódnic kobiety-wampy nosiły swetry obcisłe z szerokim, łódkowym kołnierzo-golfem odsłaniającym ramiona!

Przeciwnym biegunem dla szerokich spódnic i szmizjerek były wąziutkie spódniczki do koszulowych bluzek. Oczywiście, szeroki pasek, kołnierz rozpięty i rozłożony, nawet postawiony z tyłu. Modna opaska elastyczna na włosach i biżuteria: srebrna i duża z Cepelii albo z kolorowego plastiku z pawilonów, ewentualnie z Jabloneksu.

Chłopaki też mieli swoją modę. Wąskie spodnie, szerokie marynarki, włosy na brylantynie. A jak który chciał szokować, to wkładał czerwone skarpety, czarny golf, włosy zaczesywał w przemyślnego fioka na brylantynę i... baby mdlały! (stylizacja na *Gorączkę sobotniej nocy*).

Z czasem co bardziej „obskakani" w modzie kupowali za strrrraaaszne pieniądze amerykańskie „farmerki" (obecnie... JEANSY) i kolorowe koszule. Całości dopełniały jakieś dość dziwne buty. Wsuwane, choć częściej wiązane. Z wąskimi czubami. Bogatych stać było na sztyblety od Śliwki, lub jakieś cuda z bazaru. Biedniejsi zadowalali się byle czym w zimie i pepegami latem. Gdy świat oszalał na punkcie zespołu z Liverpoolu The Beatles, chłopaki rzuciły się na „bitelsówy", buty z wąskimi czubkami lekko uniesionymi do góry, i „rolingstonki" (zespół The Rolling Stones). Podobne, ale z klamrami i bardziej „charakterne". Gubiłam się w męskiej modzie. Wiedziałam tylko, że po buty ekstra ganiało się na ulicę Rutkowskiego, która przed wojną nazywała się Chmielna i tak o niej mówili wszyscy warszawiacy. Był też szewc na Marszałkowskiej, ceniony bardzo. Natomiast najlepsze „garniaki" szył krawiec Zaręba.

Kogo nie było stać na prywaciarzy (o! bardzo wielu!), kupował buty na bazarze Różyckiego, przy Targowej.

Bazar Różyckiego, czyli dokąd się jeździło po superciuchy i nie tylko

To miejsce spełniania marzeń niejednej warszawianki! Jednocześnie miejsce zakazane dla panienek i grzecznych dzieci. Jeździłam tam z tatą jako dzieciak, sama nie mając tam interesu. Ojciec lubił atmosferę bazaru, choć nigdy nie pospolitował się z lumpami. Kupowaliśmy coś, co było nie do kupienia w sklepach, łaziliśmy między straganami z mnóstwem cacek, szmatek, kapeluszy, torebek i powoli zbliżaliśmy się do alejki, w której stały babiszony z torbami. W nich, niczym w termosach, stały gorące słoiki po dżemach, owinięte gazetami i wypełnione jedzeniem. Babiszony tak się reklamowały zdartym, donośnym głosem:

— Pyzy, gorące, pyyyyzy! Pyzy gorąc...! — głos się urywał i dalej: — Pyyyzy!

Albo:

— Flaki, flaki gorąceeee!

Albo:

— Rrrrosół, rosołek z domowym makaronem!

Patrzyłam na ojca błagalnie. Podchodziliśmy do jejmości z pyzami i tato zamawiał dwie porcje. Kobieta dawała nam z gazet dwa otłuszczone słoiki i po blaszanym widelcu owiniętym też w gazetę. Znać to, że: „Czyściutki, panie kochany, przysięgam namatkieboskie! Zresztom, dzieciakowi brudny bym dała?!" To był argument ostateczny, uspakajający ojcowe sumienie. Stawaliśmy gdzieś nieopodal i otwieraliśmy słoik. W środku leżały sobie ręcznie robione pyzusie. Okrągłe, z dziurką, lekko sine tylko, bo więcej w nich było gotowanych ziemniaków niż normalnie dawało się w domach (około jednej trzeciej gotowanych na trzy czwarte tartych — surowych). Przez to miały jaśniejszy kolor i były szkliste, bo z dodatkiem mąki ziemniaczanej. Nadto też takie jakby elastyczne, leciuchno gumiaste. Ugotowane w dobrze osolonej wodzie, by po ich zjedzeniu zachciało się pić. Wtedy klient mógł dać zarobić Krzywemu Felkowi (jak go tato nazywał) i kupić piwo Żywiec. Felek stał obok bab z jedzeniem z eksportowym żywcem ukrytym w teczce. W sklepach był tylko Kasztelan z browaru sierpeckiego, Królewskie z browaru warszawskiego Haberbusha w butelkach zwanych „żaby" i jeszcze ze dwa, ale nie pamiętam jakie, bo wolałam słodką oranżadę. Pyzy polane były skwarkami ze słoninki z cebulką. Zawsze świeżej. Z piwem od Krzywego Felka musiały smakować fantastycznie. Potem oddawało się słoik i mówiło:

— Dziękuję.

Baba odpowiadała:

— A, na zdróweczko kochanemu państwu!

I znów wołała:

— Pyzy, gorące, pyyyyyyyzy!!!

Nigdy nikt, oprócz babci Stefy z Klarysewa, nie robił takich pyz! Baby z bazaru osiągnęły maestrię w tej dziedzinie. Potem, tysiąc lat później, spotkałam podobne w budzie przy głównej arterii Giżycka... Dziś, niestety, śladu po niej nie ma. Po babach z bazaru też...

Na Różyckiego można było kupić wszystko. WSZYSTKO! Tam się kupowało aktualnie najmodniejsze rzeczy. W normalnych sklepach wisiały smętnie niepiękne i bezkształtne szmatki, bo przemysł nie zatrudniał speców od mody, nie nadążał za nią. Więc kupowało się u prywaciarzy albo na bazarach. W Warszawie na „Różycu".

Można było znaleźć tu i piękny „amerykański" garnitur, szpilki „prosto z Włoch, złociutka" (ale tych pod Warszawą), suknie ślubne jak z Ameryki, białe bezy z tiulu i welony cudne, plastikową biżuterię, tanie lakiery do paznokci i cienie na oczy, najnowsze nagrania na plastikowych pocztówkach (albo później na taśmach), ale i oskubaną kurę na rosół — „patrz pan, jaka żółciuchna" — salami prosto z węgierskiego przemytu, pieprz i przyprawy, gumofilce, pistolet, bimber, umówić się z „taniom kurwom" i zarobić po ryju. Za co? Najczęściej za nic. Myśmy z tatą nie zarabiali. Tato był uprzejmy dla handlarzy, więc był ładnie przez nich traktowany. „To są zwykli ludzie, Gonisiu, tacy jak my, tylko trochę inni" — tłumaczył, gdy wychodziliśmy już z bazaru. „A mamie to się nie chwal tymi pyzami. Wiesz, że nie lubi, jak jadamy byle gdzie". Kiwałam głową i cieszyłam się, że mamy takie swoje tajemnice.

Różycki ma pozostać jako enklwa, rodzaj skansenu na modnej dziś Pradze.

Może to i dobrze? A może nie? To nie ten sam „Różyc", co kiedyś!

Tak to pyzami i piwem kończę moje rewelacje na temat mody. Zawsze wolałam jedzenie...

Część 3

Rodzina

Rodzina! Rodzina!
Rodzina, ach! Rodzina!...
Rodzina nie cieszy, nie cieszy, gdy jest –
lecz kiedy jej ni ma,
Samotnyś jak pies...

Jeremi Przybora

Mama, czyli Maria Kalicińska z domu Urban

Znakomity pedagog, cicha skromna osoba, żelazną ręką trzymająca szkołę, której była dyrektorką (XXIII Liceum Ogólnokształcące im. Marii Curie-Skłodowskiej w Warszawie) i równie zdecydowanie wychowująca mnie. Moja mama.

Mama już jako babcia Marynka.

Życie płata nam figle! Mama była żarliwą antykwariuszką wszelkich rodzinnych dokumentów, zdjęć, archiwaliów i pamiątek. Taszczyła to ze sobą — w tobołku powojennym na Kryniczną, z Krynicznej na Międzynarodową, w obrębie której trzy razy się przeprowadzaliśmy — Międzynarodowa 53, potem 47 i na koniec 52. Wreszcie do Łomianek — mamy ostatniej przystani. To nasz wspólny dom, w którym mama się starzała, będąc początkowo opiekunką moich dzieci (wespół ze mną, ale ja i mąż pracowaliśmy, więc mama była kobietą domową. Ja dopiero później). Zawsze w jej biurku, w szafce, w komodzie, w walizce była historia rodziny. Bezpieczna i poukładana.

W 2000 roku wyjechałam na Mazury, żeby zbudować tam (i stracić) nasz majątek firmowy. Dzieci, dorosłe już prawie, wiodły swoje życie, miały swoje sprawy, mąż pracował, a ja budowałam i mieszkałam na Mazurach.

Wpadałam do domu raz na jakiś czas, szykując mamie lądowisko w owym majątku. Nie zauważyłam, że główinka zaczyna jej już źle funkcjonować. To było niezauważalne.

Nie byłyśmy modelową mamcią i córeńką. No... nie.

Owszem byłam, czułam się bardzo kochana, kiedy byłam mała, lecz gdy tylko zaczęła się ze mnie wykluwać panienka, mama stała się bardzo wymagająca i kostyczna i chyba brała przykład z bardzo surowego dziadka Bartłomieja i babci Julii, uważając, że dziecko łatwo jest rozpuścić, więc wychowywać trzeba bardzo zdecydowanie i bez pochwał. Nie będę się zagłębiać w psychoanalizę. Uczyniła to znakomicie Hanna Samson w powieści autobiograficzno-psychologicznej *Miłość — reaktywacja*.

O, tak! To było dokładnie tak.

Ceniłam mamę, szanowałam ją, ale jakoś nie mogłam się

oprzeć wrażeniu, że wiecznie ją rozczarowuję, że nie zasługuję na żadne dobre słowo. Pamiętam dobrze pewną awanturę, gdy moje dzieciaki były licealno-podstawówkowe. Mama czyniła mi gorzkie i przykre uwagi, jaka to ja jestem zła matka, bo nie kontroluję prac domowych, nie wertuję dzienniczka, nie indaguję, czy lekcje odrobione itp. Rozmowa nabrała rozpędu aż do poważnych tonów i oskarżeń, gdy wreszcie wybuchłam:

— O co ci chodzi?! To wspaniałe, grzeczne, fajne dzieciaki! Mają same czwórki i piątki, żadnych problemów, uwag w dzienniczkach! Wychowawczyni Stasia powiedziała mi, że on nie sprawia żadnych kłopotów, więc po co mam bywać w szkole? Jak zajdzie potrzeba, to ona zadzwoni. Mamo! O co ci chodzi?!

Płakałam długo, żując z niesmakiem oskarżenia. Nigdy mi nie powiedziała, że nie miała racji, że się zagalopowała...

Dlatego to przytaczam, żeby samej sobie odpowiedzieć na pytanie, czemu nawet jako dorosłe nie mogłyśmy szczebiotać jak dwie przyjaciółki.

Chyba za wiele we mnie było żalu za brak zrozumienia i jakieś mentalne odsunięcie mnie od siebie w procesie wychowawczym (bo tak ją wychowywała surowa babcia i taki sam był surowy ojciec po śmierci matki). Nie miała wzorca, choć babcia Tala ponoć była cudowna, ale odeszła za szybko, nie nauczywszy mamy bycia ciepłą i wyrozumiałą matką. Ja i mama nie szeptałyśmy sobie tajemnic, nie gadałyśmy o modzie, nie wybierałyśmy dla mnie łaszków, fryzur itp. Nie zwierzałam się mamie z moich problemów z koleżankami, ze spraw sercowych.Właściwie wychowywała mnie przy pomocy słowa „nie", ostrzegając, że wszędzie czyha na mnie niebezpieczeństwo, że prywatki to sama rozwiązłość i na pewno mnie tam zgwałcą. Mój pęd do mody, miłości, przyjaźni, muzyki napawał ją panicznym lękiem. Wolała bezpiecznie zabraniać, ja uczyłam się lawirować.

Bała się o mnie bardzo.

Ba. Wiedzieć, to nie znaczy akceptować!

Może dlatego podczas moich rzadkich przyjazdów wypełnionych opowiadaniem o Mazurach, o budowie (fakt, byłam pierwszy raz szefową takiej inwestycji i przeżywałam bardzo to, co robiłam) nie dostrzegłam, nie wiedziałam, że z mamą dzieje się coś niedobrego. Sądzę, że gdy zauważyła u siebie występujące już problemy z pamięcią, płochliwie zaczęła robić porządki z archiwaliami. Powoli i systematycznie.

Kiedyś przyjechałam z Mazur z wielką chęcią wrócenia wspomnieniami do ojca zdjęć.

— Mamo, gdzie jest taty walizka?

— Jaka? Taty? (Ojciec nie żył już od dwudziestu lat. Zdziwiło ją to pytanie).

— Ta ze zdjęciami...

Udawała, że szuka, szpera, w końcu powiedziała dość obojętnym tonem :

— Chyba... Została chyba w piwnicy na Międzynarodowej... Nie pamiętam.

— Cała? A albumy ze zdjęciami? Gdzie je masz?

Były dwa niebieskie z powklejanymi zdjęciami z moskiewskich czasów, na których byłam ja, tatko, pies i moi bracia, i nasze różne...

— Nie wiem... Wiesz, chyba spaliłam! Po co ci one?

Wyszłam z jej pokoju jak rażona piorunem. Bałam się, że zacznę krzyczeć, a przecież wiedziałam już, że to nie ta sama mama. Miała dziwnie obojętny wyraz twarzy, gdy to mówiła. Nie wróciłam do tematu, tylko pojechałam na Międzynarodową, nie zastając jednak właścicielki jej poprzedniego mieszkania. Wieczorem zadzwoniłam do niej z nadzieją, że może, jeśli jest bałaganiarą, schowała w piwnicy tę walizkę.

Niestety. Okazała się z porządnych. Sądziła, że to śmieci, i wyrzuciła.

O! Jak zabolało! Moje dzieciństwo! Narty z tatą, i moje pozowanie koło starych kamienic, nasz pies, wycieczki, spacery, moi bracia i mama... Wyrzucone? Zostawione? Może uważała, że wróci po nie, bo przeprowadzkę robiłyśmy na sto rat, maluchem. Dlaczego mi nie powiedziała, że w piwnicy jest jeszcze ta walizka? Czemu spaliła albumy?

Wtedy nie wiedziałam jeszcze, że powoli „porządkuje" swoje papiery.

Nie buszowałam nigdy po jej własności, szanowałam odrębność, bo do głowy mi nie przyszło, żeby coś chronić...

Spaliła masę zeszytów, listów, zdjęć.

— Gośka, ona miała w tym jakiś swój zamysł — powiedział Piotrek, mój wujeczny brat. — Ja też kiedyś porządkowałem swoje śmiecie i spaliłem w cholerę różne tam...

Nawet nie mogłam mieć żalu, to widać rodzinne. Przypomniałam sobie, że i ja kiedyś złapałam w garść moje własne pamiętniki z podstawówki. O! Miałam ja styl kwiecisty, że różne Rodziewiczówny i Mniszkówny przy mnie wysiadają! Całym swoim rozemocjonowanym sercem z mocą egzaltowanej pannicy pisałam i pisałam, a wiadomo — papier wszystko przyjmie!

Któregoś dnia zdałam sobie sprawę, że jakby coś się ze mną stało, to nie chciałabym, żeby te kwiecistości z głębi serca trafiły w czyjekolwiek ręce.

Rozpaliłam ogień w ogródku, pod beczką i fiu! Fruń moja młodości do nieba!

Czy dziś żałuję?

Nie wiem... Może ciut? Ale nie było tam nic takiego, co przydałoby się moim dzieciom jako wiadomość. Nie. Niechaj pozostaną dymem! Jak mówił Woland „rękopisy nie płoną"? — moje fajczyły się aż miło.

Mama być może również kierowała się podobnymi uczuciami. Zawsze była bardzo dyskretna.

— Dyskretna? — fuknęłaby moja córka. — Dyskretna?! Jak przeczytała mój pamiętnik? Pamiętasz?!

Pamiętam. Nie wiem, co mamę opętało i dlaczego wycięła wnuczce taki numer. Przeczytała pamiętnik Baśki leżący w jej pokoju na dziewczęcym biurku i... zakreśliła na czerwono błędy. To było dość szokujące, zważywszy, że to ona i ojciec uczyli mnie, iż cudza korespondencja i zapiski to świętość. Do dzisiaj nie potrafię sięgnąć po cudze listy, SMS-y, notatki, nie zajrzę do szuflady bliskich mi osób, do kieszeni. Brrrrr. Nigdy!

Mama zezłościła się tymi błędami, jak mi to wyjaśniła. I już!

Nie kłóciłam się, nie zrobiłam awantury. Zwróciłam uwagę i zrozumiałam, że jednak ludzie się zmieniają. Może jej dalsza zmiana szła właśnie właśnie w kierunku zatarcia za sobą śladów? A może, kierując się poczuciem lojalności wobec zmarłych, spaliła wszystko to, co nie wiązało się z nią bezpośrednio?

Listy od macochy, pamiętniki, w których komentowała, opisywała znajomych etc., zostawiając mi tylko kilka zaledwie listów ojca (oprócz pięknych wyznań miłosnych były w nich fragmenty o mnie) i listy rodziców, gdy byłam maleńka — prawie całe o mnie. W zielonym pudle zostało tego troszkę.

O! Znalazłam niebieską, spłowiałą kopertę z moimi pierwszymi włosami. Mama ucięła kosmyk i oto mam w ręku ledwo wyczuwalne jedwabiste niteczki. Moje...

Dyskretna...

To była trudna cecha, bo mama właściwie nie pytała. O szkołę, o stopnie — tak, o sprawy osobiste — nie. Odczuwałam to jako całkowity brak zainteresowania.

Pamiętam, wróciłam jako studentka z Bułgarii, cała w emocjach, mój pierwszy wypad z kolegami ze studiów, wariacki, słoneczny pełen przeżyć i... brak kontaktu. Mama nie wykazywała żadnego zainteresowania moimi wrażeniami. Gdy kłapałam dziobem zaaferowana:

— I wiesz, tam była tak cudna skalista plaża, z którą wiąże się dramatyczna historia...

— Zjesz zupę? — spytała, przerywając mi, zupełnie nie wykazując chęci rozmowy ze mną o Bułagrii.

Po raz kolejny już zdałam sobie sprawę, że chyba jej nie obchodzą moje sprawy, przeżycia. Może się ich trochę bała. Ona panienka z dobrego domu, wstydliwa, zażenowana minispódniczkami, nie chciała słuchać, jak opalaliśmy się nago, jak wieczorami piliśmy Słoneczny Brzeg w miłej knajpie nadmorskiej, jak podczas burzy przemoczonych do suchej nitki mało nas nie porwała morska kipiel...

Po tygodniu wpadła do nas moja ciotka (pilotka wycieczek zagranicznych) i słuchała z zainteresowaniem o mojej Bułgarii. Mama z wyrzutem sarknęła po jej wyjściu:

— Ziucie to opowiedziałaś wszystko. Ze szczegółami!

— Ale ty nie chciałaś mnie słuchać, o nic nie pytałaś!

— Ja mam pytać? — zdumiała się.

Niestety, typowe dla mamy. Ja lubię pytający wzrok, aktywne uczestnictwo w takich pogaduszkach — „I co wtedy? No nie mów? Naprawdę? Co było dalej?" Mama uważała, że każdy powie tyle, ile chce, bez indagowania.

Nieporozumienia nawarstwiały się przez całe życie. Mama nie zmieniła charakteru i dyskretna wobec bliskich, zabrała ze sobą ich słowa, zwierzenia, wszystko — do grobu.

Trudno — muszę to uszanować.

Być może. Zatem nie wiedząc do końca, zarzucam gdybanie i wracam do historii mamy i taty. Ale zanim o samym związku — wrócę do Marynkowej młodości.

Gdy mama, Zosia i Teresa po wojnie już zostały w pełni sierotami, zajmowała się nimi jako tako ich macocha Stanisława z Kossowskich Urbanowa. Maryna pojechała do Krakowa z Lidzbarka Warmińskiego, uczyć się w studium nauczycielskim. W Krakowie, pędząc żywot naprawdę biednej studentki, przeżyła też swoją wielką miłość do niejakiego Henryka. Była ogromnie zakochana i to stanowiło dla niej jakieś pocieszenie wobec niedostatków, czasem dojmującej biedy (brakowało jej na pończochy, na jedzenie), miłość działa cuda swymi endorfinami. Czas spędzony z Henrykiem uskrzydlał i sprawiał, że jednak świat był piękny. Do czasu. Pewnego razu Henryk podszedł do Maryny, gdy ta wychodziła z uczelni. Spokojnym głosem wyjaśniał jej długo i zawile, że nie mogą być razem. Przyciśnięty do muru wskazał dorożkę z siedzącą kobietą.

— Muszę się żenić, Maryniu, ona jest ze mną w ciąży.

Rozumiem, że spadło to na nią jak grom z jasnego nieba i rozdarło serce. Opowiadała mi (oczywiście dyskretnie) o swojej rozpaczy. Nie nazywała rzeczy po imieniu, ale wiem, że spotykała się z nim w aurze romantyzmu, jednak platonicznie. Widocznie panu Henrykowi nie wystarczyło to i miał małą przygodę, za którą oboje zapłacili wysoką cenę.

Po wielu latach, gdy mama miała jakieś sześćdziesiąt parę lat, spotkała pana Henryka na Międzynarodowej. Jak to mama, spokojnie i bez grzebania w przeszłości przywitała się z nim serdecznie i tak już było aż do naszej wyprowadzki z Saskiej Kępy — przy przypadkowych spotkaniach na ulicy opowiadali sobie, co u dzieci, co biorą na chorobę wieńcową i... tyle.

— Mamo?! Nie masz do niego żalu?!

— Gonisiu, po TYLU latach? Daj spokój! Widocznie tak miało być, a gdyby nie ta historia, nie byłoby cię na świecie!

To jej zaleta — kompletny brak chęci rozgrzebywania przeszłych ran. Szybko wybaczała, bez rozpamiętywania i utajonych pretensji, i przechodziła do rzeczy, do nowych spraw.

Gdy skończyła krakowską edukację, wróciła do stolicy. Ówczesna dyrektorka gimnazjum Curie-Skłodowskiej, którego była uczennicą, Jadwiga Zanowa, w sobie znany sposób załatwiła mamie przydział do pracy właśnie w owym gimnazjum. Obie — mama i Tereska — dostały też przydział na mały pokoik w mieszkaniu pani Barbary Petrozolin, która mieszkała ze swoją matką w małym, piętrowym mieszkaniu, na parterze domeczku przy ulicy Krynicznej na Saskiej Kępie w Warszawie. Pokoik z łazienką nie posiadał kuchni, za to posiadał, a jakże, balkon i razem miał 16 metrów kwadratowych! Gotowało się w łazience na maszynce elektrycznej postawionej na... sedesie. Tereska poszła do pracy do biura, mama uczyła w gimnazjum.

Jakoś się żyło! Nikomu wtedy nie było łatwo — takie czasy.

Moi rodzice poznali się nad Wisłą

Mama nie była specjalnie zachwycona faktem, że Teresa, jej młodsza siostra, przedstawiła jej żonatego kolegę z pracy. Miała swoich kolegów, i zapewne absztyfikantów, była jednak nieskora do romansów po smutnym i przykrym rozstaniu z poprzednim chłopakiem, Henrykiem. Była dość długo sama. Jej spokój zburzył ten Zdzisław. Nie dość, że żonaty, to do tego inwalida, choć to akurat mojej mamy nie płoszyło. Po wojnie wielu chłopaków nosiło takie wojenne znamiona. Marynka jednak była pryncypialna. Żonaty? Nie!

Okazało się jednak, że ten pan właśnie kończył swój związek, bo jakoś nie mogli się dogadać z żoną. Tato, gdy sprawa sądowa

Tacy byli, jak się poznali. Ale bikini ma Marynka, prawda? Ta tajemnicza lady z tyłu to Tereńka.

była w toku, nie wytrzymał i, będąc pod wielkim urokiem mamy, oświadczył się jej. Ujęła go urodą, prostotą, taktem. Była ciepła, ślicznie się uśmiechała i żyła na tej małej uliczce Krynicznej, z Tereską, w bardzo trudnych warunkach, ale jakoś tak... godnie i bez zadęć.

Ojca bardzo ujmowała prostota. Jego czas miłości i zainteresowania kobietami przypadł na okres przed- i wojenny. Ponadto przeżył sporo jak na jeden życiorys.

Kiedyś, gdy był młodziakiem, stanął w obronie macochy i po awanturze z ojcem wyszedł z domu. Nie wrócił tam już, a znalazł się na ziemiach zaanektowanych przez ZSRR w 1939 roku. Żył wśród Polaków i Rosjan. Poszukiwanie pracy zagnało go aż do Donbasu — zagłębia węglowego. Tam mieszkał i pracował, z prostymi i miłymi ludźmi, którzy okazali mu mnóstwo serca. Kobiety zaś przepadały za towarzystwem Polaka o wyszukanych manierach. Ojciec, tak nauczony w Polsce, traktował kobiety z rewerencją i elegancją, więc garnęły się do niego. Te, które były ciepłe i naturalne, serdeczne i szczere, mogły liczyć na jego przychylność i sympatię. O tym jeszcze wspomnę!

Maryna (moja mama) zawojowała go całkowicie. Drobna, o dziewczęcym wdzięku, mądra i skromna, blondynka o naturalnej urodzie Słowianki, budziła w nim z jednej strony potrzebę opiekowania się nią, z drugiej zaś grzania się w jej cieple. Zostali parą aż do chwili, gdy rozwiedziony Zdzisław poprosił ją o rękę.

Zanim jednak podjęła decyzję, poprosiła o tydzień do namysłu. Nie było jej lekko, bo jej mama już nie żyła, tato zginął na Pawiaku, starsza siostra Zosia jakoś nie była jej powierniczką, a młodsza, Terenia, za młoda, żeby liczyć się z jej zdaniem. Zresztą Tereska miała swoje sprawy i nie była skora do dzielenia włosa na czworo.

Zdziś przyszedł po odpowiedź, gdy Tereski nie było. Mama zdecydowała się na „NIE". Wiedziała, że są jeszcze chłopcy (synowie taty), że żona Zdzisia jest ogromnie rozgniewana całą sytuacją (co jest zrozumiałe), ponadto jak to, żyć z rozwodnikiem, mającym synów na utrzymaniu? Wszystkie te problemy widziała w czarnych barwach. Nie, stanowczo nie warto pchać się w taki układ, nawet jeśli się tak bardzo kocha... Marynka ze smutkiem, ale stanowczo powiedziała Zdzisiowi, że „nic z tego nie będzie". Zdzisio zaś powiedział, że przyniósł taką płytę ze wspaniałym koncertem. Niezrażony, nastawił prościutki adapter... To był koncert b-moll Piotra Czajkowskiego. Utwór piękny i patetyczny. Po pierwszych akordach mama rzuciła się tacie w ramiona i... zmieniła zdanie. W jednej chwili odrzuciła wszystkie problemy, konwenanse, „co ludzie powiedzą", dla miłości, która eksplodowała w niej ze zdwojoną siłą.

Za sprawą pana Czajkowskiego!

Pobrali się wbrew woli macochy mojej mamy, babci Stasi, która czując się w „obowiązkach" wobec nieżyjącego już Bartłomieja Urbana, taty mojej mamy, nie zaakceptowała „rozwodnika, a na dodatek kaleki". Uważała, że Marynka nie udźwignie odpowiedzialności i że powinna ulokować swoje uczucia w kimś, kto da jej materialne oparcie i pewien status społeczny. Rozwodnik?! Nie, w babci głowie rozwód się nie mieścił. Babcia była gorliwą katoliczką. Rozwodnik... to wstyd i hańba!

Moi rodzice byli od powojnia ateistami. Wychowali się w rodzinach katolickich, jednak zarówno wojna, jak i powojenna propaganda i ideologia miały wpływ na ich drogi życiowe. Mama wspomina o swojej religii, bogobojności, o niemal codziennym chodzeniu na mszę aż do okupacji. To, że choroba odebrała jej matkę, w chwili gdy tak bardzo jej potrzebowała, gdy wojna pokazała najokropniesze swoje oblicze, bestialsko mordując ojca i przyjaciół, sprawiło, że jej wiara się załamała. Ojciec zaś pochodził z rodziny o korzeniach katolickich, ale już dziadek Felek nie praktykował za mocno. Włóczęga, gdy dziadek wygnał ojca z domu, przelała czarę goryczy. Propaganda równości i braterstwa, wspólnoty i sprawiedliwości społecznej zrobiła na nich wielkie wrażenie i... ulegli. Nie oni jedni.

Sądzę, że dzisiaj (gdyby żyli) czuliby się bardzo rozczarowani tym, co się stało z Polską. Wtedy, jak wielu (bo przecież nie byli osamotnieni), odrzucili Kościół i wiarę, próbując nowoczesnej wówczas ideologii życia bez religii. To zadziwiające, jak w tamtych czasach takie deklaracje były powszechne i jak dzisiaj nikt się do tego nie przyznaje. Nie mnie to komentować i sądzić — tak było i już.

Do ślubu pojechali autobusem 111. Mama w popielatym kostiumie, z fiołkami alpejskimi w ręku, tato w zużytym garniturze, z protezą lewej ręki, która uwierała go jak wszyscy diabli. Po skromniutkim obiedzie rozpoczęli wspólne, niełatwe, ale szczęśliwe życie. Zamieszkali w tymczasowym mieszkaniu Tereski i Maryny na Krynicznej, w pokoju o powierzchni szesnastu metrów kwadratowych, bez kuchni.

W 1956 roku, 29 września, tato odwiózł mamę do szpitala na ulicy Madalińskiego, w którym przyszłam na świat 30 września, niechętnie, wyciągnięto mnie za pomocą kleszczy.

Po roku dostali(-śmy!) mieszkanie na Międzynarodowej 53. Mama pracowała jako nauczycielka. Tata był urzędnikiem. Dosyć szybko zatrudniono dla mnie nianię, bo żeby przeżyć, musieli pracować oboje. Trzeba było bowiem utrzymać dom i wypłacać alimenty na chłopaków. Rodzice podzielili zarabiane pieniądze tak, że chłopacy dostawali więcej od zasądzonej kwoty. Tyle, ile wypadło z równego podziału zarobionych pieniędzy. Tak, uważali, jest sprawiedliwie. Ponadto mama zawsze zabierała chłopców na wakacje, bo pani Wanda miała tylko miesiąc urlopu, a mama dwa, z racji zawodu. Uwielbiałam moich braci. Byłam bardzo szczęśliwa, że ich mam. Dwóch i od razu — starszych!

Moi rodzice rzadko jeździli do rodziny i może dlatego tak mocno utkwiły mi w pamięci te wyjazdy. Najmniej lubiłam wyjazdy do babci Stasi, macochy mojej mamy.

Dziadek Bartłomiej Urban, po śmierci babci Tali, ożenił się ze Stanisławą Kossowską, primo i secundo... trala lala, a de facto z babcią Stasią!

Pierwszy mąż babci, Masaraki, palnął był sobie w głowę w noc poślubną! Poczta pantoflowa i tajemnica nigdy nie ujawniona sugeruje, że małżeństwo z kobietą (do którego był chyba przymuszony), to nie było to, o co mu chodziło. W tamtych czasach o „takich rzeczach", homoseksualizmie, nie mówiło się wcale i rodziny używały dość radykalnych metod, by „głuptasa" wyleczyć z niezdrowych fanaberii. Babcia, niczego nieświadoma, musiała przeżyć szok, lecz czas ukoił jej ból i wkrótce wyszła za mąż za przystojnego wojskowego, porucznika Adama Pasiewicza. Pasiewicz zginął w 1939 roku na Oksywiu. Jego przyjaciel, Bartłomiej Urban, mój dziadek, obiecał druhowi, że zaopiekuje się Staszką. Stanisława, wdowa, była piękną i dowcipną kobietą, choć sądzę, że nie poryw serca skłonił dziadka Bartłomieja do ożenku, a chęć dania swoim córkom macochy, matki-opiekunki.

Siedzą: babcia Stasia, blond loczki mojej mamy, stoi ciocia Zosia Urbanówna, a ten piękny siwy pan to dziadek Mateusz Nacholiński. W tle most Poniatowskiego.

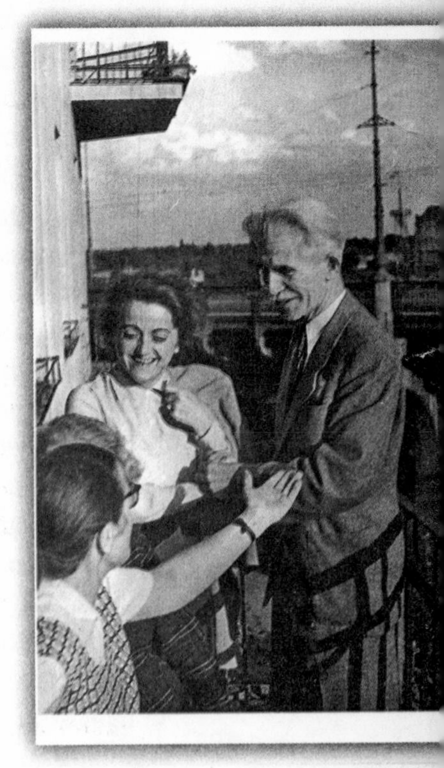

Były to panny dorastające, wojna wisiała w powietrzu, on, wojskowy, mógł lada chwila zginąć. Zdaniem dziadka tylko kobieta mogła otoczyć dziewczynki troską, być namiastką matki. Kiepską namiastką, bo Stanisława nigdy nie miała dzieci i kompletnie nie wiedziała, co począć z dorastającymi pannami.

Po latach moja mama pozostała w dobrych i serdecznych stosunkach z macochą, która po śmierci dziadka Bartłomieja (*tertio voto* Urban) znów wyszła za mąż, za Mateusza Nacholińskiego (*quadro voto* Nacholińska. Ale się obłowiła! A jej siostra, ładna ciotka Irka, naromansowała się z lekarzami, ale za żadnego nie wyszła, więc o to miała do babci Stachy pretensje. Do końca życia!).

Dziadkowie (babcia Stasia z dziadkiem Mateuszem Nacholińskim) mieszkali na Powiślu w wysokim, szarym budynku przy alei 3 Maja od frontu. Z ich balkonu widać było, niemal obok, tramwaje jeżdżące wiaduktem Poniatowskiego. Ich mieszkanie było na 3 lub 4 piętrze, na które wjeżdżało się starą windą, poruszającą się w metalowej klatce. Mieszkały tam, według mnie, same staruszki: babcia Mania, babcia Frania, babcia Stasia, ciotka-babka Hanka i dziadek Mateusz. Mieszkanie miało drewniane parkiety, oczywiście nielakierowane. Lakierów wtedy nie znano. Podłogi drewniane konserwowało się pastą do podłogi zawierającą wosk, terpentynę i inne specyfiki. Brudną, zamiecioną tylko podłogę trzeba było „najsampierw" umyć ciepłą wodą z sodą i szarym mydłem. Robiło się to na kolanach, szczotką ryżową. Szanująca się gosposia nie używała kija, myła na klęczkach. Potem brud spod szczotki zbierało się ścierą wykręcaną do wiadra. Wodę trzeba było często zmieniać. Potem podłoga schła. Gdy już była sucha, nagrzewało się pastę w kąpieli wodnej i ściereczką, kolistymi ruchami, nakładało na parkiet. Gdy już się zapastowało, NA KOLANACH, całą podłogę, piło się herbatę lub gotowało zupę, by przeschła. Podłoga oczywiście. Wtedy w domu był już mąż lub dziecko. Musiało ono włożyć pepegi, stanąć na wełnianych „suknach" i wypolerować parkiet DO BŁYSKU! Miejsce przy miejscu. W całym mieszkaniu pachniało cudnie pastą, woskiem i terpentyną. Tak pachniało u dziadków.

Stare, przedwojenne mieszkanie miało płynny układ. Dużo tam było starych kredensów, serwantek, szaf, bimbających zegarów, zakamarków i pokoików, w których mieszkały te wszystkie babcie.

Babcia, prababcia Frania, była maleńka i milutka. Troszkę zlękniona. Nacierała się raz w miesiącu naftą i piła też tę naftę. „Dla zdrowia".

Prababcia Mania była okrągła, miała włosy uczesane w maleńką cebulkę i „hodowała kanarki w głowie". Żyła w kompletnie innym świecie. Mówiła do siebie, bawiła się lalką i nie chciała jej pożyczyć.

Babcia Hanka, najmłodsza, może 45-letnia. Przystojna, trochę jak Marlena Dietrich, ruda i w „kocich" okularach. Była samotna. Pracowała jako pielęgniarka w szpitalu i była wesoła.

Babcia Stasia, szpakowata, z kokiem nad karkiem, w który wpinała klamrę z szylkretu. Miała piękne zęby, jak kolię z pereł. Własne! Nosiła staroświeckie okulary i grzebienie we włosach. Miała niski głos i była nieporadna w stosunku do dzieci (zwłaszcza do mnie).

Dziadek Mateusz. Suchutki, żylasty, starszy pan z siwymi, mlecznobiałymi włosami, czyściutkimi i pachnącymi jak on sam. Miał szlachetną, pociągłą twarz i białe sztywne wąsiska (przypominał mi go później prof. Michałowski, archeolog). Nosił garnitur z szarej wełny, białą lub błękitną koszulę z piękną starą muszką, która dopełniała reszty. Miał nienaganne maniery i lekko sztywny kręgosłup w odcinku szyjnym. Ogromnie mnie lubił. W pokoju miał wielkie stare biurko ze stylową lampą. Tam sadzał mnie na krześle z poduchą, dawał kredki i blok rysunkowy. Mogłam rysować godzinami, a co tylko stworzyłam, było okazją do zachwytów i pokazywania tego wszystkim gościom, kompletnie niezainteresowanym. Babcia Mania zobaczywszy moje rysunki, trwożliwie przytulała swoją lalkę do piersi, a babcia Frania kiwała głową jak japońska laleczka, mówiąc z afektem: „Pięknie! pięknie!"

Za to na różnych półkach, na białych serwetkach stały u babć różne stoidełka, bibelotki, których babcie pozwalały mi dotykać tylko pod warunkiem: „OSTROŻNIE, Gosiu, dobrze?" W ramkach z zielonego, jakby omszałego metalu stały zdjęcia. Były niepodobne do tych, które robił mój tata. Miały brązowo-żółto-oliwkowy kolor i jakby rozmywały się na brzegach. Te beżowo-białe zaś były pięknie wycięte w misterne ząbki. Dzisiaj wiem, że to się nazywa sepia. Na tych zdjęciach widniała babcia Stasia, jak zwykle pięknie uśmiechnięta i w koralach, a na innych stały dziewczynki w bardzo staroświeckich sukienkach i fryzurach, oparte o sztuczne, tekturowe skały albo siedzące sztywno twarzą do fotografa.

Miały dziwne, wysokie buciki zapinane na guziczki i zupełnie nie przypominały moich starych, pomarszczonych babć.

Babcia Frania była gorliwie wierząca (jak i cała reszta) i na długo przed śmiercią głęboko pogodzona z jej nie-

Piękne ciotki-babki romantycznie oparte o tekturowe skały. Tylko – kto to jest? Być może przyjaciółki babci Tali...

odwołalnością. Tłumaczyła sobie, że tam u Pana Niebieskiego wszyscy najukochańsi na nią czekają. Tłumaczyła to mojej mamie:

— Wiesz, Marynko, czekają tam na mnie. I Brońcia, i Józieczek, więc wiesz, jak tylko umrę, od razu się do nich przytulę i będziemy się weselić!

Kiedy jednak babcia była już stareńka, u „progu", bardzo posmętniała. Mama odwiedzała ją rzadziej i zdziwiła się bardzo, gdy babcia Frania nachyliła się i szepnęła:

— Wiesz, Marynko, umrę już chyba niedługo...

— To świetnie! — odpowiedziała mama, znając dobrze filozofię babci o zaświatach.

Babcia spojrzała na mamę, odsunęła się, wzruszyła ramionami i burknęła:

— A kto to tam wie, jak tam jest naprawdę?

Ot! Runął wielki gmach wiary, wobec strachu...

Obok starych zdjęć stały porcelanowe figurki: słoniki, ptaszki i święty Franciszek z Asyżu. Na kryształowej popielniczce zaś leżała prosta, sztuczna biżuteria, którą wolno mi było zakładać pod warunkiem, że „odłożę na miejsce". Były to korale w kształcie prostych rogalików, misternie zwijane z kolorowego papieru, przetykane maleńkimi paciorkami. Były też zrobione przez babcię Zosię, siostrę mojej mamy, korale bardzo modernistyczne, z czeskiej modeliny, w kolorze kości i przypominające małe kostki nanizane na żyłkę. Zosia robiła je w szpitalu Przemienienia, gdy umierała tam na raka. W epoce hippisowskiej wyprosiłam je u babci, a potem gdzieś „się zgubiły"... Zła byłam na siebie. Hippiska była ze mnie jak z „koziej dupy parasol", jak mawiał dziadek Felek. Mogłam je schować i nie zgubić! Głupia!

Nikt u babć nie palił. Czasem dziadek, ku zgorszeniu babińca. Uwielbiał więc wizyty mojej mamy, bo szli sobie na balkon i dziadek chciwie wąchał dym z maminych papierosów. Czasem sam zapalał „papiroska", jak miał humor.

Po obiedzie, długim i nudnym dla mnie ogromnie, musiałam jeszcze wypić herbatkę. Dopiero później babcia się nauczyła, że dzieci wolą wodę z sokiem od herbatki i zawsze miała dla mnie sok. Z wielkiego, rzeźbionego kredensu (O matko! Co to był za piękny kredens!) ciotka-babka

Hanka wyjmowała delikatne filiżanki, bardzo różne, każdą inną. To, co uratowali z wojny. Najpiękniejsze były takie w secesyjny wzór zielonego bluszczu. Była jeszcze do tego cukiernica i dzbanek, ale już się go nie używało. Za to cukier w kostkach stał na stole w innej cukiernicy, wielkiej i srebrnej. Za życia dziadka do herbaty podawano w karafce jakąś naleweczkę, czasem wino. Później już nie.

Czasem u babek pojawiał się ich kuzyn, Radek Chlumna. Malutki, drobny, z ząbkami jak zajączek i z rudymi, ostrymi wąsikami. Rozśmieszał mnie i lubił żarciki. Mama mówiła mi, że Radek w czasie okupacji bardzo chorował na anemię i żeby nie umrzeć, chodził codziennie do masarni, gdzie dostawał półlitrowy kubek ciepłej świńskiej krwi. Do picia... brrrr. Przeżył.

Jak już pisałam, rodzice mamy już nie żyli, gdy ja pojawiłam się na świecie. Ci dziadkowie istnieli dla mnie tylko w opowiadaniach mamy i cioci Tereski.

Babcia Natalia nazywana jest w rodzinie babcią Talą. Była bardzo ładną, spokojną kobietą, o dużej sile umysłu, ciętym dowcipie, ciepła i macierzyńska. Wyszła za mąż za Bartłomieja Urbana, oficera IV pułku piechoty Legionów. Niewysokiego, o wyrazistych oczach i surowym stosunku do życia. Jej rodzice — Julia i Maxymilian Jabłońscy — mieli prawie ośmioro dzieci. Prawie, bo pierworodny Brunon zmarł po dwóch tygodniach.

Dziadek Urban, ojciec mojej mamy, też pochodził z rodziny wielodzietnej. Było ich siedmioro. Z rodziną dziadka wiąże się ciekawa historia.

Dziadek Bartłomiej – legionista.

Ojciec dziadka, Stanisław Urban, ożeniony został „na siłę" z kobietą, której nie kochał. Nie żył z nią. Poznał potem Józię Nimasówną, którą pokochał i z którą zamieszkał, nie mając rozwodu. Bo ludzie kiedyś nie rozwodzili się prawie wcale! Zresztą wszyscy brali śluby kościelne, więc z założenia rozwodów nie było, no i „co ludzie powiedzą" na starania o rozwód?! Mniej ważne było, co ludzie gadali na takie zamieszkanie pradziadka z Józią Nimasówną bez ślubu. Ważniejsza chyba była miłość.

Ludzie, jak to ludzie, pogadali i przywykli. Drohobycz, bo tam rzecz się działa, to nie wieś ani też metropolia, więc przypadek dziadka nie stanowił wielkiego skandalu. Wszystko działo się wystarczająco dyskretnie, by sprawa przyschła i nabrała cech normalności. To stadełko żyło sobie zgodnie i z miłością, czego owoce pojawiały się na świecie co i rusz. Stary ksiądz, udając, że ma kiepską pamięć, chrzcił te ich dzieciaki po bożemu, jak trzeba.

Tak oto Wandzia, Hela i Menia otrzymały bez mrugnięcia powieką chrzest i nazwisko Urban, ale raz... Raz, gdy na świat przyszło kolejne dzieciątko pradziadków, stary ksiądz był w szpitalu, a na jego miejsce przyszło „zastępstwo". Owo „zastępstwo" było wścibskie albo gospodyni na plebani nadto gadatliwa, dość, że jak przyszło do ochrzczenia Nioli, ksiądz zaoponował i dał wyraz swej dezaprobacie. Dziecko, owszem ochrzci, jak to się robi *legae artis*, z prawem kanonicznym, ale pod panieńskim nazwiskiem matki, która przecież w grzechu żyła!

Wrócił ze szpitala stary ksiądz. Stanisław i Józefa dalej żyli „zgodnie, szczęśliwie i trwale" i znów dali światu dzieciąteczko, Bartłomieja, mojego dziadka, ochrzczonego „po staremu" pod nazwiskiem Urban. Potem zaś i Stasia, i Michała, kolejne dzieci Józi i Stanisława, stary ksiądz wyświęcił sakramentem chrztu na Urbanów. Tylko Niola tkwiła w zapiskach kościelnych jako Nimasówna, bo nieprzejednany był ksiądz na zastępstwie...

Dziadek Bartłomiej Urban poznał pannę Natalię Jabłońską i się pobrali. To było już w Kielcach. Z tego związku urodził się Józef, czyli Dudek, Zosia, Marynka i Tereska. Tuż przed wojną babcia Tala zachorowała na raka piersi i po długiej walce z chorobą zmarła. Dziadek ożenił się powtórnie. Był oficerem. Ukrywał się. W czasie okupacji został aresztowany i zamknięty na Pawiaku. Po aresztowaniu Niemcy wywieźli jego i innych na ulicę Gęsią, na terenie byłego getta, i rozstrzelali. Nie wiadomo, co się stało z ciałem dziadka, więc na Powązkach jest jego symboliczny grób.

Józek, czyli Dudek, brat mojej mamy, zmarł jeszcze w czasie okupacji na suchoty. Gruźlica zbierała obfite plony, bo streptomycyna była wciąż mało dostępna.

Wojnę i okupację przeżyły dziewczynki, Zosia, Renia i Maryna.

Pamiętam ciocię Zosię z czasów mojego wczesnego dzieciństwa. Była inna niż siostry. Bardzo podobna do ojca, Bartłomieja. Z wielkimi oczami w sinej otoczce, niewysoka, samotna. Ogromnie oddana pracy z dziećmi. Pamiętam, że zabrała mnie kiedyś do teatru lalkowego w Pałacu Kultury. Zachorowała na raka. Leżała w Szpitalu Przemienienia Pańskiego na Pradze. Raka wykryto późno, był zanadto rozwinięty, by myśleć pozytywnie, jednak walczyła. Musiała dostawać mnóstwo zastrzyków. Żyły już miała jak rzeszoto. Na oddziale pracowały pielęgniarki zakonnice.

To mama (po lewej na dole) i jej rodzeństwo: Zosia i Dudek (u góry) i Terenia. To białe – to kołnierze i kokardy.

Siostra Irena, uduchowiona jak Najświętsza Panienka, delikatna i fachowa, przychodziła do izolatki, w której leżała Zosia, i wnosiła miednicę pełną ciepłej wody. Po namoczeniu Zosinej stopy znajdowała niebieską żyłkę pod skórą i cieniutką igłą robiła dożylny zastrzyk w tę żyłkę. Powolutku, ze słowami pocieszenia, z modlitwą. Skąd wiem, jaka była siostra Irena? Gdy miałam 15 lat, leżałam w tym samym szpitalu na wyrostek. Na tym samym oddziale. Wciąż pracowała tam siostra Irena. Łagodna, dobra, jakby święta...

Cioci Zosi zmarło się, niestety, na tego okropnego raka, a mnie przykro było, bo lubiłam Zosię, choćby za ten teatr, no i za to, że bardzo mocno czułam, jak ona mnie kocha.

Bardzo lubiłam u nas, co było rzadkością z racji maleńkości mieszkania, wizyty siostry mojej mamy, Teresy. Była zupełnie inna niż moja zasadnicza i pedagogiczna mama. No, młodsza też, ale to nie to. Ciotka była szczuplutka, bystra jak fryga, śmieszka i bardzo modnie się nosiła. Czarne, wąskie spodnie narciarki, sweterek z szerokim łódkowym kołnierzem i pantofelki baletki z ostrym czubem i maleńką kokardką. Przychodziła ze swoim ówczesnym narzeczonym Stasiem. Stasia bardzo lubiłam. Głośno i dużo się śmiał, był bardzo przystojny, miał błękitne oczy. BŁĘKITNE, nie niebieskie. Blond proste włosy, kwadratową męską szczękę i cały był taki... mocny, męski. Jego ruchy były pełne temperamentu. Gdy wpadali na herbatę i plotki, to jakby wicher wpadał do naszej domowej ciszy.

Staś często mnie podrzucał, robił na kolanach „pa-ta-taj", po którym gwałtownie rozsuwał kolana, a ja spadałam w przepaść łapana mocnymi dłońmi Stasia tuż nad ziemią. Darłam się, zanosząc od śmiechu, Staś też, a Terenia piła herbatę, siedząc na krześle z podkuloną jedną nogą pod siebie, bo była mała.

Były, ona i moja mama, jak ogień i woda. Terenia często żartowała, kpiła, podpuszczała rozmówcę, a potem trzask! Jakaś wariacka puenta, żart, kpina... i śmiech. Moi rodzice nie umieli tak rozmawiać. Tato miał poważny stosunek do życia i zupełnie inne, łagodne poczucie humoru, choć czasem trzymały się go figle, ale zupełnie inne. Mama nie miała w ogóle poczucia humoru. A może po prostu wydawało jej się, że skoro jest mamą-nauczycielką, to musi być „stateczna, pedagogiczna i logiczna"? Dość, że były inne. Ciotkę Teresę traktowałam jak drugą mamę. Była w moich pierwszych dniach życia, nosiła mnie i bawiła jak ukochaną lalkę. Gdy pytałam mamę, kto to są „chrzestni", mówiła, że to tacy jakby drudzy rodzice. Z powodu trzymania do chrztu zobowiązują się być dla dziecka kimś bliskim. Moja ciotka Teresa BYŁA dla mnie kimś najbliższym i bez tego. Czułam, że kocha mnie tak jak moja mama. Garnęłam się do niej i tęskniłam, gdy długo nie wpadała na kolejną wizytę, ze swoim Stasiem.

Ojciec, czyli Zdzisław Kaliciński

Mój tatko urodził się na Starówce. Dość dokładnie to opisał w swojej autobiograficznej książce *O Starówce, Pradze i Ciepokach*. Wcześnie osierocony przez mamę Zofię, wychowywany był przez babunię Sabinę. Później jego ojciec, Feliks Kaliciński, ożenił się powtórnie.

Gdy ojciec miał jakieś szesnaście lat, wyszedł z domu, właściwie został wygnany (opisywałam już to) i wiódł los wędrowca. Żałuję, że nie zdążył opisać tego czasu, a miał taki zamiar. Nadto ja za głupia byłam, żeby go o wszystko wypytać. Nie do końca wiem, co się wtedy z nim działo. Wiem, że trafił na wchodnie ziemie, które zostały zaanektowane przez Związek Radziecki w 1939 roku.

Mój tatko. Zdzisław (Sławek) Kaliciński. Zawsze w muszce!

Po wojnie ożenił się, został ojcem dwóch synów i... rozwiódł się. To w skrócie.

Rodzina mojego taty ze smutkiem, ale i zrozumieniem, przyjęła jego rozwód z poprzednią żoną, panią Wandą. Wandę wszyscy lubili, bo była bardzo ładna. Taka nasza wersja Rity Hayworth. Miała gęste, czarne, falowane włosy do ramion, wydatne, pełne usta i piękne, ciemne oczy. Figurę również miała bardzo kobiecą. Do tego śpiewny, kresowy akcent, bielutkie zęby, błyszczące ładnie przy uśmiechu. Używała mocnej, czerwonej szminki.

Ojciec poznał ją w wojsku. Musiała złamać niejedno męskie serce! Urodziła mu po ślubie dwóch synów, Mirka i Wiktora. Wkrótce jednak zaczęło się między nimi psuć. Życie powojenne było niełatwe. Ich poglądy na wiele spraw coraz bardziej się różniły, było wiele kłótni i niezrozumienia.

Drugi od lewej to Zdzisio – przystojniaczek – mój tata. Jedyna kobieta w tym gronie to Wanda – jego trzecia (!) żona.

Ojciec pracował w biurze, znaczy w cywilu. Ciężko mu było się odnaleźć bez munduru i bez ręki w nowej rzeczywistości, a problemy małżeńskie przelały czarę goryczy. W tamtym czasie właśnie poznał swoją współpracownicę Tereskę, a ta, widząc w nim smutek jakiś taki bezbrzeżny, zabrała go kiedyś wraz z paczką przyjaciół na kąpiel letnią nad Wisłę. Namówiła na tę eskapadę swoją świętoszkowatą siostrę Marynę (moją mamę). W grupie tej był też ówczesny absztyfikant Marynki, Wiesio Sochański. Przystojny, młody chłopak podobny do Jana Kiepury. Miał takie same oczy jak Kiepura i też pięknie śpiewał. Wyśpiewywał Marynce swoją adorację, wyśpiewywał i nic! Jakoś Maryna nie była „nastrojona" na Wiesia.

Wracali znad tej Wisły całą grupą. Radośni i rozbawieni, tylko Marynka szła jak to ona, ciut zadumana, bo trochę intrygował ją ten dziwny, żonaty kolega Tereski i drażniło ją to, że ona wprowadziła go do ich grona. Dla Maryny to, że był żonaty, było święte, a to, że podobno się rozwodził — ot, co ją to obchodziło? Szła, stawiając kroki niepewnie, omijając koleiny na wiejskiej, rozjeżdżonej drodze, gdy Zdzisław, ten kolega Tereni z kikutem po lewej stronie ciała, wziął ją zwyczajnie za rękę. Przez sekundę była zdumiona, lecz po chwili uległa. Jego dłoń była miękka i ciepła. Pełna jakiejś niespotykanej dotąd łagodności. Szli tak wystarczająco długo, by potem śniła jej się w nocy ta miła, ciepła ręka Zdziśka.

Rozumiem ją, bo ja też uwielbiałam łapę taty. Wielką, cieplutką, miękką i pełną czułości. Głaskał mnie po twarzy tą ciepłą dłonią i patrzył tak, jakbym była najpiękniejszym, najlepszym zjawiskiem w jego życiu.

Po perypetiach rozwodowych Zdziś poprosił Marynkę o rękę i pobrali się, choć były straszne opory ze strony babci Stasi. Tak bardzo była rozgoryczona, że Maryna postawiła na swoim, że na ślub nie przyszła. Rozchorowała się „na nerwy".

Po sprawie rozwodowej Zdzisia i ślubie z Marynką, rodzina taty, szanując i rozumiejąc jego wybór, zaprosiła jego i Marynę do Klarysewa na obiad. Wszyscy, a zwłaszcza ciotka Zośka, zauważyli, że jest bardzo szczęśliwy, zadbany, a oczy mu się świecą, ilekroć spogląda na swoją nową żonę. Postanowili więc, że panią Wandę z chłopcami będą zapraszać w innych terminach niż Zdzisia z Marynką, i rodzina pozostała w komplecie bez uszczerbku dla żadnej ze stron.

Ze stanem cywilnym taty wiąże się zabawna historia.

Pewnego razu, gdy byłam już studentką, tato, namówiony przez mamę, zaczął pisać książkę wspomnieniową. Któregoś dnia po obiedzie dał mi do przeczytania jej fragmenty. Czytam i czytam, i wynika z tego tekstu, że pani Wanda była nie pierwszą, a... trzecią żoną taty! Więc liczę dalej, mama nie jest jego drugą żoną, a czwartą! No, to wzięłam ojca w obroty. Jego pierwszą żoną była Ania. Anna Wasiliewna Koźlenko, poznana w Związku Radzieckim, gdy ojciec po aneksji w 1939 roku znalazł się na terenach ZSRR. Była młodziutką lekarką i wcześniej niż mój ojciec Polak dostała powołanie do wojska. Wkrótce tato dostał wiadomość, że Ania zginęła. Byli ze sobą zaledwie parę miesięcy. Musiał bardzo cierpieć, bo nigdy o tym nie mówił, a był wielkim romantykiem, introwertykiem, człowiekiem czułym i wrażliwym, ale zamkniętym w sobie.

Po wyjściu z rodzinnego domu, po wczesnym sieroctwie i późniejszej tułaczce, ta pierwsza, wielka miłość była spełnieniem marzeń o szczęściu. Później było rosyjskie wojsko i poważna kontuzja. Po niej odbywał rekonwalescencję „na tyłach" i w jednym z kołchozów poznał Matrionę, starszą o dwa lata rozwódkę z córeczką Alonuszką. Pobrali się z Motią, jak to tata powiedział, „ślubem kołchoźnym u naczelnika, na kartkę papieru". Niestety, jako żołnierz musiał wrócić do jednostki i szybko trafił w największą zawieruchę — do Stalingradu. Opisuje to dokładnie w swojej książce *Wojna niejedno ma imię*.

Panią Wandę, bo do Motii już nie wrócił, poznał w wojsku polskim. Została jego żoną i urodziła mu Mirka i Witka, moich przyrodnich braci.

Kiedy o tym przeczytałam, spytałam go zdumiona, czy mama wie.

— O czym? — spytał.

— No, że jest czwartą twoją żoną, a nie drugą, jak myślałyśmy!

— A... wiesz, nie wiem — tato zamilkł.

Czytałam jego wspomnienia dalej.

Przy kolacji, po powrocie mamy ze szkoły, spytałam ją, nie siląc się na żadne podchody. Nie należała przecież do sensatek.

— Mamo, z książki taty wynika, że...

I opowiedziałam o wszystkim.

— Zdzisiu? — mama, z uśmiechem, jakby rozbawiona tym faktem, zwróciła się do ojca: — To prawda? Czemu nigdy mi o tym nie opowiadałeś?

— Bo... nigdy nie pytałaś, Marynko — odpowiedział tata zwyczajnie.

To fakt. Mama, będąc osobą niezwykle dyskretną, nie wypytywała nigdy nikogo o szczegóły osobiste. Nawet własnego męża. Taka już była. Przeszła nad tym do porządku dziennego! Gdy ją kiedyś spytałam, czy miała do taty jakiekolwiek pretensje o to, że o jego życiu osobistym dowiedziała się w taki sposób i tak późno, żachnęła się:

— Małgonisiu! A o co mieć pretensje? Ja nie pytałam, a Zdzisław widocznie nie chciał mnie płoszyć, bo już i tak przeżyłam jego rozwód przed naszym ślubem. Może obawiał się, że gdy opowie o tamtych związkach, to ja całkiem spietram?

— A spietrałabyś?

— Wiesz, sprawy przeszłe... No jakież one mają znaczenie?

— Ale...

— Daj spokój! Żadna sensacja. Każdy ma jakieś swoje...

I to nie jest koniec historii.

Kiedy tato zaczął bywać w szpitalnej przychodni, w wojskowym szpitalu na Szaserów, zobaczył w recepcji duży kalendarz drukowany w ZSRR. Kalendarz wydała jakaś firma farmaceutyczna. Ojciec wrócił tego dnia z badań, ze skierowaniem do szpitala i rozpoznaniem raka nerki, ale nie to wstrząsnęło nim najbardziej. Powiedział mi, że na tym kalendarzu są twarze pielęgniarek, a w każdym razie modelek w kornetach pielęgniarskich, i wśród nich zobaczył twarz swojej pierwszej żony, Anny Koźlenko.

— Gonisiu, tak niesamowite podobieństwo, tak niezwykłe... Ale to młodziutka buzia, to niemożliwe! — mówił.

— Tato, może Ania nie zginęła? Wiesz, jak to było w czasie takiej zawieruchy wojennej. Może to jej córka?

Oboje zasępiliśmy się, ale na krótko, bo tata poszedł do szpitala na dłużej i teraz to było najważniejsze. Jednak zdjęcie nie dawało mi spokoju. Mama wyprosiła u pielęgniarek całą tę stronę kalendarza i zaniosła do fotografa. On zrobił odbitkę formatu pocztówki i mama oprawiła Anię w ramki i zaniosła tacie...

Ta namiastka — a może rzeczywiście córka Ani — stała przy łóżku ojca do jego śmierci, kiedy to zasnął na zawsze na kolanach mamy o 13.30, piętnastego sierpnia 1981 roku.

To fakty.

Jednak mój tato to nie tylko suche fakty. To ktoś w moim

życiu ważny i bardzo kochany. Postać wielopoziomowa, mimo że niby prosty żołnierz.

Ojciec był szalenie odpowiedzialny i uczciwy, więc rozstanie z panią Wandą — mamą moich braci — nie było dla niego czymś błahym. Przeżywał tę sprawę, ale widocznie nie mógł już dłużej znosić nieporozumień i chłodu. Rozmawiałam o tym z ciotką Zochą. Wtedy właśnie czując pustkę, wypalenie uczuciowe i żal do życia, że tak się potoczyło, spotkał moją mamę. Wiem, że był to „piorun sycylijski", chociaż to określenie nie pasuje tu do ich niezwykle spokojnego spotkania i wielkiej fascynacji, choć tak cichej i nieśmiałej. Wiem, jak bardzo rodzice się sobą zachwycili, jak bardzo romantyczna Marynka trafiła do serca równie romantycznego Zdzisia, który zaczął z ukochaną rozmawiać Gałczyńskim. Ona polonistka, a on roznamiętniony wierszami Konstantego, który wszedł mu w krew i „rozśpiewał serce". Zachowały się wiersze i listy rodziców, w których mówili do siebie w tej samej poetyce, tymi samymi zwrotami, co poeta.

Próbka?

Marii Urban

Znowu jestem z tobą
Znowu z tobą gwarzę
Widzę promień słońca
Na twej miłej twarzy
Kokardką mnie wita
Choinka w doniczce
I latem pachnące
Goździki trzy śliczne

Wszystko jest już proste
Wszystko rozwikłane
Dwie głowy — nie jedna
Moje ty kochanie!

Na coś jednak zda się
Moja siwa głowa
A ty... Jesteś moja
Żona konwaliowa!

Nieśmiała jeszcze, ale już zaangażowana uczuciowo mama, wiedząc, że z tego ich zakochania chyba nic nie będzie, napisała do taty smutny list. Pozostając pod wrażeniem wiersza Gałczyńskiego, także napisała go wierszem.

Urwisty brzeg nad morzem
Wiatr — żagiel mego marzenia
Marzenie o niepamięci?
Czy pamięć o złudzeniach?

Urwisty brzeg marzenia
I żagiel morza — wiatr
„...ocalić od zapomnienia..."
Ocalić od zapomnienia?
...Jak?!

Zdzisławie!

Dziękuję za wiersz i to, co niżej napisałeś w swojej szczodrobliwości. Dziękuję. Mój list do Ciebie wysłany był drogą wodną lub powietrzną — pisany mokrym palcem, na kamieniu przybrzeżnym. Został zabrany przez morze, a może przez wiatr? W ten sposób będzie ocalony od zapomnienia.

Morze jest tylko ładne, o ile ogląda się je z orłowskiej plaży. Jest niezwykłe, gdy patrzy się na nie z urwistego brzegu poprzez źdźbła traw, z lotu ptaka. Można w nim topić pamięć celowo, ale bezskutecznie.

Posłusznie przyjmuje wszystko, aby wyrzucić pierwszą falą na brzeg.

Wiatr nie sprzyja pogodnym marzeniom, ani tragicznemu i pełnemu trwogi krzykowi mew. Istnieje tylko i wyłącznie dla morza, niezależnie od nas.

Wespół z morzem — z jego poszumem, pluskiem, zapachem, blaskiem, przypływami i odpływami — uczy filozofii przemijania.

Mimo to prosiłam je, żeby ocaliło od zapomnienia.

Maryna

Zdzisław odpisał:

Nie Gałczyńskiego pieśń IV

Wiatr mi przyniósł pozdrowienia
Od Bałtyku sinych fal
Był w nich krzyk samotnej mewy
Jakiś smutek, jakiś żal...

Był w nich zapach Twoich włosów
Błękit oczu, sina dal
I jak szara smużka dumy
Pełna smutku prośba twa...

Porzuć troski, moja miła
Czas na radość je zamieni
Drogę wskaże jak zachować
To, co chcesz, od zapomnienia.

Maryniu Moja Miła!

Dzień dobry. Dzisiaj jest niedziela jasna i ciepła. Wybieram się do Starej Miłosnej przygotować reportaż do radia z obozu przygotowawczego do rajdu.

Myślę, że mi wybaczysz to, iż zamiast pieśni Gałczyńskiego przysłałem Ci własne wypociny. Trudno! Jak się ktoś zadaje z grafomanem, niech cierpi! (...)

Byłem wczoraj na poczcie, ludzi nawet zbyt wielu nie było.

Panienka z okienka popatrzyła na mnie i pokręciłą głową.

— Na pewno w poniedziałek będzie! Dziś nie ma nic...

No to ja się odwróciłem, dziękując jej, i... poszedłem do domu.

Pomyślałem sobie, że przecież poniedziałek nie tak znów daleko, przyjdę sobie o dziesiątej rano i z pewnością będzie list od Ciebie! Tak powiedziała ta panienka z okienka, a ona przecież najlepiej wie, ona też jest kobietą! Kobiety wszystko wiedzą, nawet, kto na jaki list czeka.

(...) Całuję Cię, Maryniu

twój Zdzisław

Te same zwroty, o wiele bardziej kochające i tęskne pobrzmiewają w listach moich rodziców... dwadzieścia parę lat później! Mama zachowała niekóre i oto czytam, że gdy byłam na studiach, a ojciec pojechał do sanatorium, żalił się mamie, jak bardzo tęskni, co mu przypomina wiatr w parku, o czym szepczą liście drzew i jaki jest ze mnie — córki swojej ukochanej — dumny. I spory akapit o tym, jak bardzo kocha mamę i kim ona dla niego jest, w słowach najczulszych, pięknych.

Każdy list taty zaczynał się od słów: „Kochanie Moje Najmilsze". Czy podobnie.

Tyle miłości!

Mnie sobie wymarzył. W latach pięćdziesiątych nie było żadnej możliwości sprawdzenia płci dziecka, póki to jeszcze się chowało w maminym brzuchu. Tatko któregoś dnia wieszczył, wycinając diamentem do cięcia szkła na szybie, w pokoju na owej Krynicznej, napis:

29 września – Małgosia

Kochający tata uwiecznił mnie, jak śpię.

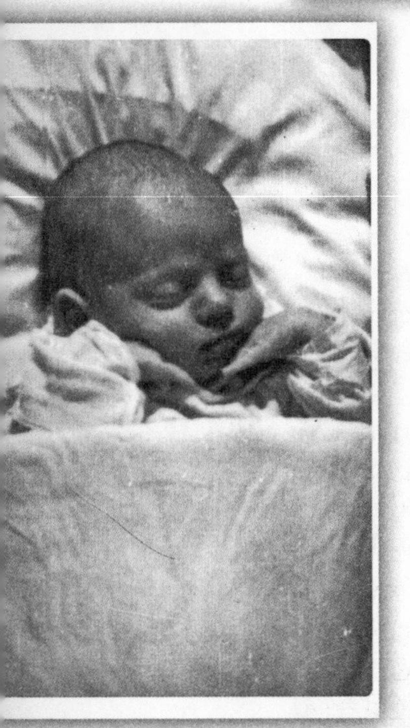

Nie pomylił się wiele, urodziłam się 30 września nad ranem w szpitalu na Madalińskiego.

Ojciec od początku był znakomitym opiekunem. Po dwóch synach nie bał się już niemowlaka i pokazał mamie i Teresie, jak kąpać dziecko. I od tego czasu, od moich urodzin, był moim kochanym tatką. Kłaniając się Gałczyńskiemu, powiem, że to „on pierwszy pokazał mi księżyc", z nim odkrywałam świat, gadałam i żartowałam, doroślałam, powierzałam tajemnice i trwogi serca, bo miałam je. O! Tak! Romantyzm w tych sprawach odziedziczyłam po rodzicach, czyli razy dwa. Byłam bardzo egzaltowana!

Zwyczajowo tatko nosił mnie na barana. Czasem dreptając z nim, trzymałam go za spodnie albo zwisający, pusty rękaw, bo w jedynej ręce trzymał smycz psa. Czasem trzymałam tę smycz i szliśmy sobie powoli po Saskiej Kępie. Ja, tatko i pies.

Niestety bywał w sprawach wychowawczych ostry. Nienawidził kłamstwa, więc gdy mi się zdarzało coś nakręcić (mama wychowywała mnie głównie zakazami, musiałam więc jakoś wywalczyć sobie odrobinę wolności), był nieprzejednany i czasem obrywałam po tyłku.

Przestał, gdy podczas jakiegoś lania nie ruszyłam się, nie płakałam. Byłam kamienna. Wtedy na zawsze przestał. Zastąpił to rozmowami.

Nigdy nie dał się wciągnąć w rozmowy zahaczające o politykę, historię. Być może dając wiarę nowej ideologii, sam czuł się niepewnie, chciał mnie chronić przed tym, co w tamtych czasach uchodziło za „błędy w rozumowaniu". Faktycznie — mur milczenia był i w szkole. Niewygodne pytania były wekslowane jakoś wykrętnie i już.

Mama zapytana po latach, dlaczego ukrywali przede mną prawdę, dlaczego nie rozmawiali na trudne tematy, odparła prosto:

— Byłaś dzieckiem tego, a nie innego świata, musiałaś nauczyć się żyć w tej rzeczywistości, która nam wydawała się w miarę sprawiedliwa. Chciałam cię chronić, żebyś nie miała rozerwanego serca.

Dzisiaj ją rozumiem, ale jako panna, jako doroślejący człowiek byłam zdumiona. A może nawet rozczarowana?

Wracam do taty.

Miał wykształcenie średnie (techniczna matura), ale chłonny wiedzy. Sam rozbudził w sobie zamiłowanie do muzyki klasycznej i poezji. Zajmował się samokształceniem w dziedzinie sztuki. Nauczył się samodzielnie hiszpańskiego. Pokazywał mi piękno architektury, mówiąc:

— Patrz, córeńko, na parterach domów są sklepy i nieciekawe wystawy, ale wyżej, zawsze patrz wyżej! Są piękne balkony, zwieńczenia, rzeźby. W każdym mieście oglądaj domy, podnosząc głowę!

Wtedy mnie to nużyło, ale nawyk pozostał. Patrzę w górę, ponad wystawy i dostrzegam to, co wartościowe, co się zachowało.

Gromadził albumy, żebym ja i mama, żeby on sam miał dostęp do dzieł sztuki. Paszportów nie było. Wyobrazić sobie wycieczkę do Luwru czy Prado można było w kategoriach science fiction, więc Leonarda da Vinci, Renoira, Rubensa,

El Greca, Velasqueza, Boscha, Rafaela i innych wielkich ze świata, jak i naszych mistrzów — Wyspiańskiego, Mehofera, Matejkę, ołtarz Wita Stwosza, i sporo innych, oglądałam, trzymając wielkie albumy na dziecięcych kolankach. Od wczesnego dzieciństwa nasiąkałam sztuką, a zawdzięczam to pasji ojca.

Zawsze byliśmy dogadani. Tata wiedział, że mama bywa ciut może za surowa i chociaż był bardzo lojalnym mężem, wszedł ze mną w dobrą komitywę. Żartowaliśmy, gdy gotowaliśmy razem, i to on słuchał mojego paplania. Przez fakt, że nie miał lewej ręki, byłam jego „podkuchenną", bo u nas tatko rządził w kuchni. Od zawsze mu pomagałam. Siedząc obok niego, obierając, krojąc czy wytrybowując kości, uczyłam się tego, co dzisiaj stanowi moją drugą naturę, czyli pitraszenia. Podczas gotowania naturalnie gadaliśmy o całym świecie. (Tylko nie o polityce i historii). Tata sporo wiedział, czytał, był znakomitym rozmówcą, a podczas takich rozmów przemycał wiele spraw moralno-wychowawczych.

Tatko i ja – miłość w czystym wydaniu.

Był absolutnie uczciwy — cenił uczciwość i jej wymagał. Tłumaczył mi, co oznacza współwłasność.

— To nie tak, Gosiu, że co wspólne, to niczyje! Wspólne, czyli TEŻ twoje, więc nie wolno niszczyć tego, co wspólne — ławek w szkole, krzewów na podwórku, siedzeń w tramwajach. To tak, jakbyś podcinała swoją gałąź albo fajdała w swoje gniazdo.

— Ale, tato, przecież nikomu na tym nie zależy!

— Jak możesz tak mówić? Chcesz żyć w brudzie i bałaganie, bo nie poczuwasz się do uczciwości i porządku wokół siebie?

Był pryncypialny. Także w sprawach męsko-damskich. Wiedział, że dziewczynki i chłopcy zaczynają z czasem mieć się ku sobie, i rozmawialiśmy o tym, jak to powinno być. Jak mam się cenić, szanować, jak być miłą, wesołą, ale nie wyzywającą. Mama kładła mi te nauki do głowy jakoś inaczej... Jej nauki były takie, jakby mi wszystkiego zabraniała, jakby nie znosiła faktu, że doroślęję, zmieniam się i czy tego chcę, czy nie — wchodzę w świat uczuć. Według niej należało chłopaków trzymać na dystans i zamknąć się w wieży otoczonej kolczastymi krzakami, a ja chciałam z moim jeździć na ślizgawce za rękę bez poczucia, że dopuszczam się jakiegoś niegodnego dziewczęcia czynu. Tak... z mamą nie miałam takiego porozumienia jak z ojcem. Gdy byłam licealistką i miałam jakieś spore problemy sama ze sobą, ze światem, z zakochaniem się itp., tatko był zawsze obok. Bywało, że gdy wyczuł moje podłamanie, przyjeżdżał (był już na rencie) pod szkołę i czekał na mnie z bukiecikiem kwiatków. Później szliśmy sobie na lody albo ciacho do dobrej cukierni, rozmawiając bez końca. Był wtedy czuły i kochany, rozumiał moje rozterki i bóle jak nikt inny. Czasem bez słów. Pamiętam, jak raz podeszłam do niego po szkole, wzięłam do rąk nasturcje i przytuliłam się do jego ramienia.

— Dokąd? — spytał.

— Nie wiem — odparłam głucho.

— Stało się coś? — spytał.

Wtedy się poryczałam, nurzając nos w jego szaliku w turecki wzorek. Chyba byłam beznadziejnie zakochana w moim późniejszym mężu.

Gdy już obsmarkałam go wystarczająco, wziął moją twarz w tę swoją jedyną dłoń i powiedział:

— Moje ty szczęście nieszczęśliwe! — i pocałował mnie w czoło.

Jak dobrze było go mieć po swojej stronie! Jak dobrze, że mnie rozumiał!

Drugie wspomnienie równie fajne, to gdy byłam w drugiej klasie liceum i miałam „krzywe kluski" z moją panią od rosyjskiego. No, miała na mnie haka i już! Szczytem wszystkiego było dłuugaśne (15 stron!) streszczenie pilne i dokładne, z którego oberwałam dwóję. W domu byliśmy sami — ja i ojciec. Rycząc jak wół, podałam mu zeszyt.

— No... — zachlipywałam się — powiedz sam, czy to sprawiedliwe?!

Tata siedział i czytał skupiony, wnikliwy, aż wreszcie zamknął zeszyt z niesprawiedliwą dwóją i sapnął:

— Małpa, no!

Och, jaki ciężar spadł mi z serca! Że nie udaje pozornej lojalności wobec nauczycielki. Że mnie wsparł i jest ze mną w tej trudnej chwili! Mama zwykle pedagogizowała, że nauczyciele mają zawsze rację! Tato, dziękuję! Od tatmtej pory mogłam stawić czoło mojej grymaśnej pani, wiedząc, że nie jestem sama. I udało się. Jakoś się z panią profesor pogodziłyśmy! Ja się poprawiłam, ona zmiękła, ale twoja ciepła dłoń, wsparcie bardzo mi pomogło.

Uwielbiałam go i jednoczesnie brałam się z nim za łby. O, kłóciliśmy się czasem do pazurów i kłów, do „piany i krwi". Pyskowaliśmy ostro i wściekle. Dzisiaj nazwałabym to „zadymami", ale po tych awanturach, następowały okresy obojętności, uprzejmego spokoju i znów jakieś sceny cudowne, wesołe, dobre. Jakieś wspólne gotowanie albo spacer z psem i dyskuje, żarty, opowieści. Takie mieliśmy temperamenty, taka była nasza miłość ojca i córki. Pisał o mnie wspaniale do mamy, ale o tym dowiedziałam się po jej śmierci.

Mama chyba była leciusieńko zazdrosna, ale i dumna z naszej komitywy.

Tatko, kiedy już wiedział, czuł, że umrze, poprosił mnie w szpitalu (leżał w izolatce), żebym na chwilę zamilkła i wysłuchała go w spokoju.

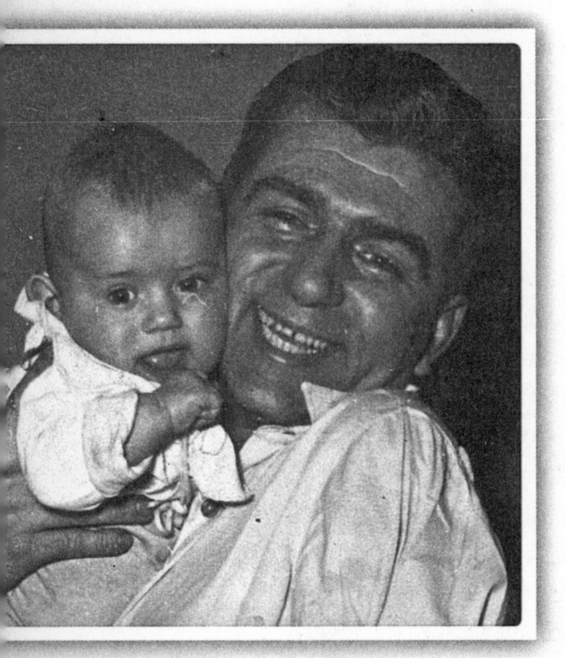

Powiedział, gdzie są wszelkie dokumenty, dokąd z nimi pojechać i u kogo złożyć. Jako kościuszkowcowi przysługiwała mu kwatera, w której leżeli już jego koledzy na Wojskowych Powązkach.

— Tato...

— Nie przerywaj. Chroń mamę, wiesz, jaka jest delikatna, nie dźwignie tego. Pomóż jej przez to przejść. Mój mundur i medale oddajcie jednostce w Brzegu. Moje ty... — westchnął zmęczony.

Był już bardzo zjedzony przez tego wstrętnego raka, zmieniły mu się rysy twarzy, uwydatniły kości policzkowe, wychudł, a oczy zrobiły się jaśniejsze, wodnistoniebieskie, wyraziste jak nigdy dotąd.

Poprosiłam, żeby się posunął i położyłam się obok niego, przytuliłam, wdychając zapach jego i szpitala, będąc jeszcze raz blisko, czując, jak bardzo, bardzo go kocham. Kilka dni później zmarł.

Dalsza rodzina

Bardzo lubiłam wyjazdy do rodziny ojca, do Klarysewa. Zdarzało się to dwa, trzy razy w roku, wczesną wiosną, latem lub jesienią. Nigdy zimą. Zawsze była to duża i ciekawa wyprawa, bo Klarysew, leżący tuż przed Konstancinem-Jeziorną, był bardzo daleko od Saskiej Kępy.

Już w sobotę cieszyłam się na ten wyjazd. Mama przepierała mi sukienkę i sprawdzała skarpeteczki, czy aby całe i białe. Tacie prasowała koszulę, wtedy z popeliny, pięknego, ale i piekielnego materiału. Lubił się zagniatać. Czyściła marynarkę i zakręcała sobie włosy na wałki, na noc. No, czasem po prostu szła do fryzjera i wtedy na noc, na zakręcone i utapirowane pięknie loczki zakładała kolorową siateczkę ochronną. Rano tylko lekkie przyczesanie i ondulacja się trzymała.

W niedzielę małe śniadanie i ubieranie się elegancko. Po zapleceniu mi warkoczyków i zawiązaniu kokardek w przeddzień uprasowanych mama ciepłym, kobiecym gestem wykładała ojcu biały, rozpięty kołnierzyk koszuli na klapy jasnoszarej marynarki w delikatną kratkę. Tato nie lubił niczego zapiętego pod szyją. Żadnych krawatów. Miał uczucie „psychicznej" duszności. Zostało mu to po czasach, gdy jako młodzian, w czasie okupacji pracował w Donbasie (ZSRR) w kopalni. Został tam zasypany wraz z trzema kolegami. Nie wiedzieli, czy ktoś ich uratuje. Brakowało powietrza. Jeden z nich zwariował ze strachu, ojcu zostało uczucie duszności. Nienawidził pomieszczeń z zamkniętym oknem i zapiętych pod szyją guzików.

Ja nie mogłam nigdy doprosić się mamy, by mi rozpuściła włosy jak królewnie. Trudno. Nie, to nie.

Paroma autobusami i tramwajem na końcu dojeżdżaliśmy do Wilanowa. Tam zjadaliśmy lody, czekając na przyjazd ciuchci. CIUCHCI!!! Stał w Wilanowie (i stoi nadal) ładny budynek kolejowy, w którym była stacja początkowa wąskotorówki jadącej do Konstancina-Jeziorny i z powrotem. Ciągnęła ją malutka lokomotywa z węglarką i dużym kominem, z którego buchał biały dym, a dalej wagoniki osobowe. Tory wąskie takie, o siedemdziesięciocentymetrowym rozstawie. Żartowało się, że jak przy kiosku wyskakuje się z pierwszego wagonika po fajki, to się je kupuje i wskakuje do ostatniego. Takie miała tempo!

Tak więc wsiadaliśmy do wagonika i dostojnym tempem jechaliśmy przez mazowieckie równiny. Wtedy z okien wąskotorówki nie było widać ani odległych Stegien, ani Ursynowa. Otaczały nas bezkresne pola po prawej stronie, a szosa i wiejskie zabudowania po lewej. Po ujechaniu kilometra po lewej też rozciągały się pola aż po Wisłę. Na polach zależnie od pór roku zieleniły się oziminy i wschodzący rzepak, kwitły mlecze i wszelkie majowe kwiecie, gdy jechaliśmy na imieniny stryjenki Zochy lub stryjka Cześka. No, tak. Nietypowe nazewnictwo?

My też, jak wszyscy, nie przywiązywaliśmy kiedyś do tego wagi i o wszystkich kuzynach i rodzinie mówiło się „ciocia", „wujek", ale przecież tak nie jest!

Ciotka to siostra matki.

Wujek to brat matki lub mąż ciotki.

Wujenka — żona brata matki.

Stryjenka to siostra taty.

Stryj to mąż stryjenki albo brat ojca. Itd.!

My, młodzi z rodziny, postanowiliśmy kiedyś wskrzesić stare nazewnictwo, o co Zocha się wściekła i gdy powiedziałam do niej „stryjenko", obiecała dać mi ścierką przez łeb. Inni przyjęli to bez zastrzeżeń, choć ciągle się myliliśmy. Moje dzieci zapamiętały ciocię Zosię i wuja Cześka, a przecież to moje stryjostwo!

Po długiej, jak mi się wydawało, podróży pociąg zatrzymywał się na ładnej stacji Klarysew. Stąd spacerem trzy minuty... i oto ukazywała się aleja, a w jej połowie metalowa siatka przetkana bukowym żywopłotem, brama z furtką i żwirowa ścieżka prowadząca obok klombów z kwiatkami na werandę dziadków i stryjostwa.

Ten dom wyglądał jak mały, „polski dworek" (historię tych domków opisał tato w książce *O Starówce, Pradze i Ciepokach*). Tam, na ulicy Słonecznej mieszkał stryj mojego ojca — dziadek Wacław (brat ojca taty — Feliksa) ze stryjenką Stefą. Dziadek Wacek (dla mnie — stryjeczny dziadek) był bardzo poważnym, starszym panem o ostrych rysach, które podkreślała kwadratowa szczęka lekko wysunięta do przodu. Po obu stronach nosa, wzdłuż policzków miał dwie głębokie bruzdy. Nos wydatny, „kaliciński", zakończony kartoflem i brwi skłonne do ściągania się nad nosem. Wysokie zakola czołowe i szpakowate włosy zaczesane do tyłu. Był postawny i szczupły. Jego wielkie, kościste dłonie nosiły ślady spracowania. Śmiał się tylko w męskim gronie lub przy najbliższych. Przy gościach udawał surowego. Nie lubił mnie do końca życia, bo kiedy miałam dwa latka, utopiłam małego kotka w wannie pełnej wody, stojącej pod jabłonią. NIE CHCIAŁAM!!! Skąd mogłam wiedzieć, że kąpiel mu nie posłuży?

Za to babcia Stefa (dla mnie — stryjeczna babcia) wybaczyła mi to błyskawicznie, bo ona kochała WSZYSTKICH bezgranicznie. Była niskiego wzrostu, trochę rozłożysta i chodziła, kołysząc się na boki jak kaczka, bo artretyzm bardzo powyginał jej nogi. Buzię miała pomarszczoną, usta zatroskane i małe, blisko osadzone oczy, z taką jakby mongolską fałdą. Siwe, skręcone trwałą włosy spinała jak wszystkie babcie grzebykami, za uszami. Była królową kuchni. Stryjenka Zocha tylko podkuchenną. Babcia Stefa słynęła w rodzinie z umiejętności robienia kwasu chlebowego.

Na dużym taborecie obok lodówki stało wiadro, czy też chyba kamienny gar, w którym „pracował" płyn składający się z chleba, rodzynków, drożdży, wody i jeszcze czegoś. Na wierzchu pływała bura, nieapetyczna piana, w której raz po raz pojawiała się nowa banieczka, bo płyn musował. Pachniał też frapująco i dziwnie. Babcia naciągała łyżkę płynu z dna, do szklanki. Był brązowy, czasem klarowny, a czasem nie. Z trudem zmuszałam się do pierwszego łyku, bo zapach był mi nieznajomy i dziwny, ale potem było świetnie. Coś jak karmelowe piwo, kwaskowe i musujące. Babcia stała uśmiechnięta tak, że oczy zamieniły jej się w dwie maleńkie szparki. Kochaną babciną łapką gładziła mnie po włosach. „Moja mała, moja, pij... pij", powtarzała.

Na werandzie dziadek Wacek, który mnie nie lubił, siedział już na krześle i rozmawiał z moim tatą. Właśnie z góry zszedł jego syn — stryjeczny brat mojego taty — stryj Czesiek. Czesiek był synem dziadka Wacka i babci Stefy. Inny niż dziadek. Pucołowaty (chyba po babci), łysy aż do połowy głowy, też z bruzdami przy policzkach, ale za to usta miał pełniejsze i był ogólnie weselszy. Jak mówił, to charakterystycznie przechylał głowę na bok. Żartowniś, można by rzec, lekkoduch. Ale nie, nie był lekkoduchem. Bardzo dużo wiedział i rozumiał. Przeżywał sprawy polityczne i społeczne i nieraz z rodzicami prowadził długie, ciekawe rozmowy. Dobrze wykształcony, o wielkiej kulturze, znalazł w PRL-u świetną pracę w Ministerstwie Spraw Zagranicznych. Dużo jeździł za granicę, więc dlatego „widział" tematy z różnych płaszczyzn. Z tych podróży przywoził nie tylko wiedzę, ale też cudne ciuchy dla Zosi, a sobie przywiózł pięknego, starego mercedesa.

Stryj był świetnym rozmówcą, mówił ciekawie, ze swadą i humorem, więc na tarasie, na ławeczkach i krzesełkach (widzę ich, jak zamknę oczy...) siedzą już Kalicińscy i moja (też Kalicińska) mama i wiodą „Polaków rozmowy". Czesio właśnie przyniósł po maleńkim koniaczku dla siebie i mamy, bo tato i stryjek Wacek nie piją, i pogawędka toczy się miło...

Z głębi domu dochodzą radosne okrzyki stryjenki Zochy, która spóźniwszy się nieco z malowaniem oczu, biegnie w pięknych, egipskich klapeczkach powitać nas serdecznie i głośno. Zaraz też przyniesie herbatę i wygania z domu kuzyna Piotrka, swojego syna, żeby ze mną się pobawił. Piotrek, szczupły, starszy ode mnie piegus, potrzebny jest kolegom na ulicy, więc szybko się zmywa, a ja penetruję wiosenny ogród stryjostwa. Jest ciepły, niedzielny dzień. Jestem u rodziny i Piotrek Piegus nie musi mi nadskakiwać. Sama sobie poradzę! W ogródku dziadków jest huśtawka, komórka na narzędzia i to wystarczy...

Drzewa kwitną pięknie, krzewy porzeczek ulistnione obficie już pachną porzeczkowo, a nad mleczami i wszelkim innym kwieciem uwijają się pszczoły i bąki.

Nudziłam się zawsze w tym ogródku, dopóki nie wymyśliłam sobie jakiejś zabawy. Na krótko. Bo oto babcia Stefa wychodzi na taras przepasana fartuchem i mówi cicho i milutko:

— No, chodźcie, chodźcie do stołu, kochani!

Dziadek wstaje, prostując się jak dragon, i szerokim gestem zaprasza wszystkich do wielkiej jadalni, w której po staropolsku stał kredens i wielgachny stół. Nakryty jest białym obrusem, a na nim stoi piękna zastawa do zakąsek i obiadu. Równo ustawione kieliszki, kryształowe karafki z wódeczką, dzbanek z kompotem i zimne dania. Stryjenka Zosia jeszcze tylko głośno woła mnie i już usadzamy się za stołem. Mama zawsze obok dziadka Wacka. Lubią się. Od pierwszej wizyty u dziadków. Mama, jako bardzo komunikatywna, drobna blondynka o subtelnej urodzie i łagodnym usposobieniu, zawsze budziła powszechną sympatię. Ma pewnie na sobie śliczny kostium z angielskiej wełny w kolorze rzodkiewkowym, białą bluzeczkę... może w kropki? Pewnie białe klipsy i jakieś czółenka. Ja występuję w sukieneczce w niebieskie paseczki z falbankowymi skrzydełkami przy rękawach.

To właśnie ogródek dziadków. Mama idzie z naręczem kwiecia, w najmodniejszych wówczas okularach i szmizjerce, tej z Londynu. Obok niej stryjek Czesiek, za nimi dziadek Wacek. Wszyscy oczywiście Kalicińscy.

Oczywiście skubię coś z zimnych dań, ale tylko sałatka jarzynowa wchodzi mi bezboleśnie. Inne specjały — zimne mięsa, śledzie — lubią tylko dorośli. No jest i polędwica wędzona! Uwielbiam ją, więc co rusz na talerz nakładam sobie płatek różowej rozkoszy. Marynowane grzybki babci Stefy są pyszne, wrzucam sobie na talerz całą ich furę, aż mama coś mówi, niby z oburzeniem, ale babcia Stefa dobrotliwie kiwa głową i zachęca: „Jedz, jedz, dziecko, sama marynowałam, potem zjesz zupki i będzie dobrze".

Mam fajnych rodziców pod tym względem! NIGDY żadnych scen czy tekstów umoralniających przy stole.

A jeszcze u rodziny? Wiadomo, że coś tam zjem i czy to będzie polędwica, kwas chlebowy czy ogórki kiszone lub same ziemniaki, zawsze to coś. Nigdy też nie byłam niejadkiem, więc instynktownie najadałam się tym, czym chciałam.

Czas na ciepłe dania. Zupa to pewnie rosół albo barszcz buraczany, czysty, z pasztecikiem (tak jest wykwintnie), więc coś tam siorbię, ale czekam na drugie danie, bo pewnie będzie coś pysznego. Tak jest zawsze u babci Stefy. Mama z dziadkiem Wackiem i stryjostwem wychylają kieliszki wódeczki za zdrowie Zosi, Cześka czy kogoś tam. Stryjenka wybiega do kuchni, by pomóc babci. I oto na stole ląduje jakieś pyszne mięsko i... kopytka, najlepsze w świecie, takie... elastyczne. Do tego buraczki i ogóreczki, oczywiście własnej roboty.

Herbata i ciasta mnie nie interesują, ku zdumieniu babci Stefy, i dorośli pozwalają mi „zjeżdżać" do ogródka.

W sąsiedztwie dziadków mieszkają Starosowie, rodzina stryjenki Zochy. U Starosów jest Bardzo Stara Babcia, ciocia Janka z wujkiem Zygmuntem i ich córka, dużo młodszy ode mnie maluch — Kasia. Z braku równolatki bawię się z Kasią, bo wszyscy przenieśli się na kawę i ciasto na taras i właśnie przyszli zza płotu Starosowie. Ciocia Janka przyniosła jakieś swoje ciasto czy galaretkę. Wszyscy się ciepło witają z moimi rodzicami i ze mną. Bardzo ich lubię. Buszujemy z Kasią po ogrodzie dziadków, aż robi się późne popołudnie i rodzice wołają mnie na werandę. Żegnamy się wszyscy serdecznie. Nawet dziadek nachyla się i cmoka mnie niechętnie gdzieś w grzywkę. Babcia utula, obcałowuje i wciska na drogę kawałek szarlotki w woskowym papierze. Starosowie jeszcze zostają, a ja z rodzicami idziemy na przystanek.

Czasami, i to było takie miłe, wszyscy oprócz babci Stefy i stareńkiej babci Starosów szli z nami wielką rodzinną gromadą. Tylko po to, by pobyć jeszcze razem i pomachać na do widzenia.

Tym razem PKS. Będzie szybciej. Długo tłuczemy się do Wilanowa, mijając Powsinek i Powsin. Wsiadamy do tramwaju, potem do autobusu i drugiego, i spacerkiem od przystanku wracamy na Międzynarodową. Na trzepaku siedzą dziewczynki, na ławkach sąsiadki, psy leżą pod krzakami. Niedziela, wieczór już blisko.

— Gosia! Wyjdziesz?

— Nie — kręcę łebkiem z kokardkami.

Jestem zmęczona i wiem, że już za późno.

W domu czeka cierpliwie pies, którego tato bierze na wieczorny spacer, a my z mamą przygotowujemy się do niedzielnego wieczoru. Ja pewnie jeszcze bawię się miśkiem lub rysuję. Mama robi herbatę i siada przy sosnowym stole z paczką papierosów i szarlotką babci Stefy. Będzie znów poprawiać klasówki albo gawędzić sobie z tatą. Oni tak sobie lubili „pogaduszyć" wieczorami. Te ich spokojne rozmowy, muzyka w tle uspokajały mnie. W naszym domu było tak jakoś „po Gałczyńsku" — „lampa nad stołem" i ciche, miłe rozmowy. Czasem stroskane, czasem były to spory, ale takie bez agresji. Tato nastawiał jakiś koncert szopenowski, a ja zasypiałam pełna wrażeń.

W czasie, gdy byliśmy w Moskwie, ciotka Teresa boleśnie zakończyła miłość ze Stasiem i poznała Jacka, za którego wyszła za mąż. Za niego i całą jego rodzinę. Tak to chyba było, bo Tereska, ale i moja mama, i ciocia Zosia (ich siostra, nieżyjąca już, niestety) nie „odczuwały" wielkości i liczebności swojej rodziny. Niby były gdzieś w Polsce i w świecie ciotki i pociotki, ale jakoś niezbyt blisko. Jacek zaś tkwił po prostu w dużej rodzinie z tradycjami. Pochodził z Radomia.

Opisywanie Jacka i ówczesnej Tereńki zacznę od tego, że epoki mają swoje typy urody. Na przykład rude kobiety Rubensa z cellulitem, „dyrektoriat" epoki napoleońskiej z tymi ich ciążowo-greckimi kieckami, Pola Negri z Rudolfem kurduplem Valentino, z sinymi oczami, jak od plam wątrobowych. No, a Greta Garbo, Gary Cooper byli już inni niż Marilyn Monroe i James Dean. (Przy anorektycznej Nicole Kidman boska Marilyn to tłusta parówka o parweniuszowskiej urodzie ekspedientki z McDonalda. I taką ją właśnie uwielbiam! Ja i szeregi innych). Kanony piękna ulegały zmianom wraz z pokoleniami.

Jacek Sagatowski, mąż Tereski, był zjawiskowo przystojny. Jak na lata sześćdziesiąte miał wszystkie cechy ówczesnego „interesującego mężczyzny". Był wysoki i smukły, choć nie chudy. Miał ładnie zarysowane pośladki („jak orzeszki" to one nie były. Teraz są takie „modne") i piękną linię pleców i boków. Wiem, bo kiedyś byliśmy wszyscy na wakacjach i widziałam Jacka w kąpielówkach. Był taki... posągowy. Miał też gładką cerę, pięknie się opalającą, smukłe dłonie i ładne stopy. Czarne, błyszczące włosy gładko czesał na bok. Był dobrze ostrzyżony i jak wszyscy prawie wtedy układał fryzurę na brylantynę. Miał wąski, prosty nos zakończony jakby prostokącikiem. Łagodnie, w „V" uformowaną szczękę i dość małe usta, które przy artykulacji niezbyt szeroko otwierał. Nosił okulary w bardzo ciemnej, modnej, prostokątnej oprawie. W ogóle był zadbany i pachnący, o nienagannych manierach.

Pasowali do siebie z dwóch powodów. Po pierwsze, przeciwieństwa się przyciągają. Ciotka Teresa pełna temperamentu, rozrywkowa i wesoła. Piękna i atrakcyjna. Jacek wyciszony, opanowany. Również, przystojny i atrakcyjny. Po drugie każde z nich szukało ciepła i utulenia w tym małżeństwie. Terenia była poraniona wczesnym sieroctwem, wojną, okupacją i nieudaną historią ze Stasiem, miłością, która ją zawiodła, zraniła. Jacek też miał za sobą okupacyjną przeszłość, ale choć nie był sierotą, cierpiał wewnętrznie, bo duszę miał humanisty historyka, a ojciec kazał mu studiować na politechnice. No i miał za sobą nieudany związek z niejaką Irminą, o której nic nie wiem.

Jacek i Teresa byli modelowym małżeństwem tamtych czasów, a ich mieszkanie w nowym budownictwie na Muranowie na ulicy Dubois można byłoby dziś pokazywać w muzeum wspomnień po wczesnym PRL-u. Na owe czasy — bardzo nowoczesne! Pokój z kuchnią urządzone współczesnymi im, bardzo modnymi, niedrogimi meblami.

W niektóre sobotnie popołudnia jeździliśmy z rodzicami do Tereni z wizytą. Dorośli siadali w tym słonecznym pokoju, Tereska robiła herbatę w wielkich i płaskich filiżankach, mających dookoła zielony i złoty paseczek, a kawę w stożkowatych i mniejszych, malowanych w jakieś popartowskie czerwone kwadraty i czarne patyczki. Do tego ciasteczka, jakieś herbatniki albo biszkopty. Tereska nie piekła ciast. Ja nudziłam się na balkonie, a wkrótce i tak lądowałam na podwórku, małym i byle jakim. Uporządkowanym, wyasfaltowanym, bez krzaczorów, dostępnego śmietnika. Z jakimś beznadziejnym trzepakiem. No, ale trudno, niech tam. Jakoś było.

Rodzice zresztą nigdy długo u Tereńki nie siedzieli

i wracaliśmy autobusem na Kępę. Przez szybę oglądałam Śródmieście, w którym rzadko bywałam. Pamiętam płoty i parkany budowlane na placu dziś Bankowym (wtedy Dzierżyńskiego) i takie samo budowlane rumowisko po lewej stronie Marszałkowskiej, gdzie kopano fundamenty pod „Ścianę Wschodnią", czyli Domy Towarowe „Centrum". Wyłapywałam nowe neony, paplałam coś do taty. Ulicą mknęły warszawy, wołgi, skody i syrenki. Warczały głośno lubliny i stare, ruskie ciężarówy wożące jakieś towary. Można było też zobaczyć konne wozy sunące powoli wzdłuż krawężników. Konie, wielkie, zaniedbane perszerony ciągnęły wielgachne wozy z niebotycznymi burtami, wyładowane węglem. „Powodowali" nimi na wpół trzeźwi wozacy. Bywało, że i konie były półtrzeźwe. Śmigały jeszcze wojskowe gaziki i czasem jakieś lepsze samochody — ople kadety, kapitany jakieś, czasem mercedesy, fordy stare i nowsze. W obrębie Nowego Światu, Świętokrzyskiej i Krakowskiego Przedmieścia — dorożki. Biedne i niepiękne, ale jednak!

Mój tato zwykł cytować Mistrza:

Zapytajcie Artura,
daję słowo: nie kłamię,
ale było jak ulał
sześć słów w tym telegramie:
ZACZAROWANA DOROŻKA
ZACZAROWANY DOROŻKARZ
ZACZAROWANY KOŃ.

Cóż, według Ben Alego,
czarnomistrza Krakowa,
„to nie jest nic takiego
dorożkę zaczarować,

dosyć fiakrowi w oczy
błysnąć specjalną broszką
i jużeś zauroczył
dorożkarza z dorożką,

ale koń — nie." Więc dzwonię:
— Serwus, to pan Ben Ali?

Czy to możliwe z koniem?
— Nie, pana nabujali.
Zadrżałem. Druga w nocy.
Pocztylion stał jak pika.
I urosły mi włosy
do samego świecznika:
ZACZAROWANA DOROŻKA?
ZACZAROWANY DOROŻKARZ?
ZACZAROWANY KOŃ?

To oczywiście niecała *Zaczarowana dorożka* Mistrza Gałczyńskiego. Kiedyś znałam ją całą na pamięć.

Przed wojną warszawskimi Alejami Ujazdowskimi mknęły piękne powozy i dorożki. Nowa władza nie wiedziała, czy jazda dorożką to luksus, który trzeba zlikwidować, tani transport dla biedaków czy nieszkodliwa pozostałość dawnych czasów, więc... niech zostanie. Chyba raczej to drugie, bo po wojnie był to tani środek transportu, a gdy pojawili się pierwsi turyści — atrakcja. Tak więc warszawiacy jeździli biedniutkimi dorożkami po Krakowskim Przedmieściu i Nowym Świecie, Alejami Ujazdowskimi aż do Łazienek. Tak, dla fasonu...

Z czasem Tereni zaczął rosnąć brzuszek. Była wtedy tlenioną blondynką i po burzy ciemnych loków nie było śladu. Nosiła teraz „blond kask", utapirowany na bok, jak szwedzkie aktorki i nasza najpiękniejsza spikerka TV, Edyta Wojtczak.

Przefarbowana Tereska w „złotym kasku", ładniejsza od spikerki z TV.

Obydwoje z Jackiem byli ogromnie szczęśliwi, pełni miłości, którą chcieli przelać nie tylko na siebie, ale też na utęsknione dziecko. Tereska wiedziała, jak się kocha dzieciątko. Miała już jedno — mnie ☺.

Teraz jednak miała urodzić własne! Przy pomocy cesarskiego cięcia dnia 13 kwietnia 1964 wydobyto na świat mojego ciotecznego brata Michasia. Nie Michała. MICHASIA i kropka. Jak był mały, mówiłyśmy o nim, ja i Kaśka, „Misrasio". Jak podrósł i zaczął być łasy na baby — „Mnisio".

Mój mały braciszek był ślicznym niemowlaczkiem. Miał oliwkową cerę (to po Jacku!) i taki ryjek, jak najładniejsze „baby lalki" z Zachodu. Tereńka ubierała go, przebierała i myła nieskończoną ilość razy, więc zawsze wyglądał ślicznie i apetycznie. Czasem stałam obok stolika, na którym był przewijany. A wtedy to on apetyczny nie był.

Miś.

Kiedyś, było to chyba w 1966 roku, wakacje, zostałam wysłana z ciotką, Michasiem i Jackiem do Garbatki — rodzinnej daczy Jacka położonej w Puszczy Kozienickiej. Tam miałam częsty kontakt z Michasiem, którym strwożona Terenia pozwalała mi się czasem zająć „po umyciu rąk". Cierpliwości miałam mało. Mój sterylnie czysty braciszek, niemówiący, śliniący się tylko nieapetycznie i wydający jakieś głupawe dźwięki, nie był dla mnie wielką atrakcją. Wolałam samotne zabawy wokół domu lub spacery nieopodal po lesie, w którym było dużo pięknych, przedwojennych „letniaków"... i nie tylko, a okolica była żywiczna i bezpieczna.

Rodzina Jacka — wuj Henryk, stary i przygłuchy, i ciocia Zosia, zdziwaczała i jakby nieobecna duchem — mieszkała w pięknym, drewnianym domu zwanym „Willa Zofijówka". Tę willę zbudował dziad Jacka, Tytus Sagatowski. Obaj jego synowie, Henryk i Mieczysław, pożenili się z Zofiami, stąd nazwa willi. Wujo miał córkę Ewę z pierwszego małżeństwa. Po rozwodzie, grubo przed wojną, ożenił się był z ciotką, wtedy przystojną i atrakcyjną kobietą. Po wojnie, w latach sześćdziesiątych, gdy ich poznałam, byli starymi, żyjącymi w milczeniu ludźmi, tak przywykłymi do samotności jesienią, zimą i wiosną, że letni najazd rodziny burzył ich spokój i utarte rytmy życia. Cierpieli w milczeniu i spokoju. Ciotka wycofywała się na swój „przygórek" na piętrze lub do kościoła, wujo służył nam radą i pomocą chętniej. Jeździł rowerem z wielką, aluminiową kanką po mleko, najmował chłopaka ze wsi do rąbania drzewa, przynosił gazety, zajmował się drobnymi naprawami i po prostu... był. Smutny. Jakiś taki nieśmiały.

Działka, na której była położona „Zofijówka", była działką narożną między ulicą Partyzantów, dość główną w letniskowej, leśnej części Garbatki, a ulicą boczną poprzeczną.

W samym narożniku była furtka i prosta alejka, bo dom „licem" był ustawiony na wprost narożnika. Był to piękny dom z drewnianych bali, ze spadzistym góralskim dachem. Od frontu miał przeszkloną, zabudowaną werandę, która stanowiła podstawę dla balkonu na piętrze. Okna werandy i drzwi miały zdobienia witrażowe. W środku, pod oknem stała długa ława, stół i parę krzeseł oraz bujany fotel. Dookoła zaś mnóstwo powiązanych sznurkiem czasopism. Pachniało tam specyficznie starym papierem. Często jadaliśmy tam śniadania i podwieczorki. Obiady też, mimo że w głębi domu była ogromna, staroświecka jadalnia z dwoma wielkimi bufetami i kredensem lub serwantką.

Centralne miejsce jadalni zajmował stół. Wielki, przedwojenny, przy którym i osiemnaście osób mogło siedzieć. Identyczną jadalnię widziałam w filmie Andrzeja Wajdy *Panny z Wilka*. Dom tam pokazany to właśnie taki dom jak z Garbatki. Pachniał sosnowo żywicznie, zmieszany z jakimś cedrowym aromatem i lawendą. Miał mniejsze sypialnie na parterze i piętrze oraz kuchnię ze spiżarnią. Nic ładnego. Z boku jadalni wychodziło się na schodki, na szczycie których była jakby mała altanka porośnięta winoroślą. Mieściły się tam dwie ławeczki i tam też po obiedzie wychodzili palacze. Przed kuchnią też były schodki i ganek, ale tam się tylko obierało ziemniaki.

Przed domem i po bokach były trawniki, trochę róż i nawłocie po lewej. Jakieś dwa owocowe drzewa. Z tyłu oddzielone siatką podwórko gospodarcze. Składzik, drewutnia, węglownia, garaż, pień do rąbania drew i trzepak. Kiepski. Nic na nim nie dało się robić. Aha! I buda z psem. Bardzo złym, białym podhalanem. Tylko wujo do niego podchodził i karmił, spuszczał na noc i nad ranem wiązał.

Moje spokojne wakacje zostały uatrakcyjnione tak, że dostałam ROWER! Mój własny! Piękny. Niebieski. Typu „damka". Terenia i Jacek dostali od rodziców forsę i kupiliśmy go w miejscowym GS-ie. Mogłam się zapuszczać tym rowerem aż na „Molendy", miejsce, w którym ciekła struga, mała rzeczka Brzeźniczka, po piaszczystym dnie. Woda bywała do uda i można było się w niej taplać. Gdy poszło się wzdłuż strugi, docierało się do stawów z jazami.

Był to teren przetwórni owocowo-warzywnej. Kiszono

tam niewiarygodne ilości ogórków w drewnianych beczkach, które po pochylniach staczano do tych „wypompowanych" stawów. Beczki układano równo na piaszczystym dnie i otwierano jazy. Woda zalewała wszystkie beczki, a ogórki w solance kisły sobie powoli. Ukiszone, odwiedzały wszystkie sklepy warzywnicze w Polsce. (W moim sklepie na Walecznych z takiej właśnie beki z ogórkami Antek z zajęczą wargą nalewał nam do słoika „wodę kiszoną". Później ja i Aśka Iwaszkiewicz, siedząc na trzepaku, wypijałyśmy ją do czerstwego chleba).

Wracając do Garbatki... Któregoś dnia poznałam Małgosię, starszą ode mnie dziewczynkę, która spędzała lato u dziadków. Była równie samotna jak ja, więc błyskawicznie się zaprzyjaźniłyśmy. Mieszkała bliżej lasu.

Garbatka to miejscowość położona w sosnowej puszczy. Zawsze było to miejsce wyjazdów „na letnisko". Jeszcze przed wojną rodziny jeździły tam leczyć górne drogi oddechowe. Z Warszawy było bliżej niż do Rabki... Ponadto pozyskiwano tam żywicę sosnową. Pamiętam drzewa ponacinane charakterystycznie w „jodełkę" i kubki wiszące w dole nacięć. Rosną w tym lesie wielkie i piękne sosny, a w poszyciu mech, jagody, paprocie i jaskółcze ziele. Są też maliniaki i jeżyniaki. Dla nas największą atrakcją były ściany żółtego i białego piasku, będące naturalnymi osuwiskami i wyrobiskami. W ciepłym i czystym piasku ryłyśmy jamy i zjeżdżałyśmy na pupach w dół.

Małgosia była wyższa ode mnie. Miała ciemne włosy uwiązane wysoko na głowie w dwa wielkie kucyki, a na nosie mnóstwo piegów. Bardzo jej tego zazdrościłam. Pewnego razu do Małgosi przyjechał jej starszy brat, student. Spotkanie z Andrzejem, tym bratem, miało dla mnie pewne konsekwencje, które ujawniły się później. Dużo później.

Szliśmy gęsiego po lesie. Gosia, ja i Andrzej. Coś nas ciągle śmieszyło, więc żartowaliśmy i śmialiśmy się dużo i głośno. W pewnej chwili Andrzej popatrzył na mnie badawczo, z uśmiechem i powiedział:

— Gosiu, ten twój uśmiech i sposób, w jaki się śmiejesz, uwiedzie każdego, kogo będziesz chciała.

Nie zrozumiałam, o co właściwie chodzi, ale czułam, że to coś „dorosłego" i trzeba to zapamiętać. Przydało się. Nie wyrosłam na piękność. Moim atutem jest śmiech i uśmiech. Rzeczywiście, łatwiej w życiu mają ci uśmiechnięci!

W Garbatce urządzono imieniny wujka Jacka. 14 sierpnia. Przyjechało mnóstwo ludzi. Siostra Jacka, Danka, cioteczne jakieś, Marysia i Hanka Lebküchlerówny, wuj Lebküchler, babcia Asia i rodzice Jacka, babcia Zofia i dziadek Mietek. Zrobił się straszny rejwach. Starsi panowie zeszli z oczu kobietom. Wzięli kawę i nalewkę i zaszyli się na bocznej werandzie z wujem Henrykiem. Jacek bawił syna, bo już chyba był po urlopie i z pięć dni się nie widzieli (Jacek co niedziela przyjeżdżał swoim trabantem). Terenia opowiadała teściowej, jak Michaś się rozwija, a pozostały fraucymer kipiał w kuchni. Wszystkie kobiety bądź przywiozły ze sobą swoje specjały, bądź pitrasiły je teraz właśnie.

Zaczęto nakrywać do stołu w wielkim salonie. Był ciemnawy, chłodny, w sam raz na przyjęcia. Z kredensu wyjęto ocalałe z wojny zastawy. Stawiano na białych obrusach stare, piękne talerze, czyszczono srebrne sztućce i przecierano kieliszki. Kryształowe i rżnięte we wzorki. Wszyscy ze sobą gadali i gadali, jakby nie widzieli się sto lat, a przecież widywali się w Radomiu często. Wszystkie imieniny, urodziny, rocznice i święta spędzali razem! Obserwowałam to trochę wyciszona i onieśmielona.

Na stół z kuchni zaczęły wjeżdżać marynaty i różne zakąski na pięknie udekorowanych półmiskach. Cukrzone śliwki w mocnym occie, gruszki malutkie z ogonkiem marynowane z goździkami, korniszony i grzybki. W kuchni Hania (bardzo dorosła, ale kazała mi mówić sobie po imieniu!!!) robiła widelcem majonez, do którego babcia Zofia dosypywała jej gotowanego żółtka. Takim gęstym i żółtym dekorowano śledzie i jajka na twardo, układane na zielonym groszku. W szklanej, podłużnej miseczce ułożono tatara, posypano cebulką i siekanymi ogórkami kiszonymi.

Gwar w kuchni był coraz mniejszy. Trzeba było dokładać do pieca i pilnować, żeby pieczeń równo się opiekała, uważać, by rosół nie wrzał, buraczki nie przypaliły się... Na schodkach ganku w ciszy gosposia obierała ziemniaki.

Salon wyglądał ładnie i kusząco. Na bufecie stały rzeczy „podręczne": koszyki z pieczywem, imbryki na herbatę, kawa rozpuszczalna w małej, brązowej puszce z napisem

„Marago" i zwykła, mielona z młynka, też w puszce, i ciasta „na potem" — sernik, szarlotka, piszinger. Naturalnie stał też tort albo i trzy, bo zarówno Danka, jak i jej mama, babcia Zofia, były mistrzyniami w tej dziedzinie. Bezowy tort babci Zosi to był poemat cukierniczy. Danusia zaś robiła ogromne torcisko z masą na maśle i z rumem. I piętra były różne, jedne żółte, biszkoptowe, drugie ciemne z karmelem... Cuda słodkie, stojące teraz na paterach i czekające na czas deserów. Obok ciast kompoty i piwo dla panów, karafki z nalewką. Wódka mroziła się w lodówce. Białe, koronkowe serwety i serwetki kontrastowały z ciemnym mahoniem mebli, światło z podwórza łagodnie przesiewało się przez ażurowe firanki, chroniące pokój przed muchami.

Przyszła pora na przyjęcie. Wszyscy składali Jackowi życzenia. Zrobił się szum i zasiadanie do stołu. Pierwsze toasty i „śledzik", i „szyneczka", i... „ależ, proszę, wszystko świeżutkie", hałas, rozmowy i wszystko takie miłe i rodzinne. Przy stole czułam się trochę nieswojo, mimo że o mnie nie zapominano, ale ta ilość tematów, ludzi przytłaczała mnie i wolałam szybciej wyjść i pojeździć na rowerze.

Te imieniny Jacka, ta atmosfera, te babcie, ciocie i salon są dziś dla mnie wzorem tego, jak powinna wyglądać rodzinna zażyłość, jak przygotowanie świątecznego posiłku zbliża i jednoczy kobiety w rodzinie. Odnalazłam tę atmosferę jeszcze w kilku filmach (np. we wspomnianych już *Pannach z Wilka* czy w *Moim wielkim greckim weselu*). Widać nie ja jedna za nią tęsknię...

Dalsza rodzina mamy zagnieździła się gdzieś w Polsce. W Krakowie, Busku-Zdroju, Kielcach, Poznaniu. W Warszawie zostali tylko Szczepańscy (no i ciotka Teresa). Córka Szczepańskich, Kaśka, to moja cioteczna siostra, o sześć zaledwie dni starsza ode mnie. Cioteczna siostra mojej mamy i Maćka Szczepańskiego, ciocia Ela Kaczorowska, mieszkała wówczas w Szydłowie, małym miasteczku leżącym koło Kielc. Ciocia była wiejską lekarką mieszkającą na przedmieściu Szydłowa w małym domku. To był taki zwykły wiejski dom składający się z dwóch części. Po lewej dwa pokoje z kuchnią, to było mieszkanie cioci, a po prawej pokój lekarski, porodówka i pokój poporodowy. Nieopodal sad, ogród warzywny i wiejskie podwórko, którego pilnował wilczur Pirat. Zawzięcie dusił kury w pobliskich gospodarstwach, ku utrapieniu cioci.

Ciocia już nie miała męża, gdy pojechałam do niej na wakacje. Zmarł po ciężkiej chorobie. Miała za to dwójkę dzieci: córkę Agatę, starszą ode mnie o dwa, trzy lata, i syna Janka, starszego o sześć, siedem lat. Janek był zbuntowanym, pryszczatym nastolatkiem, który pastwił się nad naszymi lalkami albo domkami dla lalek, kpił z nas i był nieznośny.

Na dachu ziemianki siedzę ja i Agata. Ten łepek na dole to Janek, brat Agaty. Na pewno woła do nas: „Głupie jesteście".

Aga, cicha i spokojna, niepozbawiona „diabła" w oczach, drobna i z warkoczami, jak ja. Od razu polubiłyśmy się.

Często szłyśmy do babci Feli, bardzo starej osoby, z rodziny cioci. Opodal domu babci płynął strumyk, a obok niego małe gliniane wyrobisko położone na pastwisku. Wokół wyrobiska rosły jakieś wierzby krzaczaste. Była tam prawdziwa glina, do której dodawałyśmy wody i wyrabiałyśmy na gładką, plastyczną masę. Taką, jakiej używają rzeźbiarze! Obok domu, na dachu starej ziemianki lepiłyśmy nasze gliniaki-cudaki. Najczęściej były to popielniczki dla naszych mam. Obie paliły. Suszyłyśmy nasze wyroby w słońcu i malowałyśmy plakatówkami. Jednak naszą ulubioną zabawą było lepienie i malowanie „wkładów" do zabawkowych talerzy, imitujących potrawy. Gotowy produkt krótko nas cieszył. Najciekawsza była sama produkcja: międlenie gliny, wymyślanie tego, co stworzymy, malowanie... Potrafiłyśmy tak całymi dniami babrać się w tej glinie.

Pamiętam też jakieś dramatyczne porody u cioci na porodówce. Do jednego nie wystarczyła ciocia i pielęgniarka, pomagała też moja mama i zawołano miejscowego weterynarza. Sprawy lekarskie nie fascynowały mnie jednak. Czasem z Agatą szłyśmy do miasteczka na lody. Szło się pod górę piaszczystą, ale ubitą drogą. Mijałyśmy po prawej stronie domostwo z oborą wykutą w skale, a dalej, po lewej była wielka, kamienna brama. Jeszcze dalej ryneczek, mały i biedny, i zamek, stary, kamienny...

Jedne z wakacji w Szydłowie spędziłam w towarzystwie Mirka i Wacka, moich przyrodnich braci. Mama zawsze, gdy tylko mogła, zabierała chłopaków ze sobą. Ja uwielbiałam ich towarzystwo. Oni chyba też dobrze się czuli z nami.

Późniejsze kontakty z ciocią były rzadsze. Dopiero, kiedy przeniosła się do Opoczna, odwiedzałam ich jako nastolatka. Mama i ciocia zawsze świetnie się rozumiały i telefon znakomicie usprawnił ich kontakty.

W Busku-Zdroju mieszkał wuj mojej mamy i Maćka Szczepańskiego — Kazimierz Knap. Najstarszy z rodu Jabłońskich. Prowadził aptekę przy rynku. Był grubym i mądrym sybarytą. Mówiliśmy o nim „Rebe", bo miał rozległą wiedzę społeczno-polityczną, a i w innych tematach poruszał się swobodnie. Był rozwiedziony z ciocią Marylą, która z dziećmi, Wojtkiem i Basią, mieszkała w Krakowie. Wuj troszczył się zarówno o dzieci, jak i o samą ciocię, bo rozstali się z klasą i pozostali w przyjaźni. Wuj był smakoszem i zatrudniał (początkowo do kuchni tylko) panią Marię, z którą do końca życia pozostawał w wielkiej zażyłości.

Cioteczne rodzeństwo mojej mamy, Wojtek i Baśka Knapowie, nie mieli z mamą kontaktów zbyt gorących. Dopiero, gdy porodziły się im dzieci, spotykaliśmy się częściej. Wojtek był oczkiem w głowie taty, czyli wuja Kazika, który stawał na głowie, by wychować syna na dyplomatę. Jedyne jednak, co się udało, to ulokowanie Wojtka „wysoko" w milicji.

Wojtek był chudy i wysoki, miał szorstkie, ciemne włosy, często ostrzyżone na sterczącego jeża. Wargi odrobinę krzywo zachodziły na siebie, co dodawało mu uroku, a okulary na nosie dopełniały reszty. Był trochę nadęty i przekonany, że wszystko wie najlepiej (szkoła taty). Bardzo pewny siebie. Ogromnie lubił towarzystwo kobiet. Zaliczał mnóstwo dziewczyn, a w końcu ożenił się z Calineczką, Joanną. Cichą, spokojną i śliczną blondynką, której nawet próbował początkowo być wierny. Gdy odwiedzili nas w Warszawie, byli bardzo kochającą się parą. Czulili się i Joanna była taka szczęśliwa!

Byliśmy kiedyś, ja i oni, na zakupach w „Juniorze". Pamiętam, że cały parter tonął po prostu w kosmetykach „Old Spice". Powiedziałam Joannie, że to cudowny zapach i tylko szkoda, że dla facetów. Wówczas Joanna kupiła mi biały flakon i powiedziała:

— Kto twierdzi, że „dla facetów"? Podoba ci się? To używaj. Na kobiecie inaczej pachną.

Do dziś używam dezodorantów „Original Old Spice". Joanna sprawiła, że przestałam myśleć konwencjami. Sama pozostała kobiecą i cichą myszką.

Wojtek zginął tragicznie. Joanna z Anią zostały same. Do dziś mieszkają w Kielcach. Joanna prowadziła tam aptekę, potem hurtownię farmaceutyczną. Wyszła za mąż po raz drugi.

Baśkę, siostrę Wojtka, wujo również bardzo kochał, ale inaczej. Została starannie wykształcona i na niczym jej nie zbywało. Wuj sowicie zaopatrywał zarówno ciocię Marylę, jak i studiującą Basię. Została w Krakowie ginekologiem zawodowo i „zabójcą" serc męskich jako kobieta. Miała swój szyk, klasę i temperament. Była bardzo ładna. Pięknie zbudowana, z wydatną talią i pupą, à la dzisiejsza gwiazda Jennifer Lopez. Farbowała się na rudo i nosiła modne ciuchy. Wesoła, mądra, z temperamentem, urokliwa kobieta. Po mężu, panu Mostowym, została jej pamiątka w postaci syna Adasia. Kolejni mężowie już nie byli ojcami jej dzieci.

Adaś był jedynakiem. Wielce udanym, bo rozwijał się dobrze, lubił czytać, nauka szła mu lekko, a kontakt z babcią Marylą zaowocował nienagannymi manierami. Wychowywany przez Basię i babcię wyrósł na chłopaka o dużych możliwościach intelektualnych, aspiracjach i kulturze. W dzieciństwie widzieliśmy się raz. W młodości i dzisiaj częściej. Adaś pisze dziś książkę o tym, jak się wychował w domu rządzonym przez kobiety. Czekam, bo ma dobre pióro!

Kiedyś Basia poznała taksówkarza, urokliwego i z poczuciem humoru, który bez wątpienia uległ jej czarowi. Znajomość się ociepliła i Duży Adam zamieszkał z Basią, babcią Marylą i Adasiem, wkrótce też wzięli ślub. Babcia była początkowo, łagodnie mówiąc, zaskoczona wyborem Basi. Wkrótce jednak sposób bycia Adama, jego troskliwość, urok osobisty i maniery sprawiły, że babcia Maryla polubiła go, nawet bardzo. Myślę, że Adam miał tę niezwykłą cechę, która pozwala mu zjednywać sobie ludzi. Był mądry i urokliwy, nadto troskliwy i szarmancki. Pięknie i często się śmiał, żartował.

Wieczorami nie oglądali TV, jak wszyscy. Wieczorami Basia rozstawiała stolik, Adam parzył herbatę lub kawę, na pewno były też ciasteczka i winiaczek i... rozdawali karty! Gra w tej jaskini hazardu szła ostro! A to w tysiąca, a to w bierki, w wista... (czasem nawet na pieniądze, ale o tym — sza!)

Adam, czekając na powrót Basi z dyżuru, był opiekunem babci i zaopatrzeniowcem, a także miłym i wesołym rozmówcą. Nie sposób było go nie lubić. Kiedyś odwiedzili nas w Warszawie. Adam z miejsca podbił serce mojej mamy i, ku naszemu zdumieniu, ojca też! Tato nie obdarzał swoją sympatią ot, tak sobie. Widocznie Adam swą otwartością, humorem, prostotą i cudownym, krakowskim akcentem, zyskał sympatię ojca bez przysłowiowej beczki soli. Jednak nasze kontakty nie należały do częstych, mimo że pociągi kursowały częściej niż dziś. Rodzice jakoś nie rwali się do odwiedzin rodzinnych. Szkoda. Jako dziewczynka nigdy nie byłam w Krakowie...

Dzisiaj Basia jest wdową, bo Adam zmarł niestety, kilka lat temu. Nadal piękna, wesoła, mimo wielu życiowych problemów. Czynna zawodowo i nadal interesująca jako kobieta. W tajemnicy szepnę, że ma adoratora i to znakomicie jej robi na serce, cerę i samopoczucie. Nie wygląda na siedemdziesiąt kilka lat jakie ponoć w metryce ma! Miłość wspaniale konserwuje!

W Poznaniu mieszkały kuzynki mamy, Danka i Wiśka. Nigdy nie byłyśmy u nich. One u nas też nie.

W Turku mieszkała siostra Maćka Szczepańskiego, ciotka Dzidka z mężem ginekologiem i dzieciakami, Leszkiem i Ewą. Ze „starym" Pawlakiem ciotka się rozwiodła i znajomi załatwili jej fajną pracę. Była „housekeeper" w ambasadzie w Iranie (chyba), u państwa Lików. Przysyłała stamtąd do „pszenno-buraczanej" Polski rzeczy, które bywały tylko w Peweksach. Ewa (jej córka) skrapiała się zachodnimi perfumami i pokazała nam (mnie i Kaśce) TRÓJKOLOROWĄ pastę do zębów! To był szok... Ewa, opływając we wszelkie dobro, cierpiała jednak z powodu nieciekawej atmosfery w domu, rozwodu „starych" i oddalenia mamy. Była zbuntowaną nastolatką, w dodatku nie najlepiej ulokowała swoje uczucia. Nie skończyła studiów. Wyszła za swojego wybranka i... życie jej łatwe nie było. Ma trzech synów — Adama, Maćka i Michała.

Inaczej było z Leszkiem, jej bratem, nazywanym przeze mnie i Kaśkę „Bublem". Bubel, okularnik, uroczy i bardzo fajny chłopak, skończył studia i do dziś mieszka w Turku, którego był, jakiś czas temu, wice burmistrzem. Ma córkę Agatę, urokliwą żonę Romkę i psa, którego wariacko kocha. A na stare lata zrobił się z niego taki Papcio Opiekun! „Gosik, herbatki? Nie zimno ci? Dać ci szal? Może nie lubisz tego, czy tamtego, co byś wolała?" Miło było być gościem u tak troskliwej rodziny.

Dalsza rodzina mamy rozpierzchła się po świecie.

W Pradze czeskiej mieszkała ciocia Wanda, cioteczna siostra mojej mamy. Jej (Wandzi) dwie pozostałe siostry zamieszkały: Tala w Buenos Aires, a Marysia w Manchesterze.

Wandeczka wyszła za mąż za Węgra Aleksandra Marcibala i osiedlili się w Pradze. Mieli dwójkę dzieci, Ewę i Andrzeja. Kiedy miałam 15 lat, byłam w Pradze. Ewa była już mężatką, a Andrzej jeszcze kawalerem, lekarzem hematologiem. Ewa wyszła za bardzo miłego prażanina, Pavla Rödlinga. Cichego i spokojnego matematyka, w okularach i z nieśmiałym uśmiechem. Był i jest urokliwy. Wtedy, podczas mojej wizyty, mieli małego synka, Krzysia, a czas jakiś później „urodzili" sobie jeszcze córeczkę, Beatę, której jestem matką chrzestną. Gdy przyjechałam do Pragi, ciocia i Ewa z rodziną mieszkali na ulicy Hybernskej, *vis-à-vis* dworca. To jedna z ulic prowadzących do Starówki.

Ewa zostawiała w domu Krzysia z ciocią Wandą i szłyśmy do miasta oglądać wystawy, kupować jakieś ciuchy, buty i jeść smakołyki, jakich w Polsce nie było. Były to cieniutkie płateczki ziemniaczane, smażone w oleju, na krucho, całe w soli, w torebkach foliowych. Teraz nazywają się chipsy. Wtedy Ewa mówiła po prostu — frytki. Zjadałyśmy je na ulicy i szłyśmy dalej przymierzać pantofelki, bluzki, kiecki... Na straganach Ewa kupowała banany, bo w Pradze było ich dużo i były tanie. W Polsce znacznie droższe i rzadko do dostania. Banany nasza władza „rzucała" na rynek na święta i to wydarzenie komentowała kronika filmowa i dziennik telewizyjny. Plotkowałyśmy zawzięcie, śmiałyśmy się jak równolatki, zupełnie nie czując różnicy wieku. Wracając, Ewa kupowała w mięsnym wędzone, peklowane mięso i coś jeszcze, co było tajemnicą. Mówiła:

— Zobaczysz, to pyszne! To mój ulubiony przysmak! Musimy koniecznie kupić do tego piwo...

Po powrocie do domu zamknęła się w kuchni, a po chwili wyniosła miseczkę z... pokrojonym salcesonem, posypanym siekaną cebulą i polanym lekkim winnym octem. Byłam bezgranicznie zdziwiona. Sądziłam, że to będzie jakieś cudo w rodzaju węgierskiego salami czy coś, ale SALCESON?! Ewa miała rację. Gdy tylko poczułam kolendrowo-czosnkowy aromat, z mety przysiadłam się z kawałkiem rogala i pochłaniałyśmy ten Ewki specjał, popijając piwem, które niespecjalnie mi smakowało.

Ewa nauczyła mnie gotować w szybkowarze. U nich wszystko się gotowało w tych szybkowarach. Ciocia mówiła, że to ogromna oszczędność czasu. W jednym „brambory", czyli ziemniaki, w drugim to peklowane wieprzowe mięso, a do tego świetna surówka kupiona w garmażu na parterze i już był obiad w pół godziny. W dodatku zazdrościłam prażanom tego wędzonego mięsa. W Polsce całkowicie niespotykane w mięsnych sklepach. Było chude i przypominało w smaku peklowaną golonkę.

Z tym garmażem to ciocia i Ewa miały wygodę. Był to sklepik-kawiarenka na parterze tego domu, na ulicy Hybernskiej. Rano ciocia albo Ewa, albo Pavel w szlafroku i rannych kapciach schodził na parter i kupował chrupiące rogaliki, jajka w szynce albo ciepłe parówki i już było śniadanie. Kupowano codziennie tyle, ile na śniadanie, bo po co trzymać w lodówce, skoro zawsze świeżutkie dowożono tam dwa razy dziennie... Do tego ciocia podawała mleko i kakao instant (w Polsce oczywiście tego nie było).

Któregoś jednak dnia przyszedł mój cioteczny brat Andrzej (syn cioci) i powiedział:

— Dzisiaj ja się tobą, Gosiu, zajmę, bo sklepy zobaczysz, może nawet wszystkie, ale Pragi to ty nie widziałaś!

Poszliśmy spacerem Hybernską aż do Starej Bramy i weszliśmy na Starówkę. Tu Andrzej pokazał mi parę kamienic o ciekawej architekturze i z grubsza opowiedział ich historie. Potem spytał, czy nie jestem głodna. Ja zawsze i wszędzie bywałam głodna. Jedzenie stanowiło i stanowi dla mnie taką samą atrakcję jak zwiedzanie. Poszliśmy do jakiejś czeskiej karczmy na Starówce. Tam Andrzej zamówił rogale z solą i zdumiał się, że nie lubię piwa.

— Wiesz co, Gosiu? Jesteś w Pradze i powinnaś posmakować dobrego, czeskiego piwa!

— Nie zanadto lubię, bo ono jest gorzkie...

— No dobrze, ja zamówię ci takie piwo, że jeśli ci się nie spodoba, to ja nie nazywam się Andrzej Marcibal!

Kelner po chwili przyniósł dla Andrzeja duże, dla mnie małe piwo. Po paru łykach poczułam smak. Był... ładny, to jedyne słowo, jakim mogę go opisać. Tak! To piwo miało ładny smak i mogłam nawet prosić o jeszcze! Świetne. I wcale nie gorzkie! Pochwaliłam wybór Andrzeja.

— No, widzisz. To Budvar, bardzo łagodne i dobre piwo, od którego panny powinny zaczynać. W Niemczech na naszej licencji robią Budweiser, ale sama rozumiesz, że to NASZE źródła Budvarowi dają taką delikatność.

To była moja pierwsza lekcja picia piwa. Myślę, że było to właściwe miejsce, właściwa pora, właściwe piwo i dobry nauczyciel.

Poszliśmy dalej. Andrzej bardzo przystępnie opowiadał mi o praskich zaułkach i domach. Był bardzo miły, nienadskakujący i nieokazujący wyższości. Był przecież dorosłym lekarzem, a ja zaledwie licealistką. Wędrując tak, przeszliśmy Most Karola, piękny i robiący wrażenie na turystach, którzy obfotografowywali go jak się dało. Później znów wypiliśmy po małym piwie w małej knajpce, bo uliczki już szły pod górę. Było ciepło i piwo było takie jednak zimne, pyszne!

Zawędrowaliśmy na Hradczany — wielki stary zabytek, z którego słynie Praga. Powitała nas strzelista, ogromna katedra. Gdy weszliśmy do jej mrocznego wnętrza, Andrzej zwrócił moją uwagę na przepiękne witraże. Po obejrzeniu zamku zostawił na koniec niespodziankę. Zaprowadził mnie do jakiegoś miejsca i kazał zamknąć oczy. Po paru krokach, gdy trzymałam się kurczowo jego kurtki, pozwolił mi je otworzyć. Przede mną była Złota Uliczka! Słynna, najstarsza uliczka w Pradze, wywodząca się ze średniowiecza. Maleńkie domki przyrośnięte bokami do siebie. Drzwiczki niziutkie, jak dla karzełków, i okna pierwszego piętra na poziomie mojej głowy! Wszystko nierzeczywiste, jak z krainy czarów lub scenografii do filmu o krasnoludkach... Andrzej wyjaśnił mi, że w średniowieczu ludzie naprawdę byli mali, o wiele mniejsi od nas. To podobno tak „faluje", jak twierdzą antropolodzy, że co ileś tam lat jesteśmy, jako populacja, mniejsi i więksi. Ponoć ma to związek z cyklami słonecznymi i czynnikami zdrowotno-żywieniowymi. Byłam oczarowana i rozbawiona Złotą Uliczką, więc gdy wracaliśmy, zaproponowałam Andrzejowi piwo (oczywiście Budvar) z kiełbaskami i musztardą.

Życie osobiste jakoś Andrzejowi nie wyszło, pił. Kilka lat temu znaleziono go w mieszkaniu — martwego. Nie wiadomo, co było przyczyną śmierci.

Ewa i jej mąż — spokojny Pavel, i dzieci już bardzo dorosłe mieszkają w Pradze.

Mailujemy do siebie.

To była moja pierwsza i doprawdy znakomita wyprawa do rodziny za granicę. Fakt, że SAMA pojechałam jako młoda panna z własnym paszportem (z wkładką paszportową — tak to się wtedy nazywało) do rodziny, oraz zakupy z Ewą, wypad z Andrzejem i Praga zrobiły na mnie ogromne wrażenie.

Ciocię Talę z Buenos Aires i ciocię Marysię z Manchesteru poznałam późno, gdy byłam już dorosłą kobietą.

Rodzina taty

Rodzina taty mieszkała w Warszawie, lecz on nie garnął się do spotkań z rodzicami, skłócony od przedwojnia z ojcem. Tato opisał to szczegółowo w *O Starówce, Pradze i Ciepokach*. Kontakt stał się jednak nieunikniony. Było w tym sporo pracy mamy, która bardzo chciała, by ojciec jakoś pogodził się z braćmi i z ojcem. Zaczęły się wzajemne wizyty u dziadków na Żoliborzu. Dziadek Felek (Feliks Kaliciński) — ojciec ojca — mieszkał z babcią Helą na ulicy Hajoty. Dziadek był szalenie surowy, ostry. Bywało, że dawał w skórę Zdzisiowi, ale zdarzało się, że podnosił rękę i na żonę. Mój tatko był zżyty z drugą żoną dziadka — Heleną. Jako dzieciak został sierotą, później wychowała go babcia Hela. (Pracowała w szpitalu jako położna, była drobniutka i dobrotliwa).

Mama przeprowadziła swoją wolę spotkania z rodzicami ojca delikatnie i spokojnie — doprowadzając do pojednania ojca i syna. Przebiegło to nader zwyczajnie. Tłumaczyła, że tak nie może być. Należy sobie dać drugą szansę — dziadkowie się zestarzeli, życie dziadka zmieniło się i jest już tylko starym dziadkiem Felkiem, a nie huczącym panem życia i śmierci. Moja mama pojmowała takie sprawy megazwyczajnie — jak to się teraz mawia.

Zofia Gaworowska, mama mojego taty. Bardzo wcześnie zmarła, osierocając małego Sławka (Zdzisława). Piękna, co?

— Spotkajmy się jak normalna rodzina, Zdzisiu, i przestań się obrażać! Sami też będziemy starzy i co? Wtedy miło być w pobliżu rodziny...

Babcia Hela wolała chyba mamę niż poprzednią żonę ojca, więc szybko się dogadały i zaczęło się „bywanie" u dziadków.

Ludzie na starość łagodnieją, lgną do dzieci, jakiekolwiek by one były. Chowanie urazów przez całe życie to absurd. Szkoda na to życia. Było to było! Dawno już należało zapomnieć, przeprosić się. Nie były to ciężkie przewinienia. Temperament dziadka, jego autokratyzm i buta zmalały, skarlały. Zmienił się, złagodniał i zestarzał.

Na ulicy Hojoty, małej przecznicy od Żeromskiego, stały

gazowe latarnie, które zapalał i gasił codziennie pan Serwatko z mojej klatki schodowej. Z ulicy wchodziło się przez furtkę do maleńkiego ogródka i po schodkach do przedpokoju mieszkania z łazienką i czterema pokojami. Niestety, dwa z nich przydzielono tuż po wojnie komuś innemu, duży z kuchnią i przyległą małą sypialnią dostał się dziadkom. Z dużego pokoju przez okno balkonowe wychodziło się na maleńką werandę czy też betonowy balkon z bocznymi schodkami wiodącymi do ogródka leżącego już od tyłu domu. Tam dziadek hodował róże i winorośl.

Dziadek Felek zapewne do mnie robi głupie miny i rusza uszami.

Dziadek Felek był duży! Tato był ogromnie podobny do dziadka, tylko ciut mniejszy i młodszy. Dziadek miał dużą głowę z wielkim, kartoflowatym „kalicińskim" nosem. Policzki nieco obwisłe i dół twarzy w wielkie, zaokrąglone „U". Pełne, dość wyraziste usta, dobrotliwe oczy i bielutkie włosy, z dwoma zakolami, zaczesane do tyłu. Uszy, „ogromne, muskularne", którymi jak mój tato UMIAŁ RUSZAĆ. No, nie było to wachlowanie, ale ruszały się na pewno! Był dobrotliwy jak wielki pluszowy słoń.

Dziadek był przez całe życie konduktorem w tramwajach warszawskich. Pracował w różnych godzinach. Babcia też jako pielęgniarka-położna pracowała na różne zmiany. W tamtych czasach posiadanie pomocy domowej nie było wielkim luksusem. Pomoc w gospodarstwie w zamian za pokój była powszechna z powodu braku mieszkań.

Mój tato, Zdzisław (Sławek) Kaliciński, z babką Bigosową.

Babcia Helena z racji, że oboje z dziadkiem byli zapracowani, a babcia Sabina (teściowa dziadka Felka) zmarła, zatrudniła gosposię do opieki nad dzieckiem (moim tatą) i prowadzenia domu. Po ślubie okazało się, że babcia Hela jest bezpłodna. Była to jej wielka tragedia, bo marzyła o tym, by dać wszystko, co najlepsze, dziecku. Babcia pragnęła tego niemal obsesyjnie. Jej serce kipiało miłością. Widocznie ktoś „u góry" usłyszał jej modlitwy, bo... okazało się jakoś niebawem, że ich gosposia jest w ciąży, a przyciśnięty do muru dziadek przyznał się do „chwili słabości". Dziewczyna pokraśniała jak burak, gdy babcia zażądała rozmowy. Zaproponowała dziewczynie układ — panna odda jej dziecko i wróci po okresie karmienia sowicie wynagrodzona na wieś. I ani mru-mru! Tak też się stało. W tamtych czasach nie było to nic niespotykanego.

Tak więc gosposia po okresie karmienia wróciła na wieś, a babcia kołysała w ramionach upragnionego syneczka, bo choć Sławka (mojego tatę) też kochała ogromnie, to on z kolei, osierocony raz przez matkę, a potem przez babcię Sabinę, nie ukochał babci Heli, tak jak ona by chciała. Teraz zaś trzymała w objęciach maleńkiego bobaska, którego jakby sama urodziła. Krew z krwi jej męża, Felka, przecież! „Mój malutki, mój" — szeptała czule, popłakując co chwila ze szczęścia.

Mały rósł rozkosznie pod okiem Heli, kochany i pieszczony wprost niezwykle. Po paru latach zresztą został jedynym babci królewiczem, bo Sławek (czyli mój tata) po kłótni z ojcem wyniósł się z domu.

Tak więc Hela hodowała to swoje największe szczęście i by pogodzić wszystko: macierzyństwo, pracę i obowiązki ponoć służbowe, najęła znów gosposię, Jadwigę. Wszystko było dobrze do pewnego razu, gdy okazało się, że Jadwiga jest w ciąży i to bynajmniej nie z listonoszem ani dragonem. Znów temperament dziadka dał znać o sobie i pani Jadwiga urodziła dziewczynkę, Anię, przyrodnią siostrę Felka i Sławka (synów dziadka), moją ciotkę. Z Anią kontaktu nie utrzymywaliśmy właściwie wcale, jeśli nie liczyć rodzinnych

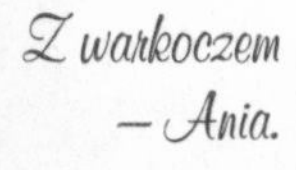
Z warkoczem — Ania.

pogrzebów. Wyszła za mąż i urodziła dzieci. Utyła, ale pozostała nadal urocza i wesoła. Dzisiaj (oczywiście dzięki portalowi szkolnemu!) znów odnowiłyśmy kontakty. Anka jest internautką i prowadzi bujne życie towarzyskie — w wirtualu. Urodziła się w powstanie, więc żartuje, że co rok prasa, radio i telewizja wypomina jej wiek. Zbudowała i rozbudowuje też znakomicie swoje drzewo genealogiczne (w necie) i dzięki jej staraniom wiele pustych plam się zapełniło wspomnieniami. Jest bardzo młoda duchem i wielce pogodna.

W białym ubranku stoi Felek, brat mojego taty. Obok jakaś panna. Ten przystojniak, z białym kołnierzykiem, to dziadek Felek Kaliciński. Na dole siedzą: Jadwiga i Hela z Anią, córką Feliksa i Jadwigi.

Miękkoserca babcia podzieliła się mieszkaniem (dwa pokoje) z panią Jadzią. Ania otrzymała oczywiście nazwisko Kalicińska! Poznałam panią Jadzię i Anię w czasach, gdy jeszcze mieszkały na Hojoty. Ania miała jakieś 17 lat i była śliczną dziewczyną. Wiotkością i urodą, subtelnością rysów przypominała młodziutką Annę Dymną. Ciemne włosy, skręcone na końcach, nosiła uwiązane w wysoki ogon majtający się łagodnie, gdy szła. Koszulowa bluzeczka z kołnierzem à la Słowacki była ściągnięta w talii szerokim na 10 centymetrów, gumowym, czarnym paskiem z klamrą. Do tego spódnica, rozkloszowana niczym abażur, na taftowych lub siatkowych, sztywnych halkach. Szpileczki na maleńkim obcasie, z ostrymi czubkami i maleńkimi kokardkami. Żadnych ozdób, klipsów, nic. Mały zegarek i to wszystko.

Babcia Hela kochała wszystkie dzieci. Gdy zaczęliśmy jeździć do dziadków, młody Felek właśnie się ożenił z piękną Krysią i mieszkał na Grochowie.

Felek i jego piękna Krysia – moja ukochana ciotka.

Pani Jadzia i Ania, z dziadkami we względnej zgodzie, na ulicy Hajoty. „Helasek", jak ją wszyscy nazywali, była przekochana. Dziadek zestarzał się, złagodniał i tak jakoś żyli sobie pomaleńku w tym jednym pokoju, bez większych wygód, bo choć to już było 20 lat po wojnie, wciąż łazienka w korytarzu była wspólna dla trzech rodzin.

Duży pokój dziadków miał zasłonką oddzielony kąt tuż po prawej stronie od drzwi, gdzie był zlewozmywak z zimną wodą i kuchnia węglowa. Po lewej duży bufet z lustrem i wielka szafa czterodrzwiowa. Pośrodku okrągły, rozkładany stół z niciano-koronkową serwetą, a na przeciwległej do szafy ścianie wielkie, małżeńskie łóżko. Obok kredens i to wszystko. Dalej były drzwi, na wprost balkonowego okna, do pokoju pani Jadzi i Ani, którego okno wychodziło na ulicę.

Trudno mi było przywyknąć, że mój tato, Zdzisław, ma w rodzinie zdrobnienie Sławek. Mama mówiła „Zdzisiu", ja — „tato", a tu — „Sławek". Przywykłam jednak. Helasek głaskała siedzącego przy stole ojca ciepłym gestem, a ojciec obejmował ją w pasie i cmokał w pomarszczony policzek. Była bardzo szczęśliwa, że Sławek znów rozmawia z ojcem (Feliksem), że rodzina się odrodziła, a ona może nas nakarmić i cieszyć się naszą wizytą.

Na tę okazję dziadek gotował barszcz ukraiński. Najlepszy, jaki kiedykolwiek jadłam, i zupełnie inny, niż robił mój tato. Barszcz ojca był więcej buraczano-kapuściany. Owszem, z fasolą, ale i z ziemniakami, zabielony śmietaną. Dziadkowy był inny. Też na mięsnym wywarze z wołowiny, z zielem i liściem laurowym. Drobno pokrojona włoszczyzna, buraczki, kapusta i fasola, owszem, do tego uduszone pomidory w cebuli, tak, nawet sporawo. Dużo pieprzu. I po zdjęciu z ognia — rozgnieciony ząbek czosnku, na koniec. Aha! i jeszcze ciut octu, dla wytrawnego smaku. Żadnych śmietan! No, chyba że taki „kleks".

Gdy dziadkowi się nie chciało, babcia robiła pomidorówkę z przecieru i duszonych pomidorów (z pesteczkami!) na rosole i „swój" makaron. Popisowym i ulubionym daniem na niedzielny obiad była niedostępna w sklepach cielęcinka! Babcia uznała, że tylko cielęciną może nas godnie ugościć, bo nas na pewno na to nie stać, a cielęcina jest smaczna, zdrowa i powinny jeść ją dzieci. Wszystkie. Żeby lepiej rosły. Kupowała ją od „spadochroniar", domokrążnych handlarek. Babcia Helasek doskonale przyrządzała to mięso. Cielęcina nie potrzebuje wielu przypraw. Tak jak babcia nie lubię zagłuszania jej naturalnego smaku tymiankiem, rozmarynem, a tym bardziej zielem czy liściem laurowym. Babka obsmażała cielęcinę w klarowanym maśle, do którego dodawała sporo czosnku. Wkładała to do żeliwnej rynienki, płukała patelnię wodą, i takim sosem ze zrumienionym ledwo czosnkiem zalewała mięsko. Przykrywała i dusiła. Ja dolewam szklankę białego wina. W połowie — sól i NIC WIĘCEJ. Duszona powoluśku puszcza swój sok i „kleje", robi się aksamitna i delikatna, a gdzieś w tle, daleko czosnek podkreśla jej smak. Pieprz — tylko biały! (to ja). Do tego młode ziemniaczki i sałata na krucho z podanym w sosjerce słodko-kwaśnym (cukier i ocet) sosem śmietanowym. Babcia nie robiła do cielęciny pomidorów. No, najwyżej mizerię. Jej nienachalny smak nie dominował nad mięsem.

Autor najlepszego barszczu ukraińskiego, Feliks, i moja mama w szmizjerce w szare kwiaty.

Uwielbiałam to! Zżerałam szybko śmietanę z ziemniakami i sałatę, a później delektowałam się samą cielęcinką. Właziła w zęby. Trudno, ale była poematem, jakiego u nas w domu nie jadałam! Do tego cedzony kompot z rabarbaru albo wiśni, zależnie od pory roku. Naturalnie jeszcze „kawka i herbatka", ale to dorośli, bo ja już byłam w ogródku, w którym dziadek pozwalał mi palić małe ognisko.

W tym czasie on sam sięgał do szafy i pytał mojej mamy, czy próbowała już jego nalewki na czymś tam. Robił ich mnóstwo, z różnych rzeczy. Na przykład z gorzkich migdałów, owoców czy też nasion chleba świętojańskiego, owoców dzikiej róży, tarniny itd. Mama wypijała z dziadkiem jeden czy kilka kieliszeczków i gadali sobie. Babcia znów głaskała Sławka po głowie, mając na twarzy wyraz wielkiej szczęśliwości.

Helenka była maleńka. Jakieś 145 centymetrów. Pamiętam ją, gdy była już zasuszona jak zimowe jabłuszko. Siwy łepeczek zdobiła ondulacją i malowała czarnym ołówkiem „zdziwione", cienkie brwi, jak aktorki sprzed wojny. Śliczne, kolorowe sukienki sprzed wojny doskonale do niej pasowały, bo i sprzed wojny też miała buty na wysokich, korkowych koturnach, z czarnymi zamszowymi paseczkami. Maleńkie, jak dla dziecka. Jej kurtki, płaszcze, szerokie u dołu, z szalowym kołnierzem miały wywatowane, wysokie ramiona i duże, bardzo płaskie guziki. Miała też parę kapeluszy. Też maleńkich, jak ona sama. Jako akuszerka i znawczyni spraw damskich dorabiała sobie prywatnymi działaniami i nie klepała biedy. Dziadek nie umiał okazywać uczuć, a ona, mimo upływu lat, spełnienia macierzyńskiego i babcinego, wciąż spragniona była rodziny, przytulania i głaskania. Więc przytulała i głaskała nas wszystkich.

Dalszą rodzinę taty poznałam później, już jako licealistka. Tak się jakoś złożyło. Ciotkę Wackę z Piaseczna i jej dwóch synów — Edka i Jurka Chmielewskich, wuja Leona i ciocię Jadwigę, „Jurków" Kalicińskich z Gołkowa, ich córkę Ewę z mężem Adamem, Janusza Kalicińskiego z żoną Marysią i ciocię Wiesię z wujem Zygmuntem.

I to cała moja rodzina! Tak mi się wydawało, bo na szkolnym portalu okazało się, że jest nas Kalicińskich a jest!

Trzeba poszperać, może będzie nas więcej?

Święta

Święta wszelkiego rodzaju obchodziliśmy tylko we trójkę. To znaczy mama, tata i ja. Nie było zwyczaju wyjeżdżania do dziadków, wujków czy zjeżdżania się gdzieś w Rodzinnym Gnieździe. Może nie byliśmy zapraszani? Chyba raczej rodzice nie chcieli. Woleli skromnie, cicho i romantycznie.

Obydwoje cenili ciszę i kameralny nastrój.

Wielkanoc

Na Wielkanoc malowaliśmy jajka. Wszyscy, nawet tato jedną ręką. Ja w fartuszku, wodnymi farbkami babrałam się cała i bardziej brudziłam wszystko, niż tworzyłam nową jakość. Rodzice zaś obydwoje mieli ukryte talenty.

Tato brał na swoje barki zaopatrzenie i menu. Był smakoszem, znawcą kuchni i lubił gotować. Brak ręki nie przeszkadzał mu w sposób istotny. Miał do pomocy mamę. Jak byłam malutka, a później, gdy umiałam trzymać w ręku nóż, nie kalecząc się, zostałam jego podkuchenną. Kuchcikiem!

Przed świętami, już po aprowizacji, tato po południu zabierał się za przygotowania. Ustalał, co będziemy gotować i w jakiej kolejności. Najpierw gotował trochę jajek, żeby wieczorem z mamą mogli stworzyć kilka ładnych pisanek (ja swoje już „stworzyłam" w szkole na zajęciach plastycznych).

Często ktoś miły (klęłam tego „kogoś") obdarowywał nas ustrzelonym zającem, który dyndał za oknem, żeby skruszeć. Dziczyzna MUSI kruszeć, czyli ulec zmrożeniu lub... podpsuciu po prostu. Zaczynaliśmy więc te święta od oskórowania zająca. Ojciec wieszał go za tylne łapy na zawiasie od drzwi, nacinał skórę wokół skoków i dalej już pokazywał mi, co i jak mam podciąć, ciągnąć, wykroić odbyt i zdjąć futro. Już powoli miałam dość. Odwagi starczało mi jeszcze do chlaśnięcia powłok brzusznych i dalej... ojciec sam „wyflaczał" zająca. Ja już wisiałam nad kiblem i rzygałam jak kot, bo jestem wrażliwa na zapachy. Potem porcjowałam tuszkę, tnąc ścięgna i łamiąc stawy, a ojciec wkładał to do kamiennego gara, w bejcę z liści laurowych, cebuli i wody z octem. Tak na trzy dni.

Później porcjowałam podgardle, łatę wołową i biodrówkę świńską do smażenia i duszenia, bo zająca tato przeznaczył na pasztet. Mięso do wieczora pyrkotało w brytfannie, wątróbka (brrr...) osobno, tak, że wieczorem, gdy zasypiałam, czułam, jak cały dom pachnie pieczonką, majerankiem, czosnkiem, gałką muszkatołową i cebulą.

Następnego dnia biegałam do sklepu po coś, czego się zapomniało, siekałam kapustę na bigos, kroiłam kiełbasę i mięso, obierałam włoszczyznę, czosnek i cebulę. Co tylko trzeba było. Mama nie wchodziła do kuchni. Pewnie myła okna po zimie, sprzątała (może myła podłogi?) i nie wtrącała się do kulinariów.

Przychodziła pora na kręcenie pasztetu, więc kręciłam, uważając na palce, podgryzając co bardziej zrumienione skraweczki, by potem wymieszać masę z jajami, bułką tartą i tajemnymi składnikami, które ojciec wsypywał ze znawstwem. Kroiłam cienko słoninkę, bo pasztet taty piekł się w formie wyłożonej słoniną.

W międzyczasie podchodziłam do okna, by odpowiedzieć wołającym mnie koleżankom:

— Nie mogę! Pomagam OJCU!

Inni pomagali mamom, a ja zawsze ojcu! Zawsze czekało mnie kolejne wyzwanie: „pokrój", „nalej", „odcedź", aż do chwili, gdy do kuchni wkraczała mama i to był znak, że zaraz w domu zapachną drożdże i skórka pomarańczowa. Ciasto drożdżowe rodzice robili zawsze razem. Nastawiali drożdże, grzali masło, dodawali zapach waniliowy i skórkę pomarańczową, usiekaną i nacukrzoną własnoręcznie. W ciepłej kuchni ciasto rosło i pachniało. Wypiekali je aż do wieczora, bo przez sen jeszcze czułam jego zapach.

Same święta były smętne.

My we trójkę przy stole, dzielenie się jajem dziwnie mnie, małą, krępujące, zanadto odświętne i patetyczne jak na szkraba. Nic z tego nie rozumiałam, bo rodzice nie umieli ubrać świąt, tych najbardziej chrześcijańskich ze wszystkich chyba, w coś zastępczego. Dziś mówią o tym filozofowie, etycy i socjologowie. Moja obecna wiedza o życiu i kulturach pozwoliła mi spojrzeć na chrześcijańskie święta w ogólnoludzkim wymiarze odrodzenia, odnowienia więzi, zwykłej polskiej rodzinności. „Zwykłej polskiej" brzmi, jakbyśmy my, Polacy, jednak byli pod tym względem niezwykli. Nie jesteśmy. Wiele narodów jest bardzo rodzinnych, nie my jedyni. To już dziś jest dla mnie jasne.

Dziś. Wtedy wszyscy komuniści, ateiści byli mocno w święta pogubieni. Niby to tradycja, trzeba ją kontynuować, ale co z korzeniami? Z całą tą emocjonalno-religijną otoczką? Odarte z niej święta pozostały dla nas dość smętne i byle jakie do chwili, gdy podrosłam, a w rodzinie coś się zmieniło.

Od czasu do czasu jechaliśmy w lany poniedziałek do dziadków na Żoliborz, do ciotki Wieśki lub do Klarysewa... Rzadko, ale jednak! Wtedy, gdy w ciasnych mieszkaniach PRL-u spotykała się spora rodzina, czułam większą radość niż dotąd. Inne były potrawy, ciocie takie miłe i weseli wujowie, bracia i siostry całkiem nowe i nowe podwórka, na które wychodziło się po deserze, bo dorośli już po paru wódeczkach snuli opowieści i wspomnienia dla nas, dzieciaków, nudne jak nie wiem co. Wieczorem, w usmotruchanej sukience, wracałam z rodzicami autobusem i tramwajem do domu, oszołomiona rodzinnym spotkaniem i nowo poznanym rodzeństwem cioteczno-wujecznym. Takie święta były o wiele lepsze!

Był czas, gdy cała familia spotykała się w jednym miejscu i wszyscy niezwykle czule się ze sobą witali. To były pogrzeby i śluby.

Mama i dziadek Felek. Bardzo się lubili.

Pamiętam, jak dziadek Felek dostał wylewu i po powrocie ze szpitala nie umiał mówić. Przyjechał do nas z babcią Helą na święta wielkanocne. W czasie obiadu niedzielnego prawie się nie odzywał, skrępowany tym faktem (dopiero później dowiedziałam się, że „ten fakt" nazywa się afazja, szlag trafia ośrodek mowy, ale świadomość braku mowy pozostaje nietknięta). Po obiedzie oglądaliśmy telewizję, a dziadek siedział niezainteresowany przy stole, brał do ręki jajo przeze mnie umalowane w napisy ALLELUJA i próbował przeczytać. Nie szło mu za nic! Dukał i dukał, sylabizował jak dyslektyk i... nic. Przysiadłam się do niego i powolutku, sylaba po sylabie, dukaliśmy razem owo „A-LLE-LU-JA". Babcia popłakała się bardzo wzruszona wnusią, a dziadkowi ciekły wielkie łzy po dużej, kalicińskiej twarzy. Nie rozumiałam tych emocji, ale było fajnie uczyć dziadka mówić.

Te święta z dziadkami też były milsze od tych tylko we trójkę.

Pogrzeby, stypy...

Czas jakiś później dziadek Felek zmarł.

Samego pogrzebu nie pamiętam. Stypę — tak! Urządził ją Feliks Feliksowicz (jak żartobliwie nazywaliśmy syna dziadka, młodszego brata taty). Ówcześnie był już żonaty z piękną i wesołą Krysią. Mieszkali gdzieś na Pradze, w bloku dość nowym, w małym mieszkanku. Pamiętam wielki stół, przy którym siedzieliśmy bardzo ciasno usadzeni. Felek Młodszy zrobił pyszne jedzenie.

Po zimnych zakąskach na stół wjechały pieczone kurczęta, powodując moją chwilową radość. Chwilową, bo po pokrojeniu były... różowokrwiste w środku. Niedopieczone! Byłam rozczarowana nie tylko kurczętami, ale też atmosferą przy stole.

Jako dziecko myślałam, że stypa będzie polegała na żałosnym opłakiwaniu zmarłego, że Helasek (czyli babcia) będzie zawodziła i opłakiwała głośno śmierć dziadka, a nabożne chwile wspólnej rozpaczy uduchowią odejście zmarłego, czyli mojego wielkiego, kochanego dziadka z nosem jak wielka trąba, za którą tarmosiłam go, siedząc mu na kolanach. Gdzie tam! Babcia zdjęła kapelutek z welonem, goście na dzień dobry wypili po lufce i po drugiej na rozgrzewkę, zaczęto się głośno przedstawiać, kto jest kto, i „proszę, może jajeczko". Babci obeschły łzy i poprosiła o śledzika, więc ja, rezygnując z zawodzenia, poprosiłam o tatara i nagle przy stole zrobiło się jak przy normalnym obiedzie. Dopiero te krwiste kuraki wyparły mnie do drugiego pokoju. Patrzyłam znudzona za okno, gdy weszła ciocia Krysia, żona Felka. Nosiła przyciemniane okulary i uśmiechała się szeroko. Była bardzo ładna!

— Nudzisz się, Gosiu? — spytała. Po czym otworzyła stojącą przy lustrze kosmetyczkę i podała mi czerwoną szminkę. — Lubisz się malować, to proszę!

Podała mi resztę kosmetyków i puściła oczko. Siedziałam u cioci w pokoju i udawałam królewnę.

Kolejne wspomnienie po dziadku rozweseliło biesiadników jeszcze bardziej, wznieśli kolejny toast, a ja świętowałam po swojemu. MALOWAŁAM SIĘ i nikt na mnie nie krzyczał! Co więcej, gdy rodzice ruszyli do wstawania „do domu", ciocia Krysia ofiarowała mi tę szminkę! Upudrowana jak klaun, z resztkami szminki na ustach, wracałam z rodzicami do domu. To było bardzo dziwne, że pozwolili mi tak wracać. Bardzo...

Dziadka już nie było. Babcia Hela mieszkała sama na ulicy Hajoty i teraz często przyjeżdżała w niedziele na obiady. Raz do nas, raz do Felka, żeby jej samej nie było smutno. Z czasem, gdy postarzała się mocno i w główce „miała skowronki" (była CUDOWNIE dementywna), musiałam po nią jeździć autobusem i przywozić do nas, bo sama nie umiała już trafić.

Babcia Helenka na starość zamieniała się w elfa. Śpiewała sobie, gadała, z kim popadło (najchętniej przemawiała czule do pani Krystyny Loski w TV) i rozdawała na prawo i lewo uśmiechy tudzież bransoletki, cukiernice i szale z szafy. Przed wyjściem do nas rozkręcała papilotki. Przed snem, w sobotę zakręcała je sobie na papier toaletowy, bo już „z telefonu" wiedziała, że po nią przyjadę. Chciała być elegancka. Zawsze była! Cieniutkie, skręcone loczki tapirowałam jej lekko i układałam — bardzo to lubiła. Rano, gdy przyjeżdżałam, zastawałam ją uśmiechniętą, w tych papilotkach, w szarej już ze starości haleczce i pończoszkach przyczepionych do starego, burego już pasa. Wkładała sukienkę, robiłam jej fryzurę i wtedy babcia brała zapałkę, by potrzeć ją pod czajnikiem, który miał sadze na spodzie. Tą zapałką robiła sobie brwi ciut za czarne, więc z czasem ja jej te brewki rysowałam i tak uśliczniona ruszała ze mną na Saską Kępę. W autobusie czułam się tak, jakbym jechała z małym dzieckiem — o coś pytała, zaczepiała ludzi i rozdawała uśmiechy. Czasem czułam się nieswojo, ale trudno, radziłam sobie. Zmarła dużo później w Henrykowie, u sióstr, żyjąc sobie w swoim świecie, nie poznając już nawet synka Felka, nazywając go czasem „panem", czasem „zawiadowcą"... Mała babcia Hela.

Zupełnie inaczej było, gdy zmarł dziadek Wacek z Klarysewa. Byłam panienką nastoletnią i przyjechałam z rodzicami do Klarysewa już po pogrzebie, na stypę.

Piętrowy dom dziadków był już podzielony tak, że na piętrze było mieszkanie Cześków (syn dziadka z synową i wnukiem), a na dole kuchnia, łazienka i pokoje, obecnie już samotnej wdowy, babci Stefy. W pokoju stołowym na parterze było nakryte pięknie dla starszej generacji. Na piętrze dla młodzieży dość licznej, bo oprócz mnie był Piotrek, wnuk dziadka Wacka, moi bracia Witek i Mirek, dwudziestoparolatkowie, Kaśka Starosówna, dzieciak właściwie, Maryla i Włodek, kuzynowie Piotrka, i ówczesna narzeczona Piotrusia, panna piękna, wysoka, brunetka, w sukience czarnej w żółte słoneczniki. Bardzo mini.

Ciotka Zocha przyniosła nam na górę jedzenie i powiedziała:

— Jedzcie i pijcie za zdrowie dziadka, bo on by nie chciał jakichś ponurych płaczów. Tylko nie za głośno, bo tam na dole starsi „mają inaczej".

Zaczęliśmy pojadać, siedząc w kucki, „po turecku", przy niskim, egipskim stoliku cioci Zosi. Chłopcy wznieśli już sporo kieliszków „za dziadka, bo fajny był chłop" i... zabrakło nam wódeczki! Z parteru od starszych też nie dało się jej wycyganić. Jakoś głupio... Piotruś zatem wyciągnął coś ze zbiorów taty. Tak więc po dżinie była istra, taki potwornie gorzki dodatek do koktajli. Piliśmy ją też, bo byliśmy „twardzi" i dziadek wart był tego!

Dwa razy ciocia Zosia weszła do nas, dyskretnie ściszyć muzykę, bo „szło za głośno". Wreszcie moi rodzice przyszli po mnie.

Wielka dla mnie była to lekcja, jak inaczej można żegnać dziadka. Tego, który mnie nie lubił, bo utopiłam mu kota...

1 Maja

Było za moich czasów święto nierodzinne, które świętowało się w całej Polsce. To był 1 Maja, Święto Pracy. Wszyscy OBOWIĄZKOWO musieli święcić je ze swoimi „macierzystymi jednostkami". „Macierzyste jednostki" to były zakłady pracy. Zwykło się obecnie mawiać, że na 1 Maja byliśmy wszyscy jako Polacy siłą wręcz wywlekani na uliczne demonstracje i zmuszani do posłuszeństwa. Coś jednak zgoła innego widzę (i pamiętam) na starych kronikach PKF-u i tam jest prawda! Lubiliśmy chodzić na pochód. Świadczą o tym roześmiane twarze ludzi, dziecisków i nie widać bynajmniej nakazu, przymusu, pochmurnych min i niechęci. Owszem, w zakładach pracy krzywo patrzono na tych, co się wywijali, ale wielkie, nieprzebrane tłumy rokrocznie wylegające w miasto i ogólnie panujący nastrój radości utrwalony na zdjęciach przeczy dzisiejszym, lekko jednak przekłamywanym twierdzeniom.

Mama wkładała kostium, białą bluzeczkę i bladym świtem szła pod szkołę, w której aktualnie pracowała. Tam czekała cała reszta, a pani od plastyki wręczała jej kwiat z krepiny na kiju, żeby miała czym pomachać do towarzysza Gomułki lub Gierka i pokazać, jak się cieszy, że musiała rano wstać i machać. Tak naprawdę, mama wierzyła trochę, że to miło tak zademonstrować wspólną radość z faktu, że jest praca.

Potem Święto Pracy zwalono z postumentu. Pracy nie ma, bezrobocie rośnie, a mamy przecież ustrój, w którym miało być tak dobrze... No, ale zamykam się, bo nie politykuję, tylko wspominam.

Zanim przeszło się przed Trybuną Władz, trzeba było powoli dojść na miejsce, z którego wychodziło się na główną arterię miasta. Tamtędy głównymi ulicami szedł pochód pod okiem kamer telewizyjnych i mikrofonów Polskiego Radia. Cały dzień, od 9.00 do 14.00, telewizja transmitowała na żywo to nudne wydarzenie. U różnych zbiegów ulic stały w słońcu masy ludzkie, nudząc się i męcząc niepomiernie, by w końcu ruszyć „ze swoim sektorem" i radośnie pomachać do spoconych Władz.

Niektóre organizacje przygotowywały skandowane okrzyki, czasem nawet wierszowane! Oczywiście młodzież zawsze ma pstro w głowie i było mnóstwo wygłupów. Ja pamiętam aferkę, gdy ślicznie przemaszerowały przed Trybuną Honorową pielęgniarki jednej ze szkół medycznych, ustrojone i wykwiecone, a za nimi szli studenci bodajże Politechniki. Spiker darł się przez megafony, natchniony i w ekstazie: „NIECH ŻYJĄ PIELĘGNIARKI!!!" Studenci zaś wrzeszczeli głośno i dobitnie: „...ZE STUDENTAMI!!!"

Pomajtawszy kwiatkiem, flagą, ręką, czym kto miał, umęczony naród, wlokąc do domu opuchnięte nogi, odfajkowywał Święto Pracy do przyszłego roku. Uff!

W latach powojennych sporo w ludziach było zwykłego entuzjazmu. W miastach brakowało bardzo powszechnych przed wojną targów, odpustów, jarmarków. Były, ale jakoś mało i to głównie na wsiach — w miastach już nie. Za to było Święto Pracy, które mój tato cenił i szanował całkiem poważnie. Świętował je ze mną najchętniej. Było to możliwe w czasach, gdy w szkole wystarczyło tłumaczenie: „Idę na pochód z rodzicami". (Później rodzice pisali notkę w dzienniczku, że: „Idzie z rodzicami"). Tato wkładał mundur. W czasie wojny walczył jako żołnierz w kościuszkowcach. Był saperem i miał dużo medali. Przypinał je do baretek i skrapiał się wodą kolońską. Ja już czekałam w odświętnej sukience, kokardach i białych sandałkach. Koniecznie w białych skarpetkach, „żebym sobie stopek nie obtarła", bo czekała nas długa trasa.

Jechaliśmy do miejsca, w którym już autobusy nie jeździły. Najczęściej było to rondo Waszyngtona. Tam często spotykali się koledzy ojca, panowie w mundurach, wszyscy już na rentach. Stare, utyrane wojsko. Często z dziećmi. Szliśmy tak sobie spacerem w stronę Śródmieścia, pilnie nie omijając żadnej budki z lodami i oranżadą! Panowie, nagadawszy się, rozchodzili się lub nie. Tato kupował mi kolorowe balony albo kwiaty. Czasem jakaś grupa stojąca i czekająca na swoją kolej wejścia na pochód dawała mi swoje kwiatki albo flagi. Trzymałam tatę za palec i obserwowałam wszystko dookoła. On zaś szedł spokojnie, spacerem i pewnie rozpamiętywał dawniejsze czasy swojej tułaczki lub kontemplował śliczne nóżki warszawianek. Nie wiem. Mnie interesowało wszystko i o to wszystko go pytałam bez końca. Zmęczeni, znajdowaliśmy jakąś garkuchnię, a było ich tam, na trasie pochodu, mnóstwo! Najlepiej, gdy była wojskowa, oczywiście. Zjadaliśmy grochówkę z kotła, śląskiego krupnioka z musztardą i umajeni... wracaliśmy do domu.

— Tato, a trybuna honorowa? — pytałam.

— Zobaczymy ją w domu, w telewizji — mówił tato i wsiadaliśmy do autobusu.

W domu była już mama, też najedzona pączkami i kiełbaskami z rożna na trasie. Piła mocną herbatę i czekała na nas.

Na podwórku było pusto, bo wszystkich bolały nogi i woleli siedzieć w domu, przed telewizorem. Można było zobaczyć znanych aktorów, jak majtali kwiatkami, trzymali się za ręce i paradowali przed trybuną, albo zgrupowanie rodziców i tatę albo mamę, przez ułamek sekundy...

Po południu jechało się do rodziny albo szło do sąsiadów na plotki. Telewizja dawała narodowi w nagrodę jakiś zagraniczny film z Bardotką albo Jean-Paulem Belmondo, albo western jakiś prawdziwy, amerykański! Koło 17.00 robiliśmy się głodni, więc mama przygrzewała krupnik albo rosół i do wieczora wlókł się powoli ten świąteczny dzień...

1 listopada

W dzień Wszystkich Świętych zawsze była podła pogoda. Jak nie padało, to było zimno. Moi przodkowie ze strony mamy spoczywali głównie na wojskowych Powązkach. Tato o swoich dziadkach i babce nigdy nic nie mówił. Nie jeździliśmy na ich groby. Chyba dlatego, że tato pokłócił się z rodziną dawno temu, przed wojną, potem tułał się po świecie i nie wrócił do korzeni. Mama musiała uszanować jego decyzję, a ja nigdy go nie zapytałam. Głupia.

Tak więc Dzień Zmarłych był dniem wspominek rodziny mamy. Wszyscy leżeli w jednej mogile i nie łaziliśmy po całym cmentarzu. Rano ubieraliśmy się ciepło i szybko, przed korkami i tłokiem w autobusach, jechaliśmy na Powązki. Wszyscy myśleli tak, jak my, więc tłok był zawsze. Zmarznięci, dochodziliśmy do bramy, pod którą mama kupowała jakieś kwiatki, wianuszki, znicze. Od momentu, gdy wyjaśniono mi znaczenie „światełka", żądałam kupienia mi moich „prywatnych" zniczy, które zapalałam z namaszczeniem na zapomnianych, wojskowych grobach.

Tato nic mi nie tłumaczył. Nie wiedziałam za bardzo, kto jeszcze leży na Powązkach oprócz rodziny i pisarzy, malarzy, artystów, tych z Alei Zasłużonych. Wtedy mówienie o powstaniu, czczenie go, ostentacyjne palenie zniczy, było nie „po linii", bo władze nie chciały o tym mówić, pamiętać. Zaraz powstawały pytania, dlaczego „Wielki Brat" podczas powstania nam nie pomógł, a jeszcze postrzelał sobie w naszą stronę, a wieczne tłumaczenie, że: „chciał do Niemców, tylko trudno było trafić", powodowało dobitne milczenie i porozumiewawcze spojrzenia. Rodzice sądzili, że uchronią mnie (i siebie) przed problemami, milcząc i nie komentując za wiele. Byli dość osamotnieni, nie mieli rodzin kultywujących tradycje, polskość i chyba uwierzyli w nowy ład i próbowali się dostosować. Nie oni jedni... Szkoda.

Po nakarmieniu wiewiórek szybko ciągnęłam tatę za połę płaszcza do bramy. Tam siedziały baby z „pańską skórką"! Był to słodki specjał występujący wyłącznie w Zaduszki pod bramami cmentarzy. Kawałki słodkiej masy o smaku migdałowym, twardej i kolorowej. Była biało-różowa i strasznie zaklejała paszczę. Memlałam ją w ustach... Mogliśmy wracać!

Po przyjeździe do domu mama parzyła sobie i ojcu mocnej herbaty z cytryną i przygotowywaliśmy stół do wizyty Tereski i pewnie babci Helenki. Wcześnie zapadał zmrok, więc robiło się nudno i szaro. Dorośli gadali, oglądali smętki w telewizji, a ja najczęściej szłam do Kuby pobawić się. Czasem po prostu siedziałam obok taty i gapiłam się w telewizor, czytałam coś...

Dopiero później, gdy byłam starsza i jeździłam na Powązki z kolegami, dowiedziałam się wszystkiego o białych, brzozowych krzyżach, Katyniu i milczeniu, które było głośno słychać w każde Zaduszki...

Zimowe święta, czyli choinka

One były absolutnie nasze, rodzinne do bólu.

Przygotowania nie były aż tak długotrwałe jak do Wielkanocy. No, chyba że znów ktoś troskliwy podrzucił zająca, ale ten scenariusz jest już znany. W te święta absolutnie wtrącała się mama, bo tato jakoś nie znał zanadto potraw i tradycji bożonarodzeniowych albo mamy punkt widzenia był silniejszy. Dość, że tylko chodziliśmy z ojcem po zakupy i podrzucaliśmy je mamie. Ciasto drożdżowe rodzice robili oczywiście razem i znów w domu pachniało drożdżami i skórką pomarańczową.

Tato, uwodzicielskim wzrokiem i uśmiechem, zdobywał w sklepie rodzynki, więc ciasto było „bogate". W sklepie rybnym wystawaliśmy śledzie z beczki. Zwykłe, takie z głową i flakami. Słone jak diabli, więc moczyły się w łazience pod wanną w wiaderku.

Kolejna wyprawa była po choinkę. Niewielką i najczęściej wiązaną, bo taka z gałęzi jodłowych lepiej się trzymała. Znów było inaczej niż u kolegów i na sąsiednich podwórkach, na których ojcowie taszczyli z miasta wielkie haberdzie, bywało „zakropieni", ledwo trzymając na nogach, ale „dla dzieciaka być musi!" Potem, gdy wychodziłam z psem, widziałam, jak ich czubki (choinek, nie ojców) sięgają sufitów, zakończone gwiazdą. U nas była mała, skromna, bo mama tak lubiła i już...

Mama gotowała barszcz grzybowy czysty lub z łazankami. Tak było u niej w domu, więc przenosiła znaną jej tradycję do swojej rodziny. Tato robił kapustę. Zwykły bigos. Za mało „święci" byliśmy, by rozgraniczać ją na postną, wigilijną, i dalszą, tłustą. Kompot z suszu robiony był koniecznie, a w wannie pływał karp. Dostawał potem w łeb i mama smażyła go zwyczajnie w panierce. Śledź pływał już w oleju i cebuli, nabierając aromatu.

Po powrocie z ZSRR, po przeprowadzce do dwupokojowego, małego mieszkania na Międzynarodowej 52 ze ślepą kuchnią, tradycja choinkowa zmieniła się nieco. Jeszcze w Moskwie mój brat, łazik i powsinoga, stale coś przynosił od kolegów. A to jakąś ikonę, którą po awanturze odnosił z powrotem, a to krzyż jakiś prawosławny. Ojciec, widząc takie rzeczy, nie wierzył mu, że babcie jego kolegów i rodzice pozbywają się tego rodzaju bagażu religijnego na wyraźne żądania i groźby Chruszczowa. Postawił on (Chruszczow) tezę, że „Zobaczycie! Do 1970 roku w ZSRR nie będzie już ani jednej cerkwi, a ludzie przestaną wierzyć w Boga i te całe brednie..." Jakoś tak ostro to wyraził i wtedy co bardziej wierzący komuniści pozbywali się z domów „religijnego balastu".

Któregoś dnia Wituś przyniósł torbę ze złomem z mosiądzu, zarzekając się, że znalazł to na śmietniku. Tym razem ojciec bez słowa uwierzył mu, bo był to piękny żyrandol sześcioramienny — Księstwo Warszawskie. Tatko go odremontował z pietyzmem centymetr po centymetrze. Ten żyrandol, mimo mikrości pomieszczenia, zawisł na Międzynarodowej 52 i mama, złapawszy bakcyla Cepelii, zaproponowała, by zamiast choinki wieszać pod żyrandolem „podłaźniczkę". Kupowaliśmy więc z tatą wieniec z jodły, mama wieszała go na kolorowych tasiemkach pod żyrandolem, a świeczkowe obsadki od żarówek pięknie imitowały świece sterczące z wieńca do góry. Potem dekorowała podłaźniczkę bombkami i kokardkami i już była w domu namiastka choinki.

Teraz artyści też prześcigają się w wymyślaniu bardzo nowoczesnych imitacji choinek. Lubiłam „podłaźniczkę", ale tęskniłam za wielgachną choinką...

Wieczorem zasiadaliśmy do wigilii. Sami. Czasem z babcią Helą, gdy nie była u Felka. Że też nikomu z rodziny nie przyszło do głowy, żeby zrobić dużą, wspólną wigilię?

Przy stole było nas troje, pod stołem pies. Czekałam, oczywiście, na prezent. Zjadaliśmy śledzie i zupę, i rybę, i... było już po Wigilii. Smętnawo i trochę nudno. Zazwyczaj szłam do swojego pokoju cieszyć się podarkiem od Mikołaja, a tato nastawiał muzykę lub telewizor... I już.

Następny i następny dzień świąteczny były fajne, o ile było coś ekstra w telewizji lub była piękna pogoda i szło się na spacer do parku Skaryszewskiego albo nad kanałek. Tęskniłam za szkołą, bo bez rodzinnych spotkań było mi smutno samej i nudno. Oczywiście chętnie czytałam, pisałam pamiętnik albo szłam z Anitą lub Anką (sąsiadki) powygłupiać się na dwór, ale dziś wiem, że gdybyśmy częściej wizytowali rodzinę i *vice versa*, byłoby lepiej.

Oczywiście często w drugi dzień świąt wpadała Tereńka z Jackiem i Michasiem. Znów dostawałam prezent. Było miło i weselej niż we trójkę. Oni na święta jeździli do Radomia, gdzie spotykała się cała rodzina Jacka, krewni i znajomi. Pożyczali od siebie stoły, dostawiali krzesła, było mnóstwo opowieści i śmiechów i potrawy inne, i babcie, ciocie, wujowie i prezenty! Jak w Garbatce na imieninach Jacka... Musiało być świetnie!

Zjawiskowo przystojny Jacek Sagatowski z Michasiem, też zjawiskowym, na wczasach w tych góralskich lasach... Zjawiskowy Jacek to ten po lewej!

Dziś wiem, że chcę już teraz, gdy dzieci są dorosłe, a wnuki gdzieś w perspektywicznych planach, stworzyć im takie święta, by przy stole było nas dużo, był rejwach, gwar i przekomarzanki. Żebyśmy się licznie spotykali. Przynajmniej w Boże Narodzenie, bo choć to święto ma dla wierzących wymiar religijny, to oprócz tego jest to ważne polskie, rodzinne święto, integrujące nie tylko członków rodziny, ale i zupełnie obcych sobie ludzi. Tak to czuję i już! Tradycję trzeba pielęgnować.

„Piętnastka", czyli szkoła przy Angorskiej

My, dzieci z Saskiej Kępy, z kwadratu Saska, Waszyngtona, Walecznych, Międzynarodowa, chodziliśmy do szkoły przy ul. Angorskiej 2. Była to Szkoła Podstawowa nr 15 im. Mariana Buczka. To był ładny, powojenny budynek ze stołówką i salą gimnastyczną, otoczony dużym boiskiem graniczącym z technikum chemicznym.

Korytarze w każdy poniedziałek pachniały pastą do podłogi i były tłusto-śliskie. My, maluchy, mieliśmy swoją klasę na parterze. Naszą wychowawczynią była pani Halina. Niektóre dzieci pamiętały ją z czasów, gdy była jeszcze przedszkolanką.

Doszłam do klasy IIIc jako nowa, powróciwszy z rodzicami z Moskwy, w której mój tato pracował w Biurze Radcy Handlowego, a mama tworzyła podwaliny polskiej szkoły, która na razie istniała tylko jako „domowe kursy języka polskiego dla dzieci rodzin pracujących w Ambasadzie i BRH". Pierwszą i drugą klasę ukończyłam w zwykłej rosyjskiej szkole nr 35 przy małej Pirogowce. Rosyjski znałam lepiej od polskiego, mimo uczęszczania na mamine kursy. W Moskwie, w rosyjskiej szkole pisało się stalówką montowaną w ładnej obsadce i maczaną w atramencie. Pod rączką mieliśmy bibułkę do „wypijania" kleksów, a literki musiały być piękne i pełne cienkich i grubych linii, zaokrągleń i przemyślnych łączeń, no i pod kątem! Ukośnie! Tak wytresowana wróciłam do Polski, gdzie kaligrafowało się w trzech liniach, ale pod kątem prostym! W szkole miałam wciąż obniżone oceny za pochyłe pismo i rozmowy rodziców z panią nie pomagały. Pani była źle do mnie nastawiona, podobnie jak do innych dzieci wracających z placówek, a także w ogóle nie była to pani, którą wspominałabym ciepło. Umiała być szczebiotliwa i czułostkowa na pokaz, oraz złośliwa i niemiła, gdy kogoś nie lubiła.

Siedziałam w ławce z Małgosią Poboży, moją koleżanką z podwórka, i obie miałyśmy nielekko. Ja, bo wróciłam z zagranicy i pisałam ukośnie, Gosia, bo ogólnie nie miała talentu do nauki, no i miała nadwagę, jak to się dziś elegancko mówi.

W czwartej klasie grono nas uczące rozszerzyło się o innych nauczycieli, a w piątej mieliśmy już inną panią od wuefu, a chłopaki — pana. Śpiewu uczyła nas pani Małgorzata Komorowska, geografii Ilona Sielicka, bardzo ładna blondynka. Rosyjskim zajęła się pani Migdalska, a matematyką pani Halina Pliszka (O matko! Jak ja się jej bałam!!!), a potem pani Kalicka. Miała piękne paznokcie, długie i umalowane na perłowo i ostry, fajny makijaż. Jej bałam się mniej.

Jedyne uchowane zdjęcie Gosi Pobożej. To ta w błyszczącym kostiumie, a ja za nią, w czarnej peruce „robię" za Hinduskę.

Rano wszystkimi uliczkami Saskiej Kępy szły dzieci z teczkami i tornistrami. Wszystkie też wymachiwały workami w bylejakich kolorach. W workach nieśliśmy kapcie. Zwykłe, domowe kapciuchy nie obwarowane jeszcze wówczas żadnymi: „ortopedyczne", „zdrowe"... W szatni zmienialiśmy buty na kapcie i rozbiegaliśmy się do klas.

Każdy dzieciak polskiej szkoły musiał obowiązkowo być ubrany w fartuszek. Czarny lub granatowy, najczęściej z najtańszej satyny. Białe kołnierzyki już powoli nie były koniecznością, lecz wciąż mile widziane przez panie nauczycielki. Z czasem pojawiła się moda na fartuszki z „zerówki", materiału, który się nie świecił i nie „miął". Fartuszki musiały mieć kieszonki i pasek do przewiązywania się w talii (jak się ją miało!). Gdy byłam w trzeciej, czwartej klasie to już nawet dopuszczono czarne fartuszki-krzyżaczki, takie trochę jak w przedszkolu, tylko „skrzydełka" i falbankę wokół dołu miały fabrycznie gęsto splisowane. Do tych fartuszków nie wolno było nosić innych bluzeczek, sweterków i spódniczek, tylko czarne lub granatowe. Inne, „frywolne" kolory były absolutnie niedopuszczalne. A gdy złamano ów nakaz, wzywano do szkoły rodziców i pouczano. Kolorowe mogły być za to „od bidy", czyli z łaski, opaski na włosach i rajstopki.

Bardzo ważnym detalem szkolnego stroju były tarcze szkolne. Swą historią sięgają jeszcze czasów przedwojennych, gdy chodzenie do szkoły albo do szkoły szczególnej (np. gimnazjum Chrzanowskiego, Curie-Skłodowskiej, Hoffmanowej) było nobilitacją, powodem do dumy. My, dzieci z czasów pokoju i powszechnego obowiązku (OBOWIĄZKU) kształcenia, nie rozumiałyśmy, po co te tarcze. Jednak sprawdzanie, czy aby nosimy je na wierzchnim ubraniu, pochłaniało mnóstwo energii szkolnym woźnym. Robiliśmy, co w ludzkiej mocy, by dyndały na agrafce, przypinane za rogiem, tuż przed wejściem do szkoły, na szpilce, na klej... Nie pomagało. W dzienniczkach niesubordynowanych uczniów, których matki zaniedbały tak ważnego elementu wychowawczego, jak przyszycie dziecku TARCZY do fartuszka lub sweterka, pojawiały się groźne uwagi.

To, co jest warte wspomnienia z mojej podstawówki, to szkolna stołówka. Miejsce gwarne i lubiane, bo nasze panie kucharki miały chęć gotowania nam rzeczy tanich i smacznych. Na prawo od wejścia, pod ścianą stał stolik, na który pani woźna wynosiła z kuchni wiadro zupy. Wiadro było niebieskie i białe, emaliowane w środku. Zupę nalewaliśmy sobie sami. Tylko maluchy pani woźna obsługiwała osobiście. Rosół bywał okropny, rozgotowany makaron, wodnisty roztwór i potem na drugie — twarde, żylaste mięso. Ale już na przykład zarzutka z kiszonej kapuchy na wieprzowych kościach — rewelacja! Moi koledzy uwielbiali po prostu piątkowe „pampuchy". Duże jakby pączki, smażone w głębokim tłuszczu, z drożdżowego albo proszkowego ciasta. Lądowały na talerzach po trzy, posypane cukrem pudrem. Ja nie lubiłam słodyczy, więc z dań piątkowych najbardziej lubiłam kluski z serem. Wtedy darłam się do okienka:

— Tylko BEZ CUKRU!!! Proszę!

Gdy były skwarki, dostawałam ze skwarkami, omaszczone ciepłym: „Oj, Gosia, Gosia! Ty zawsze inaczej niż wszyscy!" Ziemniaki ze śledziem w śmietanie to już była radość jak nie wiem co. Ogórkowa, szczawiówka, barszcz ze śmietaną i takie tam różne kotlety z buraczkami smakowały i powodowały, że nasze mamy były spokojne. Głodni to my nie chodziliśmy.

Nie lubiłam mojej „piętnastki" zanadto, aż wreszcie na lekcję „śpiewu" przyszła nowa pani. Nazywała się Małgorzata Komorowska. Widywaliśmy ją na korytarzu niejednokrotnie, jak również na muzycznych koncertach, jakie prawie co miesiąc odbywały się w czasie godzin lekcyjnych w sali od wuefu. Te koncerty miały uwrażliwić nas i zapoznać z Wielką Sztuką. I rzeczywiście, występowali na nich znani i lubiani artyści scen warszawskich. Z reguły były to fragmenty muzyki klasycznej, lecz tak dobrane, by nas nie znudzić i nie uśpić. Pani Małgosia prowadziła te koncerty ze swadą, pięknie i ciekawie opowiadając o kompozytorach i artystach, o instrumentach i historii.

Lubiłam jej słuchać. Była bardzo ładna, co wybitnie przyciągało uwagę wszystkich potencjalnych śpiochów. Miała taki... francuski typ elegancji. Była postawna, gibka i poruszała się z wielką, niewymuszoną gracją. Ciemne, długie i lśniące włosy wiązała w koński ogon lub spinała miedzianą klamrą nad karkiem. Jej oliwkowa cera i wielkie oczy nie wymagały makijażu. Robiła go jednak w sposób delikatny, niewidoczny. Była pewnie pierwszym dla nas, dziewczynek, wzorem elegancji i naturalności. Często i szeroko się uśmiechała, używała dyskretnych perfum i cielistego, perłowego lakieru, który podkreślał smukłość jej palców i kształt dłoni. W prowadzeniu lekcji była ogromnie pomysłowa. Doskonale grała na pianinie, ale też na mnóstwie innych instrumentów. Bardzo ciekawie opowiadała o kompozytorach muzyki dawnej, wplatając w te opowieści wiadomości o muzyce, wątki osobiste, rodzinne, romansowe i dramatyczne. Swoje opowiadania ilustrowała muzyką z płyt lub graną na pianinie. To była najlepsza pani w szkole, zdecydowanie!

Kiedy usłyszałyśmy z Gosią, że możemy śpiewać w chórze, który prowadziła, nie posiadałyśmy się ze szczęścia. Chór naszej szkoły był liczny (w „piku" liczył 110 osób) i nie był obowiązkowy. Wszyscy po prostu chcieli śpiewać w chórze u pani Małgosi. Dzieliła nas na trzy, czasem cztery głosy i wprowadzała bogaty repertuar. Oczywiście, szkolne chóry były po to, by na akademiach śpiewać hymn i „państwowotwórcze" kawałki. Na przykład pieśni rewolucyjne i socrealistyczne „nalewomosty" i takie tam... ale oprócz tego ćwiczyła z nami repertuar operowy na chór i solistów (solistą był Janusz z „mojej" trzeciej klatki schodowej, ten, co nie wymawiał „r"), piosenki popularne i to, co wychodziło nam najpiękniej — dumki ukraińskie i inne nasze ludowe, cygańskie i harcerskie piosenki. Braliśmy udział w eliminacjach do różnych konkursów i zdobywaliśmy mnóstwo nagród.

Pani Małgosia była świetnym pedagogiem. Doskonale wiedziała, że moja przyjaciółka Gosia dostaje od naszej pani wychowawczyni sporo kąśliwych uwag o swojej tuszy, więc pani Małgosia bardzo Gosię chwaliła i mówiła, że ma świetny słuch i piękne brzmienie głosu. Nawet jakieś solówki z nią ćwiczyła.

Kiełkujące w nas kobietki „pożerały" wzrokiem każdy nowy ciuch pani Małgosi. Klipsy, pasek pleciony misternie ze sznurka lub płaskie kozaczki do wąskich spodni. Nosiła z gracją modne, szerokie szmizjerki, wąskie spódnice do swetrów z szeroką „łódką" pod szyją, a raczej na ramionach, koszulowe bluzki z kołnierzem à la Słowacki, dopasowane w talii, noszone do szerokiej spódnicy na taftowej halce. Była taka śliczna i wesoła, i taka... światowa! Bez niej ta szkoła byłaby nudna jak flak... Pani Małgosia odznaczała się ogromną pomysłowością i pracowitością. Oprócz chóru założyła orkiestrę dziecięcą dla maluchów, dwa zespoły wokalne „Triola" i „Kwintola", kabarecik i była dobrym duchem zespołu big-beatowego „Kolorowi". Lata później była znaną felietonistką w krakowskiej edycji „Przekroju". Oczywiście pisała o muzyce.

Jej i mojemu tacie zawdzięczam moją wrażliwość muzyczną. To, co czuję, gdy słyszę coś pięknego, to, jak to słyszę i że mnie tyle rzeczy ze świata muzyki potrafi uradować. To naprawdę szczęście, że trafiłam na tak niezwykłą nauczycielkę.

W piątej klasie przyszła kiedyś do nas dziwna pani. Nasza wychowawczyni powiedziała nam, że pani będzie prowadziła rytmikę i zaraz sama nam powie, o co chodzi. Ta nowa pani była niemłoda, elegancka i miała na szyi lisie futerko. Trzymając je pod szyją, tak jakby bała się, że ucieknie, mówiła:

— Nazywam się Irena Prusicka i będę prowadziła pozalekcyjne zajęcia z rytmiki. Czy wiecie, co to jest rytmika?

Nie wiedzieliśmy... Pani Prusicka wyjaśniła nam kwieciście, po co dzieci uczą się rytmiki, i powiedziała, żeby rodzice napisali na karteczkach zgodę, a ona i tak nas przesłucha, bo nie każdy jest uzdolniony do rytmiki. W czwartek o 17.00 byliśmy już zgromadzeni na sali gimnastycznej. Pani Prusicka weszła z jakąś malutką panią i ją nam przedstawiła:

— To jest nasza pani akompaniatorka.

Ta malutka pani nieśmiało ukłoniła się nam i siadła za wielki fortepian. Całkiem za nim znikła, taka była mała! Była stareńka, pomarszczona i jakby z innej bajki. Nosiła przedwojenne płaszcze z wywatowanymi ramionami, szerokie u dołu. Kapelusiki, typu „pastylka", z woalkami i piórkami jakimiś. Buciki, jak dla lalki, na korkowych koturnach, niemodne i starutkie, torebki zamykane na dużą kulkę z metalu, ze skórki jaszczurczej albo zamszowej, przetartej już ze starości. Zupełnie jak nasz „Helasek".

Patrzyła na rękę pani Prusickiej, a gdy ta dawała znak, pani akompaniatorka grała, co było trzeba. Na razie przeszły przez eliminacje dziewczynki. Chłopaki jakoś nie przypadły do gustu pani rytmiczance. Ćwiczyłyśmy jakieś krakowiaki, trojaki, suwane i tupane — cały polski folklor z kujawiakami i mazurkami na czele. Nie miałam specjalnie talentu do tych kroczków i przytupów, wkrótce jednak wzięłam udział w jakimś przedstawieniu o rewolucji październikowej, wyreżyserowanym przez panią Irenę. Był to teatrzyk szczególny, bo role chłopięce przydzieliła nam, dziewczynkom. Twierdziła bowiem, że w tym wieku chłopaki nie nadają się do aktorstwa. Po tym, jak zdenerwowana grzmiałam na całą salę gimnastyczną (zapamiętałam tylko ten fragmencik):

Już z Aurory wystrzał padł,
odegrzmiał pokoleniom,
na całą Rosję, cały świat
— zwycięstwo! wolność! Lenin!

(Władysław Broniewski)

pani Prusicka stwierdziła, że z deklamowaniem radzę sobie lepiej niż z wywijaniem hołubców. Jakiś czas później moi rodzice zostali wezwani do szkoły na spotkanie z panią Ireną. Zdziwieni weszli do sali wypełnionej rodzicami. Pani Irena oświadczyła, że garstka dzieci z naszej szkoły została wybrana do zagrania ról dziecięcych w polskim filmie *Dziadek do orzechów*. Trzeba było podpisać zgodę na miesięczną nieobecność w szkole. Z tego powodu byłam niebotycznie szczęśliwa, ale rzeczywistość okazała się mniej radosna.

To była jesień albo wczesna wiosna. Raniutko o 5.30 nyska z wytwórni filmowej na Chełmskiej zgarniała nas z ulic Saskiej Kępy. Sennych i zmarzniętych. Po przyjeździe do wytwórni byliśmy ubierani w garderobach w stroje z epoki. Byłam ogromnie rozczarowana, bo nie dość, że nie grałam królewny, to nie byłam nawet damą dworu ani chociaż pokojówką. Pani Irena stwierdziła, że doskonale nadaję się do roli... herolda. No coś takiego! Grałam z dwoma chłopakami — ja, dziewczynka! Miałam biały kostium z niebieskimi wyłogami, złotym szamerunkiem, białą perukę z harcapem i trąbę. Trąba była sztuczna. Gdy się w nią dmuchało, nie wydawała dźwięku.

W kostiumach szliśmy do charakteryzatorni, w której pan Roman i pani Roma robili nam charakteryzację, czyli cały profesjonalny makijaż. Potem długo czekaliśmy, aż któryś z inspicjentów zawoła nas na plan. Jeszcze wtedy nie umiałam się nudzić. Ganialiśmy się więc z chłopakami po długich korytarzach, a pan Roman wypsikiwał na moją perukę kolejne litry lakieru i utyskiwał, że nie możemy usiedzieć spokojnie na tyłkach. Lakier miał przyjemny migdałowy zapach, a pan Roman wściekał się w zasadzie na niby.

Szybko zorientowałam się, że na korytarzu mijam mnóstwo aktorów znanych mi z kina lub telewizji. Mama przygotowała mi karteczki i przełamując tremę, zaczęłam kolekcjonować autografy. Pamiętam, że rozochociłam się do takiego stopnia, że napotkawszy Mieczysława Czechowicza, zaczepiłam go tak:

— Kolego Czechowicz, poproszę o autograf...

To go rozbawiło. Potem siedział w otoczeniu nas, dzieciaków, i razem wydzieraliśmy się, głośno śpiewając *Tanie dranie* z Kabaretu Starszych Panów.

Takiego tupetu jednak nie miałam, gdy do charakteryzatorni weszła Aleksandra Śląska, wielka ówczesna gwiazda kina i teatru. Nieśmiało podałam jej karnecik. Wówczas charakteryzatorka opowiedziała pani Aleksandrze o mojej przygodzie z Czechowiczem. Śląska roześmiała się i spytała:

— A czemu, dziecko, powiedziałaś do niego „kolego"?

— No, bo to kolega po fachu, ja przecież też gram w filmie! — odpowiedziałam pełna obaw, czy aby nie zostanę zganiona za zbytnią poufałość. Jednak pani Śląska roześmiała się rozbawiona szczerze. Po wyjściu z charakteryzatorni przeczytałam szczęśliwa wpis pani Aleksandry:

Miłej koleżance Małgosi – Aleksandra Śląska.

Film *Dziadek do orzechów* po wejściu na ekrany rozczarował mnie nieco, bo nawet jak na tamte czasy trącił myszką. Pod mój podłożono inny, chłopięcy głos i w ogóle wszystko było do bani. W głębi duszy chciałam być królewną!

Na zajęcia z rytmiki przestałam chodzić, bo musiałam nadrobić stracony na Chełmskiej czas. W chórze śpiewałam chętnie, do końca ósmej klasy.

Naturalnie, jak każdy dzieciak w podstawówce, próbowałam zostać zmyślną harcereczką. Pamiętałam opowieści Haniśki, Gosi i Magdy, uczennic mamy, o harcerskich przygodach. Skoro nie mogłam być Indianką, to chociaż harcerką... Palić ogniska w lesie, tropić kogoś po śladach, zdobywać sprawności. Nie starczyło mi cierpliwości. Nasza druhna Jola była miłą, dużą druhną, ale nie wodzem indiańskim, na pewno. Na zbiórkach w szkole siedzieliśmy i uczyłyśmy się piosenek bez pianina, smętnych i nudnych. Druhna opowiadała nam, jak to wspaniale być dzielnym harcerzem, lecz my tylko siedzieliśmy na tej... podłodze i słuchaliśmy do znudzenia.

Ktoś zaproponował mi harcerstwo w innej formie. Wstąpiłam, czy raczej przyjęto mnie do zespołu harcerskiego „Gawęda". To był sztandarowy zespół muzyczno-taneczny obsługujący wiele państwowych imprez, festiwali, akademii i koncertów. Działał w Pałacu Kultury, w skrzydle zwanym

Pałacem Młodzieży. Ten zespół prowadził druh Andrzej Kieruzalski, osoba wielce oddana dzieciom i swej misji wychowawczej. Miał wielu przeciwników i „prychaczy", że to takie socjalistyczne, że pod publiczkę... Jednak wychowankowie „Gawędy" ogromnie sobie chwalą pobyt w zespole. Obozy w Pieczarkach, biwaki, próby, występy. Zbiórki, na których była cudowna atmosfera wielkiej rodziny. Ja nie wytrzymałam. Jakoś nie mogłam się „wkleić" w to śliczne zdjęcie i przestałam „gawędzić".

Pod koniec siódmej klasy zdarzyło się coś ważniejszego niż gra w filmie, harcerstwo i wszystko inne. Dostałam wreszcie pierwszą miesiączkę i kupowałam sobie raz w miesiącu moje osobiste podpaski! Przemysł farmaceutyczny przestał uważać, że nic takiego jak miesiączka nie istnieje i zaczął produkować dwa rodzaje podpasek — bawełnianą watę w rzadkiej siateczce lub twardą ligninę w takiej samej siateczce. Wkrótce też kłak waty w siateczce zawijano w szary papierek i to nazywało się „podpaską podróżną". Zaliczałam się już do kobiet! Mogłam nie ćwiczyć na wuefie raz w miesiącu i od czasu do czasu pocelebrować złe samopoczucie. Jak radziły sobie moja mama, babcie i pokolenia wstecz? Bawełniane gałganki! W tajemnicy przed całym domem, a szczególnie przed ich męską częścią, moczone i gotowane... brrrr.

W ósmej klasie zapomniałam kompletnie o miesiączkach, nauce i bożym świecie, bo zakochałam się na amen w Ryszardzie Rembiszewskim, naszym nowym szkolnym, poloniście. I jakoś... w marcu mi przeszło, bo mama skutecznie nastraszyła mnie egzaminami do liceum i całkowicie skupiłam się na tym, żeby nie przynieść jej wstydu.

Naszą wychowawczynią była wówczas Eugenia Pączkowa, która potrafiła skutecznie zniechęcić człowieka do historii, szkoły i życia w ogóle... Najchętniej wprowadziłaby do szkół habity i obwiązała nam głowy islamskimi chustami. Każda grzywka musiała być zapięta spinką, a włosy nigdy nie mogły być w stanie rozpuszczonym. Była zimna, zasadnicza, kostyczna, nigdy się nie uśmiechała i pracowała w szkole z jakimś takim... obrzydzeniem. Nie lubiła nas. My jej też.

Szkołę na Angorskiej opuszczałam więc z taką radością, jak rekrut dwuletnie wojsko. Zdjęcie zostało i tylko kolegów żal...

Lecąc od góry: Andrzej Miernik, niżej Jaś Cudny, obok Kuba Mosz (mój przyjaciel z dzieciństwa), nad nim Marek Scholl, obok Kuby jego friend, a moja miłość, Marek Waszkiewicz, wyżej Janusz Kusiakowski, Andrzej Danielak. Obok Marka Przemek Smolarczyk, Olgierd Szenk. Obok miły kolega, którego imienia nie pamiętam. Od lewej: ciemna grzywka Grzesia Gawrońskiego, obok Anka Miernik, siostra Andrzeja, i Dorota Rosochacka. W trzecim rzędzie od lewej: Gosia Iwanowska, Gosia Wróblewska, Iwona Biadoń, Małgorzata Agdan, Anka Wojtaszek, Grażyna Jaskólska, Paweł Żmuda i Grześ Kwiatkowski... Drugi rząd od lewej: Eugenia Pączkowa „Pulcheria", Marta Głowacka – nasza najlepsza uczennica i Zosia Mrączkowska – tak samo. Jadzia Niewiadomska, Monika Kwapisz, Gosia Woźniak, Danusia Liśkiewicz, Bożenka Żukowska, pani od geografii – Ilona Sielicka, Zbyszek Golowicz i Jurek Szymański – przyjaciele. Na samiutkim dole: klęczymy jak idiotki – Hanka Poddana, Beta Burzyńska i JA!

Moskwa

To wszystko jednak było moim światem dopiero wtedy, gdy wróciłam z rodzicami z Moskwy. Do wyjazdu „moje" było podwórko na Międzynarodowej 53 i nasze jednopokojowe mieszkanko. Ledwo wchłonęłam w siebie zapach nowego domu przy Międzynarodowej, ledwo się zaprzyjaźniłam z Kubusiem, moim kolegą z klatki schodowej, a przyszło mi na trzy lata opuścić dom i podwórko. Miałam jakieś 5 lat.

Tato dostał pracę w Moskwie, co w sześćdziesiątych latach było dość normalne. Mama z trudem zrezygnowała z pracy w Gimnazjum im. Marii Curie-Skłodowskiej, w którym była polonistką. Skoro mąż jedzie na „placówkę", ona musiała z nim!

Wyjazd kojarzy mi się tylko z pociągiem sypialnym, w którym była między przedziałami fajna łazienka z prysznicem. Pamiętam też wagon restauracyjny i frytki, które jadłam pierwszy raz w życiu i było to dla mnie epokowe, kulinarne odkrycie. Z późniejszych podróży tym pociągiem (bo przecież jeździliśmy do Polski na wakacje na przykład), pamiętam smak zupy zwanej „soljanką". Dużo później udało mi się znaleźć ten smak, po wielokrotnym eksperymentowaniu i zmienianiu przepisu, który dała mi przyjaciółka, Baśka Kapitan. W rosyjskim wagonie restauracyjnym „soljankę" podawano w metalowej miseczce, z krążkiem cytryny, oliwkami (które oddawałam tacie) i kleksem śmietany. Jakież to wydawało mi się wykwintne!

Leniński prospekt, za nami fragment hotelu. Mama idzie z psem, a ja z balonami. W tej czapce wyglądam naprawdę ślicznie!

W Moskwie, wielkiej jak dwie Warszawy, zamieszkaliśmy w hotelu „Jużnaja" przy Leninskim Prospekcie, gigantycznej, socrealistycznej arterii. Pędziły po niej samochody, autobusy i trolejbusy w wielkiej ilości. Hotel był budynkiem wchodzącym w skład swoistego „U". Jego front wychodził na ulicę prostopadłą do Prospektu Lenina, drugie skrzydło na prospekt, a trzecie w podwórko.

To skrzydło było zwykłym domem mieszkalnym. W środku „U" było podwórko. Plac zabaw dla dzieci i przedszkole.

Nie było jeszcze dla nas mieszkania, więc musieliśmy mieszkać w hotelu około dziewięciu miesięcy (płaciła ambasada). Kierownictwo hotelu pozwoliło mamie na zrobienie maleńkiej kuchenki w jakimś schowku na bieliznę, bo było absurdem mieszkać dziewięć miesięcy w mieszkaniu bez kuchni. Hotel był prosty, surowy i tani. Z windą za metalowym, osiatkowanym szybem, schodami i ścianami umalowanymi farbą olejną na szaro i jasnożółto i zsypem na śmieci. Trochę żałowałam, że nie mieszkamy w hotelu wielkim jak pałac i z wnętrzami iście pałacowymi, pełnymi złoceń, aksamitnych zasłon i mebli jak z filmu, ale mama zwróciła moją uwagę na fakt, że tamten cudny hotel nie ma... żadnego podwórka! Eeeee tam! Faktycznie!

Tato pracował. Mama przeżywała mękę pańską w tym hotelu. Bez przyjaciół, bez normalnych warunków (swoich, „domowych"), bez znajomości języka i BEZ PRACY. Miałam pięć lat i oczywiście poświęcała mi sporo czasu. Czytała bajki i wychowywała, ale ja wkrótce odkryłam podwórko i stałam się istną kosmopolitką. Z lekkością przynależną tylko dziecku złapałam w lot język rosyjski. Gadałam też po czesku, niemiecku, murzyńsku i jugosłowiańsku, z kim popadło. Pochłaniałam zdania i słowa. Dzieci cudownie uczą się nawzajem!

Nadeszła zima. Ruska zima!

Kontynentalny klimat Moskwy sprawia, że zima jest tam mroźna i słoneczna. Śnieg pięknie mieni się w słońcu, a mróz szczypie w nos!

Zostałam ubrana jak wszystkie rosyjskie dzieci — tłumoczek w czapie i baranim futerku ściągnięty paskiem skórzanym w pasie. Na nogach najlepszy wynalazek świata na mrozy — walonki. Buty z grubego filcu, z kaloszami gumowymi na „stopach". Szalik, rękawiczki, gruba warstwa wazeliny na twarzy i... mogłam siedzieć na dworze tak długo, jak tylko pęcherz pozwalał. Czasem wpadałam do domu na małe siku i wracałam na podwórko (-20°C). Była tam zjeżdżalnia z drewna wylana wodą. Świetnie zjeżdżało się po lodzie na pupie, ale „kozacy" zdejmowali kaloszki z walonek i śmigali na stojaka na wojłokowych spodach. To dopiero był wyczyn! Czasem pod zjeżdżalnią stało osiem, dziesięć par kaloszek.

Pewnego dnia moja mama przejęta powiedziała do ojca:

— Zdzisław! Oni tu wszyscy bez przerwy jedzą lody! Nawet małe dzieci! NA ULICY!!!

— Dlatego są zdrowi, Marynko — odparł ojciec.

Od tej pory byłam w raju! Dostawałam 11 kopiejek na „Eskimo". Śmietankowe lody na patyku, oblane czekoladą tak zimną, że trzaskała pod zębami jak lodowa tafla. W budkach i sklepach, automatach i u obwoźnych sprzedawców lodów było nie do opisania dużo i były tanie.

Wkrótce dostaliśmy mieszkanie. Akurat na skutek zaburzeń politycznych opustoszała ambasada albańska na Sawińskim Pierieułku (*piereułek* po rosyjsku — zaułek, uliczka). Ambasadę oddzielono sosnowym płotem od budynku mieszkalnego, do którego przeniesiono pracowników BRH (Biuro Radcy Handlowego) z hoteli i „tymczasówek". Dwupiętrowy budyneczek stał sobie na posesji oddzielonej od ulicy ceglanym, czerwonym murem i wielką metalową bramą. Znaleźli się tam pracownicy polskiej i kubańskiej ambasady oraz rodziny Węgrów i Bułgarów. Na parterze mieszkało młode bułgarskie małżeństwo z noworodkiem. Na pierwszym piętrze Kubańczycy, Polacy (małżeństwo bez dzieci) i państwo Kozłowscy z dziećmi, Anią i Mireczkiem. Na drugim piętrze mieszkaliśmy: my, państwo Szymańscy z synami Antkiem i Andrzejem, i Węgrzy, państwo Olahowie z córką Gabi, starszą ode mnie o rok. Miałam dom, podwórko, przyjaciółkę, kolegów i miałam pójść wkrótce do szkoły!

Nasze mieszkanie było na lewo od schodów. Dalej w prawym rogu Szymańscy, a na prawo od schodów Gabi z rodzicami. W hallu, na prawej ścianie mama umieściła lustro, a pod nim szafkę na taty buty i żeby miał gdzie stać telefon. W ZSRR, a i w Polsce chyba też, było tak, że telefon montowano tylko w przedpokoju. „Bo tak" i już. No i mieliśmy dostać swój numer! W Polsce nie marzyliśmy nawet o telefonie. Numerów było wiecznie za mało albo... podsłuchów.

Na lewo z hallu był mój pokój, którym niedługo miałam się podzielić z Wackiem, moim starszym, przyrodnim bratem. Pokój ten wychodził na północną stronę, był raczej ciemny i umeblowany jakimiś meblami „z łapanki". Tapczanik, biurko, stare i brzydkie, szafa, której nawet nie pamiętam. Na wprost drzwi, minąwszy po lewej mój pokój, był duży dość pokój rodziców pełniący również rolę salonu. Skromne meble. Na lewej ścianie wersalka taty, na krótszej ścianie prostopadłej tapczan mamy, na wprost okno i po prawej stół i krzesła. W narożniku regał na książki, które już pojawiały się w naszym domu, i... szafka jakaś. Na prawo z hallu szafa ścienna, łazienka, bielutka, wykafelkowana, z wielką wanną, na lewo niewielka kuchnia. Z kuchni pamiętam wielką lodówkę, jakiej nie mieliśmy w Warszawie (żadnej nie mieliśmy).

W tej lodówce, prawie zawsze, stał słój ze śledziami w oleju. W Moskwie nie było innego, jak tylko zwykły, tłoczony na zimno olej słonecznikowy o specyficznym smaku, do którego mama przywykała dość długo. Dla mnie i później dla Wacka, a już na pewno dla taty, był to zwykły smak. A zalane nim śledzie z cebulą i krążkami cytryny, poemat kulinarny! Ku zdumieniu mamy cytryny były tu zawsze i to dość tanie. Wiele lat później, po stanie wojennym, znajomy Maćka (mojego męża), Sasza, przywiózł nam z Rosji parę butelek oleju, bo w Polsce na półkach było „nico". I nawet o olej było trudno (pamiętacie?). Zalakowany, w okropnie brzydkiej butelce wydawał się zwykłym olejem, ale po otwarciu poczułam charakterystyczny zapach i eksplozję radości. To był TEN olej! Z miejsca poleciałam po śledzie i cebulę. Smak z dzieciństwa! Coś magicznego!

Wracam do sąsiadów z naszego domu na Sawińskim. Z Szymańskimi mama zaprzyjaźniła się jeszcze w hotelu. Pan Roman był łysiejącym blondynem z wąsikami. Był wojskowym. Jego żona, pani Nela, była piękną kobietą z czarnymi włosami upiętymi w kok. Miała śpiewny akcent i pewnie pochodziła z kresów. Ich synowie to Andrzej (był cztery lata ode mnie starszy) i Antek (dwa).

Kiedyś, jeszcze w hotelu, tak się mama zagadała u Szymańskich, do których poszła „tylko po jajko", że kurczak piekący się w kuchence dał znać o sobie białym duszącym dymem, a smród palącego się mięsa jeszcze długo utrzymywał się na klatce schodowej. To cud, że nie wywalili nas z tego hotelu!

Na huśtawce zrobionej przez naszych tatów: Ja, Antek i Andrzej. Andrzej był ładniejszy, a Antek fajniejszy... ot, dylemat.

To jest chyba ten dom Turgieniewa, ale głowy nie dam.

Sawiński Piereułek to mała, cicha uliczka odchodząca od Bolszoj Pirogowki, przy której (gdy się poszło w lewo) stał przepiękny, stary, drewniany dom, ocalały po wojnie. Być może był to dom Turgeniewa.

Dalej, w prawo była Szkoła Podstawowa nr 35, do której miałam wkrótce pójść. Za nią mijało się piękne stare domy, w których mieszkali ludzie lub były to jakieś urzędy. A potem dochodziło się do cmentarza. Starego, pięknego, na którym spoczywali luminarze rosyjskiej kultury.

Pochowano tam też Włodzimierza Wysockiego, barda śpiewającego niesamowite piosenki i pieśni ochrypłym i dramatycznym głosem. Najczęściej akompaniował sobie na gitarze. Kolega mieszkający w Moskwie opowiadał mi, że był na grobie Włodzimierza jakieś pół roku po pochówku. Na mogile, oprócz kwiatów, leżało kilka strzaskanych gitar. Ech! Rosjanie! Romantyczne dusze...

Wojciech Młynarski, niesłychanie sprawny tłumacz i świetny poeta, powiedział, że tłumaczenie tekstów Wysockiego jest piekielnie trudne, a czasem wręcz niemożliwe. Prawda!

Dalej mijało się nowocześniejsze już domy. Na parterze jednego z nich był bar szybkiej obsługi, z którego zawsze przyjemnie pachniało kapuścianą zupą i *pielmieniami* — małymi pierożkami z mięsem. Stąd widać już było wielki staw z łabędziami, a po lewej stronie Nowodiewiczyj Monastyr, jedną z pereł architektury rosyjskiej. Na terenie Monastyru mieszkały zwykłe rodziny. Dzieciaki z monastyru budowały w zimie ze śniegu fantastyczne fortyfikacje z wieżyczkami, dachami, basztami, pałace jak z bajki. My budowaliśmy zwykłe śniegowe ścianki do śnieżnych bitew. Lubiłam do monastyru chadzać z tatą, gdy odbywały się nabożeństwa, bo babunie i dziadeczkowie w cerkwiach pięknie śpiewali. Potem szliśmy karmić łabędzie.

Fot. PAP/Teodor Walczak

Wołodia Wysocki – bard, bożyszcze pokoleń.

Na Sawińskim, koło naszej bramy stała buda z pieczywem, w której sprzedawano drożdżowe bułki z mnóstwem rodzynek. Nazywały się „kalaryjki". Bardzo je lubiłam. Po drugiej stronie w starym budynku mieścił się sklepik spożywczy i knajpa. Mieszkały tam też moje rosyjskie koleżanki i piegowaty kolega, Aleksiej. Obie dziewczynki, Rima i Marina, wkrótce ze mną zostały pierwszoklasistkami w szkole nr 35.

Kupiono mi sukienkę (wszystkie dzieci chodziły jednakowo ubrane!) brązową i do tego wełnianą. Mogła mieć kołnierzyk w stójkę lub zwykły (okrągły). Kołnierzyk mógł być gładki i biały z haftem lub w ogóle koronkowy i tu babcie się prześcigały w cudeńkach własnej roboty. Mankieciki mogły być białe albo wcale. Na to fartuszek ze skrzydełkami, czarny na co dzień, biały od święta. Takoż kokardki brązowe lub czarne na co dzień, białe od święta. Chłopcy mieli szare mundurki z metalowymi guzikami i czapki z daszkiem. Powinni wyglądać jak mali kadeci. Do tego jednak trzeba się zachowywać jak kadet, a to były zwykłe dzieciaki!

Moja wychowawczyni była duża, okrąglutka, uczesana w węzeł tuż na karku. Miała czarne oczy i była bardzo kochana, choć wymagająca. Nazywała się Lidia Fiodorowna. Była trochę zdziwiona tym, że byłam Polką, bo jeszcze nigdy nie uczyła dziecka innej narodowości. Nie miała jednak ze mną problemu, bo przecież po rosyjsku mówiłam gładko jak Rosjaneczka.

W każdej ławce był otwór na szklany kałamarz, do którego dyżurna nalewała granatowego atramentu. Pisaliśmy najpierw ołówkiem przez dwa miesiące, ale każdy z nas chciał wreszcie wyjąć z piórnika obsadkę i stalówkę i zacząć maczać ją w atramencie.

Każde dziecko musiało mieć w teczce woreczek czystości (tzn. ręcznik, mydełko oraz lnianą serwetkę śniadaniową). Śniadania dostawaliśmy w szkole WSZYSCY, obligatoryjnie. Szliśmy na przerwie umyć łapki i wracaliśmy do klasy. Przy stole siedziała Nasza Pani i co niektórych sprawdzała, czy dobrze umyli. Zawsze się uśmiechała. Potem przychodziła pani woźna z wielkim czajnikiem i koszem pełnym drożdżówek. Dyżurny ze starszej klasy niósł tacę z emaliowanymi kubkami. Każde z nas dostawało drożdżówkę i kubek herbaty, kawy z mlekiem lub kakao. Pani jadła razem z nami, mitygując tych, którzy się wygłupiali.

Patrzyłam na nią z uwielbieniem! Dostojnie jadła swoją bułeczkę, a okruszki spadały na jej wielki biust, z którego wdzięcznym ruchem strącała je na swoją serwetkę. Byłam oczarowana tym strzepywaniem i marzyłam gorąco:

— Och! Jak będę dorosła, to też chcę mieć taki biust!

Hmmmm. Ktoś mnie chyba wysłuchał, bo nie narzekam, mam z czego strzepywać okruszki!

Jednym z przedmiotów była kaligrafia. Tak jak wspomniałam, najpierw przez dwa miesiące robiliśmy mnóstwo ćwiczeń ołówkiem. Kółeczka, laseczki, łączenia i znów, i znów... Później przyszedł czas na wyjęcie obsadek. Każdy miał inną. Także stalówki. Najlepsze, jak się okazało, były sercowate, szerokie, nacięte w krzyżyk. Byli też wielbiciele kanciastych, prawie kwadratowych. Reszta pisała najtańszymi, łezkowatymi i tym było wszystko jedno.

Każdy zeszyt miał bibułę, różową lub niebieską. Można też było kupić bibułę ekstragrubszą. Trzymało się ją pod ręką podczas pisania. Stalówkę po umoczeniu w atramencie trzeba było delikatnie obetrzeć o brzeg kałamarza, a rysowane linie miały swój „balet". Zaczynało się każdą literkę w konkretnym miejscu kropeczką i ciągnęło się w górę cieniutko, w dół z naciskiem, grubiej. Literki więc miały swoje zgrubienia i kropki, a ponadto każda miała „rączkę" i w wyrazie literki musiały być tak połączone, że można je było napisać jednym ciągiem. Ważną rzeczą w rosyjskiej kaligrafii jest (było) to, że litery „pisane" były nachylone w prawo, więc zeszyty dla maluchów miały trzy linie poziome i pionowe ukośne. Każda literka miała swój skośny „przedział". Oczywistą niesprawiedliwością losu był kleks. Niektóre dzieci płakały, ale Lidia Fiodorowna kładła na zapłakany łepek wielką, ciepłą dłoń i tłumaczyła, że: „bywajet i prajdiot, nauczis'sia". Będziemy ćwiczyć, aż będzie pięknie!

Osobną lekcją była lekcja matematyki, gdzie królowały patyczki, kredki i nie trzeba było zagryzać języka w obawie przed kleksem, bo pisaliśmy cyferki ołówkiem. Była też lekcja geografio-biologii, której w ogóle nie pamiętam, i lekcja rysunków, plastyki, którą bardzo lubiłam. No i lekcje literatury. Na nich pani czytała nam na głos książki i opowiadania, czasem oddając nam po kolei łatwiejsze fragmenty do czytania na głos. Czytała nam bajki, rosyjskie i europejskie, wiersze rosyjskie i europejskie. Pamiętam na przykład fragment *Nędzników* Wiktora Hugo o lalce, którą Kozetta zobaczyła na straganie. W pierwszej klasie były tylko (!) dwa opowiadania o Leninie. Jedno o dorosłym, który odwiedził gdzieś jakieś dzieci, i o Leninie dziecku — jak to dobrze się uczył. Oprócz słuchania musieliśmy odnotować owe bajki i opowiadania w zeszycie lektur. Napisać autora, tytuł, zdanie, o czym to książką, i wykonać rysunek. Mam ten zeszyt do dziś. Na osiemdziesięciu stronach widnieją zapiski książek, które przeczytała nam Lidia Fiodorowna i które sami przeczytaliśmy w domu. Nikt nie oszukiwał!

A poza tym był śpiew, wychowanie fizyczne i wystarczyło.

Cukierkowo? No cóż, po pierwsze nie mijam się z prawdą. Opisuję wszystko dokładnie tak, jak zapamiętałam. Było to słoneczne, wesołe dzieciństwo. Nauka w szkole była lekka i łatwa, co nie znaczy, że kształcono debili. Kładziono też nacisk na nauczanie pamięciowe. Zapamiętywaliśmy dużo piosenek i wierszyków. Coś, co dziś jest niemodne, i dzieci niewiele zapamiętują. My jak małpki uczyliśmy się wierszy i piosenek, które zawierały jakieś regułki ortograficzne lub coś innego, dzięki czemu łatwiej się zapamiętywało. Czytanie ze zrozumieniem tekstu to była bardzo ważna umiejętność!

Nie pamiętam uczucia lęku lub trwogi. Ani ja, ani nikt z moich kolegów nie był bity po łapach czy wyśmiewany. Pani indywidualizowała wymagania. I tak Ola, nasza koleżanka, wyraźnie opóźniona w rozwoju, nie była siłą przymuszana do czegokolwiek. Zanim trafiła do szkoły specjalnej, była z nami po prostu i próbowała jak my się uczyć.

Ja i moi rosyjscy koledzy byliśmy otoczeni ciepłem, uwagą i kolorami. Oczywiście tresowano nas, że nie wolno kłamać, kraść, zabijać. Że trzeba absolutnie pomagać słabszym i szanować starszych — dziadka, babcię, sąsiadkę. Ustępować miejsca w autobusie. Nie wolno palić i pić alkoholu. Różnie się to miało do dorosłych, ale czy to były złe hasła? Takie same obowiązują na całym świecie. To hasła uniwersalne. Indoktrynacja i socjalistyczne pranie mózgów zaczynały się później.

Tak więc żyłam na Sawińskim Piereułku, chodziłam do szkoły, bawiłam się z Rimą i Mariną, a czasem odwiedzałam je w ich domach. Wszędzie byłam serdecznie przyjmowana.

Pamiętam, że Marina miała dużą rodzinę. Ona sama, duża, radosna blondynka z grubym warkoczem, świetnie skakała w klasy i sporządzała wspaniałe „kamienie" do gry, to znaczy pudełka po paście do butów, wypełnione wilgotnym piaskiem. Tylko Marina wiedziała, na ile ma być wilgotny, bo mokry „kamień" był za ciężki, suchy „kamień" był za lekki. Czasem wpadałam do Mariny wieczorem, gdy cała rodzina siedziała przy stole, i wtedy natychmiast byłam usadzana między nimi. Wręczano mi pajdę chleba z masłem i łyżkę. Na stole stała gigantyczna patelnia pełna odsmażanych ziemniaków z cebulą, czosnkiem, słoniną i majerankiem. Do tego kefiru, co niemiara. Wszyscy rozmawiali i było bardzo miło, rodzinnie. Potem kobiety sprzątały ze stołu, stawiały szklanki i wielką metalową bańkę z kwasem chlebowym. Uwielbiałam go! To był taki świetny napój! Coś jak piwo karmelowe, ale bardziej kwaskowy, gazowany, pycha! Zupełnie jak u babci Stefy.

W domu odmawiałam kolacji i mama śmiała się, że jestem taka sama powsinoga jak w Szafrankach, na polskiej wsi, do której jeździłam na wakacje.

Miałam mnóstwo kolegów Rosjan, przyjaciółkę Węgierkę i sąsiadów — Kubańczyków i Bułgarów. Z wszystkimi gadałam po rosyjsku. W końcu zaczęłam lepiej mówić po rosyjsku niż po polsku i mama... załamała ręce. Wolałam nawet rosyjskie książki, bo lepiej mi „wchodziły", a baśnie były ciekawsze od naszych Panów Twardowskich, Smoków Wawelskich, wierszy Tuwima i Brzechwy, które znałam już na pamięć.

Wspominałam już, że w klasie miałam koleżankę Olę, która ewidentnie była opóźniona umysłowo czy też raczej była „inna" umysłowo. Rosjanie mówią *jurodiwaja*. Ola nie mogła zapanować nad kaligrafią i matematyką, wszelkie ryzy, ramki były dla niej powodem do omijania ich. Jej temperament nie pozwalał jej na piękne szlaczki czy wypracowane literki, a żmudne dodawanie lub mnożenie było nudne. Zanim jednak Olę skierowano do szkoły specjalnej, zdarzyło mi się, niechcący całkiem, trafić na podwórko, na którym mieszkała Olka. Mieszkała z babunią i mamą. Mama pracowała i Olę „hodowała" babcia. Uradowana Ola kazała usiąść mi na łóżku polowym wstawionym pod wielką jabłoń pełną kwiatów i pszczół. Na łóżku wietrzyły się jakieś piernaty.

— Chcesz? Opowiem ci baśń! — zapytała Ola i zaczęła opowiadać.

Cóż to była za baśń! Cóż to była za opowieść! Ola włożyła w nią całą swoją duszę i z maestrią modulowała głos, zniżała go do szeptu lub naśladowała bohaterów. Widać było, jak babcia opowiadała jej bajki. Treść była zawiła, ciekawa, pełna zwrotów akcji i niebezpieczeństw. Był i car, i caryca, królewna i książę, i miłość, i wyprawa, i ziejące smoki, i zaczarowane gęsi, i żywa woda... Siedziałam z godzinę, tyle trwał spektakl Oli. Do domu wróciłam z wypiekami, pełna zachwytu. Dziewczynka, zupełnie pogubiona w „normalnym" świecie, odnalazła się w świecie baśni.

Mama nie była skora dzielić moich zachwytów literaturą dla dzieci w języku rosyjskim. Fakt, że wolałam coś opowiedzieć po rosyjsku, dobił ją ostatecznie, a siedzenie w domu doprowadzało do rozstroju nerwowego.

Była też słynna historia z metra.

Łatwo nawiązywałam kontakty, a Rosjanie też nie byli

mrukami i długie podróże autobusami lub metrem skracali sobie, gawędząc. Tak więc paplałam z nimi jak najęta, a mama czasem musiała coś odpowiedzieć potwornie niezdarnym rosyjskim. Kompletnie nie miała słuchu językowego. Gdy więc coś odpowiedziała swoim poranionym rosyjskim mojemu rozmówcy, chłopina zdumiał się i rzekł:

— No, ale ciekawostka! Matka cudzoziemka, a córka *russkaja*!

To ostatecznie skłoniło mamę do decyzji ratowania nie tylko mnie przed zruszczeniem, ale też innych polskich dzieci w Moskwie. Wybrała się do ambasadora i poprosiła o jakiś lokal przy ambasadzie, bo chce zrobić kursy języka polskiego w BRH. Dzieci kaleczą język ojczysty i zapomną mowy polskiej. Będzie to robiła nieodpłatnie, bo to jest jej misją! Powiedziała tak, bo czuła, że ambasador wykręci się brakiem kasy. Tak powstały pierwsze kursy języka polskiego w Moskwie dla dzieci polskich. Wiem, że później ewoluowały w szkołę. Słyszałam o niej, o podstawówce, później też chyba liceum, od różnych znajomych spotykanych w Warszawie, już jako dorosła niemal osoba...

Ja i moja rosyjska lalka Masza.

Tak więc mama zorganizowała owe kursy, które odbywały się popołudniami w salce budynku BRH, a czasem w prywatnych mieszkaniach.

Moskwa stała się moim drugim miastem. Już jako pierwszoklasistka mogłam poruszać się swobodnie po mojej dzielnicy. Z mamą zapuszczałyśmy się na „kołchoźny rynek", bazar, na który Ormianie i Gruzini przywozili swoje warzywa i owoce, a prywatni hodowcy z Białorusi i Ukrainy, jak też z podmiejskich gospodarstw, sprzedawali mięso, drób i ryby. Mama lubiła tam kupować. Być może dlatego, że wszystkiego było dużo, kolorowo i pachnąco. Owoce z Gruzji większe i smaczniejsze. Ziemniaki tańsze i lepsze niż w sklepie, a mężczyzna sprzedający mięso był o wiele milszy od gburowatych ekspedientek sklepowych zachowujących się jak księżne!

Mama i ja, małe drobne blondyneczki, budziłyśmy u czarnookich i czarnobrewych Ormian i Gruzinów zrozumiałe zainteresowanie. A gdy chętnie wdawałam się z nimi w pogawędki, znów było zdziwienie:

— Mama Polka, a córka jak Ruska gada!

Teraz już mama tylko śmiała się i zalotnie odpowiadała:

— Wot i zagadka!

Lubiłam też jeździć z mamą do „Det'skiego Miru" — ogromnego domu towarowego, w którym kupowałyśmy jakieś rajstopy lub spodenki na wuef, a potem spacerowałyśmy długimi alejkami między stoiskami z furą zabawek. Wielki dom towarowy był nafaszerowany prostym i tanim sprzętem sportowym dla dzieci i każdą, nawet biedną rodzinę stać było na sanki, piłkę, rakietki do ping-ponga, hula-hoop czy narty biegówki. Odrobinę droższe były łyżwy dopinane, figurówki i „hokeje". Było tam też mnóstwo tanich i drogich, pięknych i brzydkich zabawek. MNÓSTWO. Najtańsze były skakanki, hula-hoop i piłki gumowe, duże, czerwono-granatowe, świetne do gry w zbijaka. Tanie też były gry planszowe, namiętnie kupowane przez rodziców. Wieczorami na podwórkach sporo młodzieży siedziało przy stolikach lub w altanach (!). Tam grało się w szachy, warcaby i chińczyka. Sporo było zabaw edukacyjnych. Pod planszami były przewody, bateria i żaróweczka, w rękach trzymało się metalowe pałeczki w oprawce z ebonitu i po dotknięciu odpowiedzi na dane pytania, żarówka świeciła się lub nie.

Były też lalki. Różne — duże i małe. Dziewczynki w sukienkach i bobaski. Plastikowe i z materiału. Różowe, żółte, czarne. Lalkę to ja miałam, ale byłam najszczęśliwsza, gdy mama dała się uprosić i kupiła mi garnki do gotowania. Dość duże jak dla dziecka, z prawdziwego aluminium i MOŻNA BYŁO W NICH GOTOWAĆ NAPRAWDĘ! Patelenka była taka, że można było na niej usmażyć całe jajko! Jednak najlepiej było położyć ją na kaloryferze z kawałkiem czekolady od wujka Cypriana i potem palcem ściągać taką roztopioną masę wprost do ust! Wymyśliłam coś, co po latach nazywa się nutella!

Najbardziej upragnioną zabawką, którą dostałam dopiero na gwiazdkę, był porcelanowy, śliczny serwis obiadowy dla lalek, wymalowany w niebieskie kwiatki z jakimś złocistym pacnięciem obok. Waza do zup, talerze głębokie i płytkie, półmisek i SOSJERKA! Uwielbiałam się nim bawić. Wkładałam mamy spódnicę i byłam dorosła.

Zimą dostałam też moje pierwsze figurówki i chodziłam z Rimką na lodowisko dwie przecznice dalej od naszego domu, do klubu sportowego. W Moskwie zimą było bardzo dużo lodowisk. *Liutaja zima*, jak mawiają Rosjanie, ściskała mrozem w listopadzie i trzymała do marca. Przy bardzo niskich temperaturach kontynentalny klimat sprawiał, że pamiętam dużo, dużo słońca błyszczącego w śnieżnych płatkach. Na podwórkach dzieciaki ślizgające się, budujące fortece i zamki. Zamarznięte lodowiska i jeziora (np. przy monastyrze) z mnóstwem ślizgających się ludzi. Jazgot i gwar wypełniał parki, podwórka i wszelkie obiekty sportowe.

Wiecie, co w tym pudełeczku mam?! Mój własny aparat fotograficzny! Stąd ta mina!

W zimowe niedziele ojciec zabierał mnie za miasto. Wysiadaliśmy z podmiejskiego pociągu gdzieś w polu, zakładaliśmy narty biegówki i szliśmy w śnieżną dal, pełną oszronionych widoków, które utrwaliliśmy na kliszach aparatów. Tato w swojej lustrzance, ja w aparacie Zorka albo Smiena. No, w każdym razie SAMA robiłam zdjęcia SWOIM aparatem! Z tatą! Było wspaniale.

W jakiejś przydrożnej jadłodajni posilaliśmy się gorącą herbatą i parówką z bułą pszenną i mocną musztardą, po czym wracaliśmy bezkresami śnieżnymi na kolejową stacyjkę. Robiło się już ciemnawo. Pociąg przywoził nas do Moskwy. Potem już tylko metrem do Pierogowki, a tam autobus do naszej dużej ulicy, od której jeszcze dochodziliśmy parę uliczek do domu. Mama czekała już z gorącym rosołem, w którym pływały ruskie *pielmieni* — pierożki z mięsem podobne do polskich kołdunów. A na deser kisiel żurawinowy. Półpłynny i kwaśny.

Życie towarzyskie w Moskwie nie było zbyt intensywne. Inni pracownicy ambasady, biur i BRH spotykali się na brydżu, wódce, śledziu i namiętnie obrabiali sobie tyłki. Z nudów, z przyzwyczajenia... Nie były to szkodliwe „obróbki", bo wiadomo było, że między nimi ktoś mógł być „kablem" albo w firankach wisiało „coś z antenką". Moi rodzice uznawani byli za dziwaków, a tato — niepijący mruk — za „kabla". Nie bywali na takich spotkaniach. Woleli świeżo poznanych sąsiadów z naszego domu. Jednak oprócz miłych, sąsiedzkich przyjaźni z Olahami czy Szymańskimi mieliśmy jeszcze dalszych znajomych.

Oczywiście, było też i moje zdjęcie na „deskach". Ale przepadło w czasie kolejnej przeprowadzki. Można sobie wyobrazić, patrząc na Zdzisia, jak nam było dobrze razem w trakcie takich wypraw „w świat".

Zaprzyjaźnił się z naszą rodziną samotnik, Cyprian. Mieszkał bez żony w moskiewskim mieszkaniu i często bywaliśmy u niego na pogaduszkach. Albo on u nas. Był przy kości, lekko łysiał i miał w sobie coś ze Zbyszka Cybulskiego, tyle że nie nosił okularów. Raz zadzwonił do mojej mamy w panice, bo musiał po południu przyjąć kogoś ważnego. Powinno to być małe przyjęcie, ale Cyprian nie miał na to ani czasu, ani pomysłu. Maryna spakowała mnie, umówiła się z ojcem już u Cypriana i poleciła spoconemu z przerażenia Cypkowi lecieć do sklepu po zimną wódkę i ziemniaki. Ojcu zaś wpaść po drodze do rybnego po śledzie, cebulę, olej i śmietanę. Same wzięłyśmy się do sprzątania kawalerki Cypka. Na stole pojawiły się śledzie w oleju słonecznikowym, inne w śmietanie, wódeczka i ziemniaki w mundurkach, na gorąco. Cyprian nie był do końca przekonany, czy to wystarczająco wykwintne, ale musiał swoje wątpliwości schować w kapcie, bo gdy wychodziliśmy od niego, po schodach zmierzali ku niemu goście...

Następnego dnia mama została okrzyknięta aniołem i zbawicielką, bo Wielki Oficjel był zachwycony niecodziennym przyjęciem. Kawioru, łososia, jesiotra i szynek miał „po kokardę". Mama przyznała, że to nie ona jest autorką sukcesu.

Trzeba też tu wspomnieć o innych znajomych moich rodziców. To byli ludzie kompletnie niezwiązani z pracą ojca. Treniewowie byli starą, szlachecką rodziną o polskich korzeniach. Pochodzili z kresów. Babcia Treniewowa miała jakieś polskie korzenie i swoją córkę, Gabrielę, nasączyła tą polskością. Jedna z córek Gabrieli, Marinoczka, studiowała i ją lubiłam bardziej, bo była wesoła i dowcipna, a druga pracowała już i właśnie wychodziła za Borysa, wysokiego, przystojnego moskwianina o ogromnej kulturze. Mówiono do niej Wieta — od Cwiety. Była poważna i skupiona na zamążpójściu. To był dom z tradycjami kultywującymi arystokratyczne obyczaje i tradycje. Było tu jakoś dostojnie i jednocześnie bardzo rodzinnie i miło.

Babcia Treniewowa opowiadała przy stole, jak to kiedyś w majątku ziemskim, w którym się wychowała, obowiązywał zwyczaj hucznych zabaw w karnawale. Każda pani domu stawała na głowie, żeby podjąć sąsiadów zaskakującą kuchnią, wymyślnymi daniami i świetną zabawą. Na młodą panią Treniew przypadł ostatni bal w karnawale. Dramat! Wszystkie kulinarne cuda i nowości już wyczerpano, a powtarzać się?! Nie, nigdy w życiu! Gdy do młodych Treniewów zajechały sanie z sąsiadami, gdy goście, otrzepawszy się ze śniegu, wkroczyli na pokoje, ich oczom ukazał się pięknie ubrany stół: długaśny i pokryty białymi obrusami, a na nim półmiski srebrne i kryształowe oraz baterie zmrożonej na „olej" wódki. Gości usadzono za stołem, a wtedy służba wniosła wazy pełne... ziemniaków w mundurkach. Okazało się, że na półmiskach królują śledzie i tylko śledzie! W ogromnej różnorodności: w oleju z cebulą, w śmietanie i majonezach, z grzybami solonymi i „pod pierzynką" (to jest śledzie leżące na cebuli uprzednio zblanszowanej w occie, pokryte tartymi buraczkami i gęstą śmietaną na końcu). Także smażone w zalewie octowej, marynowane, korzenne, w białym winie i w czerwonym... No i została młoda pani Treniew okrzyknięta królową karnawału i długo jeszcze jej sława (jej i śledzi) rozlewała się po majątkach.

Ostatnią naszą znajomą i przyjaciółką domu (pamiętam dobrze, bo była niezwykła) była Ania Onderko, koleżanka taty z BRH. Ania była bardzo kobieca, taki trzpiot. Chyba miała jakieś osobiste problemy, bo miewała czasem mokre oczy, ale była duszą towarzystwa. Świetnie znała rosyjski, francuski i niemiecki chyba też, a to pomogło jej kiedyś w zabawnym zdarzeniu.

Gdzieś w Moskwie, na ogromnym skrzyżowaniu Anka kompletnie się pogubiła i została na czerwonych światłach gdzieś pośrodku. Milicjanci nie mieli w zwyczaju cackać się z niesubordynacją i mogli być niemili. Bardzo nawet. *Milicjonier* podszedł do Ani i w krótkich, żołnierskich słowach „zawarł był swoje niezadowolenie", czyli opieprzył ją po prostu. Anka, pozbierawszy do kupy swą odwagę, zaczęła mu się tłumaczyć, ale... po francusku, nie stawiając przecinków. Chłopisko odprowadziło ją do chodnika i, odchodząc, mruknęło naburmuszone:

— Bą, bą, bą, a lezie jak krówsko!

Pani Ania zaczęła jakoś rzadziej u nas bywać i kiedyś ojciec przyniósł hiobową wieść, że po ciężkiej i krótkiej chorobie zmarła na raka.

W domu na Sawińskim żyliśmy sobie jak u Pana Boga za piecem. Mieszkaliśmy na drugim piętrze, a naprzeciwko naszych drzwi Olahowie, węgierska rodzina. Pani Eva, Ondrasz, jej mąż, i Gabi, moja przyjaciółka. Urokliwi oboje, z miejsca zaprzyjaźnili się z moimi rodzicami. Ona, niewysoka brunetka, ładna i kobieca, w stylu mojej mamy. On, wysoki, ciemny blondyn w stylu Yvesa Montanda, przystojny i z temperamentem. Okazało się, niestety, za dużym i wkrótce Olahowie się rozwiedli. Ja i Gabi spędzałyśmy masę czasu na wspólnej zabawie. Gabi często siedziała u nas, gdy jej rodzice się kłócili.

Gabi – moja najukochańsza przyjaciółka.

Miała śmieszny akcent, była bardzo ładna i pogodna. Ja miałam dwa blond warkoczyki, Gabi dwa czarne, grube warkocze, lśniące jak smoła, i grzywkę. Lubiła mi opowiadać o Budapeszcie, o zwyczajach węgierskich, chętnie tańczyła i śpiewała. Ogromnie przeżywała niesnaski rodziców.

Eva, jej mama, zaprzyjaźniła się z moimi rodzicami i do dziś twierdzi, że tylko oni uratowali ją od ciężkiej depresji, wysłuchując jej, przytulając i rozumiejąc. Wiele lat później, ilekroć byliśmy na Węgrzech, Eva zachowywała się jak najbliższa rodzina. Choć kontakt z Gabi po wyprowadzce z Sawińskiego urwał się, to przysłała mi swoje zdjęcia ślubne, a przy spotkaniu lata później znów czułyśmy dużą bliskość. Rozwiodła się z kiepskim mężem, Węgrem, a parę lat później, gdy jej córka, Kristina, była już pełnoletnia, wyszła za Żyda szwajcarskiego pochodzenia, poznanego w Anglii. Zamieszkali w Izraelu i z trudem dorabiali się czegokolwiek.

Dziś, w obliczu wrzenia na Wschodzie, niepokoję się o nią. Na zdjęciach z obecnym mężem jest wciąż piękna.

Nasze podwóreczko na Sawińskim było bardzo zaniedbane, więc my, mieszkańcy, wzięliśmy się wszyscy do jesiennych porządków. Pod murem zrobiliśmy grządki. Każda rodzina miała swoją. Na jednej grządce każda mamusia zasiała jakiś szczypiorek, pietruszkę, groszek pachnący i kwiatki. Z reszty zrobiliśmy trawiaste podwórko, a pod niewielką lipą mężczyźni sklepali z desek ławeczki i stół. Obok zrobili piaskownicę dla maluchów Mireczka i Ani od Kozłowskich, bo Płamen, Bułgar, miał cztery miesiące i do piaskownicy się nie nadawał. Wieczorami w lecie wylegały rodzinki do ogródka. Tatowie rozmawiali o polityce, mamy o różnych tam rzeczach. Ja namiętnie grałam w klasy, za bramą od ulicy, z Rimką i Mariną. Pan Kozłowski jako jedyny miał samochód i wieczorami dzieci stały i czekały, aż podjedzie swoim jasnym mercedesem. Czy może oplem? Nie pamiętam.

Eleonora Własowa, primabalerina. Tu w roli Odetty z Jeziora Łabędziego.

Moi rodzice skwapliwie korzystali z dóbr kultury Moskwy. Zabierali mnie do galerii malarstwa, muzeów, a raz byłam nawet z nimi w parku Gorkiego, do którego, owszem, ciągnęło mnie do wesołego miasteczka z gigantycznym, diabelskim młynem, ale tym razem był to późny, letni wieczór. Byłam bardzo zdziwiona, gdy mama powiedziała mi, że idziemy do letniego teatru na balet. Opowiedziała mi libretto. To była piękna baśń o królewnie zaklętej w łabędzia. Siedziałam na ławce urzeczona i natchniona. Bardzo mi się podobało! Nawet to, że skończyło się o dwunastej w nocy!

Dziś mogę być dumna. Widziałam w roli Odetty samą Eleonorę Własową, primabalerinę słynną jak Margot Fontine na cały świat! A Wieta zdobyła mi jej autograf!

Ja na balkonie jako Odetta.

Było też inne wydarzenie.

Byliśmy w Moskwie już wystarczająco długo, by oboje, Zdzich i Maryna (mama i tata), popadli w nostalgię za Polską. Ucieszyli się więc ogromnie, gdy udało im się kupić bilety na przedstawienia Teatru Powszechnego z Warszawy. Przyjechał on na gościnne występy do Moskwy z *Weselem* Wyspiańskiego i *Przedwiośniem* Żeromskiego. Było wyreżyserowane przez Adama Hanuszkiewicza w formie szopki krakowskiej. Scenografia i kostiumy zachwycające, projektowane przez Adama Kiliana.

Rodzice, wiedząc, że spektakl odbędzie się w Wielką Sobotę (według polskiego kalendarza świąt religijnych), kupili kopę jaj i usiedli do malowania. Pamiętam ten wieczór, bo po raz pierwszy widziałam ich tak zaangażowanych w malarstwo. Miałam farby akwarelowe o bardzo dużej palecie barw. Była złota i srebrna — nawet! Rodzice pożyczyli je ode mnie, wzięli kieliszki do jajek i cieniuśkie pędzelki. Na pisankach pojawiło się mnóstwo wiejskich domków, bazi i kurczaków, ale też cerkiewki rosyjskie, wdzięczny motyw, choć wymagający szczegółów. Kopułki złociły się i srebrzyły, mieniły barwami jak koguci ogon. Były też maleńkie krzyżyki na kopułach, malowane pędzelkiem do oczu, takoż okna maluteńkie, trawa i ptaszki. Wyglądały imponująco!

Rodzice ułożyli je na dwóch dużych, glinianych, cepeliowskich talerzach, owinęli w piękny papier i wsadzili do wielkiej torby. Tak wyposażeni wybrali się do teatru. W piątek poszli na *Wesele* bez pisanek, a w sobotę na *Przedwiośnie* już z pisankami. W czasie aplauzów i oklasków rodzice przebili się przez tłum do proscenium i wyciągnęli ręce z talerzami ku zdziwionym aktorom. Wiwaty się wzmogły, aktorzy mieli szklisty „perłowy" wzrok, Polacy na sali falowali wzruszeniem.

Ta historia ma ciąg dalszy.

Kilka lat temu oglądałam w TV wywiad z aktorką Teatru Powszechnego. Czy może opowiadał o tym Hanuszkiewicz...? Nie, chyba Zofia Kucówna, grająca w tym *Weselu* rolę Panny Młodej. Otóż nasi aktorzy zabrali jajka do pociągu, którym tej samej nocy po przedstawieniu, bez kolacji, ruszyli do Polski, by zdążyć jeszcze na kawałek świąt do rodzin. Okazało się niestety, że brak było w składzie wagonu restauracyjnego, czy też po prostu zabrakło rubli, a u konduktorki możliwy był tylko *goriaczij czaj* (gorąca herbata), podawany po rosyjsku w szklankach osadzonych w metalowych, rzeźbionych „trzymadełkach". Niestety, był tylko ten *czaj*, żadnych kanapek czy słonych paluszków... Zmęczeni nieludzko i głodni aktorzy nie śmieli napocząć tych cudnych, z serca danych pisanek. Jednak uradzili wspólnie, że droga daleka i trzeba coś zjeść. Siedzieli tak oto w przedziale, obierali te jajka z kolorowych, ślicznych skorupek, oblewając je łzami żalu i wzruszenia i... zjadali bez soli, wdzięczni anonimowym darczyńcom za niespodziewaną kolację.

Tato zawsze usadzał mnie na tle czegoś interesującego, czego władze radzieckie nie pozwalały fotografować. Wykpiwał się, że fotografuje dziecko.

Żałuję, że kiedy usłyszałam tę historię, ojciec już nie żył.

Ogromnie dużo czasu spędziłam z tatą i mamą na spacerach po starych zakamarkach Moskwy. Ojciec chodził z tą swoją lustrzanką i obfotografowywał wszystko, co było stare i piękne. Zrobił wielką dokumentację starej architektury moskiewskiej — kamieniczek walących się, podwórek, niesamowitych cerkiewek, z których niewiele ocalało.

Narobił tego na wąskiej i szerokiej taśmie mnóstwo. Odbitki zajęły walizkę. W osobnym pudełku — taśmy. Niestety nic nie przetrwało — mama zawieruszyła to podczas kolejnej przeprowadzki. Ja byłam w innym miejscu zajęta dziećmi, życiem i nie zapanowałam w porę nad ową walizką, sądzac, że po śmierci tatki to maminy skarb. Okazało się, że nie. Szkoda.

Oczywiście architekturę, sztukę, obrazy czy muzea pamiętam znacznie słabiej od zwierzęcych doznań smaku i zapachu. Mama, zawsze śmiejąc się, komentowała mój apetyt: „Oj, Gonisiu, ty żyjesz, żeby jeść!" Cóż, dzieci tak mają.

Smaki. Smakiem upragnionym z tego okresu jest coś, czego w Polsce nigdy nie spotkałam ani wtedy, ani potem. Wobła. Kiedyś byłam u Mariny. Była pora wieczorna, po kolacji. Mężczyźni pili piwo, kobiety kwas chlebowy, wszyscy coś tam żuli. Posadzili mnie za stołem, dali kwasu i spytali, czy chcę wobły. Dostałam do ręki suchy kawałek ryby. Ale świetne! Wobła to rybka słodkowodna, namoczona w solance w całości, z trzewiami i skórą. Potem ususzona lub najpierw podwędzona i ususzona na wiór. Paski mięsa (bo skórę z łuską zdziera się) zjadało się jako zakąskę do piwa. Amerykanie mają swoje surowe, suszone mięso z bizona lub konia. Rosjanie — wobłę. Trudno było ją kupić. Była rarytasem, ale moja mama tego nie rozumiała. Wolała upiec „gniotek" — ciasto na proszku z dżemem z czarnej porzeczki, posypane cukrem pudrem. Ja nigdy nie kochałam słodyczy, a uskładane kopiejki przepuszczałam na najlepsze w świecie kiszone ogórki, paprykę z warzywami kiszoną przez Ormian, wobłę i kwas chlebowy.

Wkrótce dojechał do nas mój przyrodni brat Wacek. Naprawdę miał na imię Wiktor i w rodzinie wszyscy mówili „Witek", ale u nas w domu był Wackiem. (Mam dwóch przyrodnich braci. To synowie taty z pierwszego małżeństwa, z panią Wandą).

I oto nagle pani Wanda napisała do Moskwy, że Witek źle się uczy, ma z nim kłopoty wychowawcze, więc niech tatuś się teraz nim zajmie. Byłam szczęśliwa!

Pamiętam Wacka z wakacji, które, gdy byłam małym brzdącem, spędzaliśmy razem na wsi. Uwielbiałam moich braci i tęskniłam za nimi. Inni mieli rodzeństwo w domu, przy sobie, a ja? Ja wreszcie też miałam i to od razu starszego brata!!! Przyjechał śmieszny szesnastolatek ostrzyżony na jeża. Trochę przymilny, trochę buńczuczny. W swojej rodzinie pełnił rolę brzydkiego kaczątka, więc moja mama natychmiast otoczyła go serdeczną troską. Obydwoje się dogadali, bo Wacek namlaskać się nie mógł, jak mama robiła ruskie pierogi albo śledzie z cebulą i cytryną w oleju słonecznikowym. Było jej bardzo miło, że ktoś docenia jej kuchnię. Za „gniotka" Wacek dałby się zabić! Lizus.

Rodzice teraz więcej czasu musieli poświęcić „trudnemu" Wackowi, więc moja fantazja mogła rozwijać się bez przeszkód. Spędzałam czas z Gabi albo Rimką i Mariną. Czasem z chłopakami zapuszczaliśmy się w rejony zakazane, na przykład na budowy. Było tam tyle skarbów! Zbieraliśmy karbid i „wybuchaliśmy" go w butelkach po kefirze. Znajdowaliśmy śruby i mutry i chłopaki nauczyły mnie strzelać z tych śrub. To tak, jak przedwojenne strzelanie z klucza. Dziś nikt tego nie umie i nie wie, o co chodzi!

Pewnego dnia tato wrócił z pracy z... psem! Gdy byłam malutka, też w domu były psy, ale ich nie pamiętam za dobrze. Ten był cudnym przybłędą! Dość duży, biały „futrzak" (owczarek nizinny, polski). Zza białych kłaków nie było mu widać oczu. Nie wiedzieliśmy, jak mu dać na imię. Wymyślaliśmy więc Reks, Bary, Tornado (to ja!). Nie reagował. Wreszcie mama przypomniała sobie książkę pana A.A. Milne'a i zawołała: „Kubuś!", a pies natychmiast wstał i zamerdał ogonem. Wacek orzekł, że to musi być jego imię. Z czasem też pojawił się żółw Maciek i tak z psem i żółwiem dość szczęśliwie mieszkaliśmy na Sawińskim Pierieułku.

Myślałam, że Wacek będzie moim rycerzem i obrońcą, ale on sam był w wieku, w którym rosną rogi i głupieje się strasznie, więc żarliśmy się niemiłosiernie. Jakieś nieporozumienie mogło urosnąć do potężnej awantury. Darliśmy się na siebie i wyzywali od najgorszych, by po godzinie siorbać kwas chlebowy i zaśmiewać się z byle powodu.

Raz wycięłam Witkowi niezwykły numer. Siedziałam w pokoju i coś tam sobie obmyślałam, trawiłam jakąś awanturę, w której Wacek mnie przekrzyczał, i postanowiłam mu wreszcie wygarnąć. Poszłam do niego do pokoju i stanęłam za plecami. Witek odrabiał lekcje. Obok jego zeszytu leżały nożyczki, które wzięłam, rozłożyłam i... wbiłam mu w wierzch dłoni. Zawył. Powinien mnie zabić. Nie pamiętam zakończenia. Rodzice z pewnością mnie ukarali. A Witek? Następnego dnia już zapomniał i pewnie zajadaliśmy się piniowymi albo cedrowymi orzeszkami, albo żurawiną w cukrze (owoce żurawiny obtaczane w cukrze pudrze) i przekomarzaliśmy się. Do następnej awantury.

Najważniejsi faceci mojego życia. Za nimi Car Puszka, armata, co nigdy nie wystrzeliła. A zdjęcie robiłam JA!

Pamiętam, że mój brat zabrał mnie kiedyś na plac Czerwony, bym przeżyła przez chwilę prawdziwy kult jednostki. Do mauzoleum Lenina. Po prawej stronie od cerkwi Wasilija Błażennowo stał niewielki budyneczek, taka budowla bez okien, z czerwonych bloków marmurowych, zawierająca w swoich chłodnych wnętrzach zakonserwowane zwłoki wodza rewolucji Włodzimierza Iljicza Lenina. Pomysł z wystawianiem na widok publiczny zakonserwowanych zwłok, ktokolwiek by to był, wydaje mi się dość obrzydliwy. Mama tłumaczyła mi, że ludzie tak go kochali, że nie chcieli dać mu odejść, oddać go ziemi. Też wstrętne. Wtedy jako dziecko dość bezkrytycznie przyjęłam to wyjaśnienie. Chcieli, to mają! Za to byłam ogromnie ciekawa, jak wygląda ta szklana trumna z facetem, który zmarł 40 lat temu i nie jest ładny jak śpiąca królewna.

Codziennie na placu Czerwonym do mauzoleum stały tysiące ludzi w długaśnej kolejce, wolno posuwającej się w mrozie, deszczu, upale. ZAWSZE. Od zbudowania mauzoleum wycieczki z całego ZSRR przyjeżdżały „oddać cichy hołd Wielkiemu Wodzowi".

Najpierw ja i Wacek stanęliśmy na końcu kolejki, gdzieś

u wylotu placu. Jakiś absurd! Przestoimy tak pół dnia! To nie był galop. Posuwaliśmy się niemiłosiernie powoli... Wacek wpadł na pomysł i podszedł do milicjanta (bo kolejka była pilnowana przez milicjantów, jeden co 100 metrów). Pokazał paszport i od razu milicjant przestawił nas o kilku milicjantów dalej. Dlaczego tak? Pewnie według uznania: „demoludy" — do przodu o trzech milicjantów, goście zza żelaznej kurtyny — od razu o sześciu, bo się niecierpliwili i odchodzili ze zbyt długiej kolejki i tym swoim niezrozumieniem psuli morale pozostałych kolejkowiczów. Trzeba było więc umożliwić im dostęp do sacrum. Niech zrozumieją, co mogliby stracić!... Ale nie rozumieli. Ich twarze wyrażały co najwyżej zdumienie, gdy wychodzili z drugiej strony katakumby.

W końcu weszliśmy do środka. Ciemno i zimno. Zanim wzrok przyzwyczaił się do panującego półmroku, zeszliśmy schodami w dół. W sali dość ciemnej pośrodku stał katafalk. No, szklane pudło, a w środku, przykryty po ramiona białym prześcieradłem, żółty jakiś i zmieniony trochę facecik. Ludzie pochylali głowy. Każdy szept był wysyczany przez służby wewnętrzne. Starsi panowie wyciągali z kieszeni wyprasowane chusteczki do nosa i ocierali autentyczne łzy głębokiego wzruszenia. Niektórzy stawali twarzą do Wodza i skłaniali głowy z dostojeństwem i szacunkiem. Inni tylko patrzyli. Wychodzili w ciszy i skupieniu.

— Wacek, dlaczego go przykryli prawie całego? Lidia Fiodorowna mówiła, że tylko do pasa leży nakryty? — wyszeptałam.

— Bo... — Wacek ściszył głos do szeptu — zmarzł chłop! Czułaś, jak tam zimno?

Mało nie udławiłam się, powściągając niedozwolony tam śmiech. Prawie obraziłam się na Witka, bo lekko uległam nastrojowi i żal mi nawet było Lenina. Podobno dzieci lubił i uczył dobrych rzeczy. „Żeby grzecznym być i dobrym dla innych" — mówiła Lidia Fiodorowna...

— Poważnie, chcesz wiedzieć? — spytał Wacek już na powierzchni, w drodze do kawiarni na lody. — Prawda jest taka, że parę lat minęło i chłopina gnije po prostu.

— Wacek! — tupnęłam, sądząc, że to dalszy ciąg kpin.

Przy lodach zrobił mi wykład o białku i bakteriach. Potem poszliśmy do tramwaju, bo Witek koniecznie chciał zakosztować ostrzejszej rozrywki.

W parku Gorkiego było wesołe miasteczko. Wtedy jedno z lepszych w Europie. Był tam też taki „latający młot", urządzenie jak ze szkoły pilotów, kręcące się wokół poziomej osi z okropną prędkością. No i jak to było, że gdy „młot" był u góry, nie spadało się w dół?! Nie wiedziałam, co potrafi zdziałać siła odśrodkowa.

Na diabelskie koło, ze szczytu którego widać było całą Moskwę, rodzice pozwalali nam wsiadać. Na różne „kręciołki" i „fikołki" też, ale na ten młot jakoś nie bardzo. Więc poszliśmy sami, bo nie widać było, że ktoś z niego wylatuje czy spada. Było super!!! Dech mi w piersiach zapierało i nie porzygałam się wcale (o co się bał Witek). Naturalnie wleźliśmy też do beczki śmiechu i tam chyba nawet popuściłam w majtki, tak się śmiałam. Do czkawki! Gabinet krzywych luster znałam już i nie śmieszył mnie. Na koniec Wacek poprosił, żebym mu pozwoliła samemu się przejechać młotem, no i oczywiście nic nie mówiła rodzicom. Nawet kupił mi kiełbaskę z musztardą!

Po wakacjach spędzonych w Polsce (z ciotką Teresą, w Garbatce) wróciliśmy do Moskwy, ale zmieniliśmy mieszkanie. Dostaliśmy przydział na nowe, piękne mieszkanie w nowych blokach przy Leninskim Prospekcie, znacznie dalej niż nasz stary hotel „Jużnaja". Pierwszy rząd domów stał od dawna przy samym prospekcie. Drugi i trzeci w głąb właśnie się budował. Za naszym blokiem rozciągało się ze 100 hektarów sadów kołchoźnych, oddzielonych od nas betonowym murem. W tym nowym mieszkaniu moim rodzicom przypadł dość duży salon z balkonem. Łazienka była mniejsza, ale już mieliśmy pralkę. Kuchnia też mniejsza, ale za to trzy pokoje!

Z okiem mojego (MOJEGO!) pokoju widziałam tylko ten sad. Gdy kwitł w maju, widać było z okna biało-różowy ocean. Mój pokój był prawie tak duży jak pokój mojego kolegi z dzieciństwa, Kubusia. Bardzo chciałam, żeby Kubuś przyjechał i go obejrzał. Kubusia nie było, za to przez ścianę znalazła się fajna koleżanka. Jugosłowianka Miki. Nasze balkony łączyła metalowa kratka, więc często po niej odwiedziałyśmy się, nie musząc biec dookoła, bo Miki mieszkała w sąsiedniej klatce. Gdy nasze wizyty przez kratkę wyszły na jaw, dostałyśmy burę i zakaz takich kontaktów, bo to było... dziewiąte piętro! Wkrótce rodzice Miki musieli wrócić do Jugosławii. Znów zostałam na łasce brata. Witek miał swój pokoik, ja swój, więc po obrażeniu się na siebie mogliśmy się „wyindywidualizować".

Miałam swoje biurko, zabawki, a mama zrobiła mi piękny, piętrowy dom dla lalek. Położyła jeden na drugim dwa prostokątne, wiklinowe kosze na boku. Wnętrze wykleiła bristolem, nalepiła okna, zrobiła firaneczki, a w „Det'skom Mirie" kupiła(!) mebelki z drewna. Kuchnię na parterze zrobiła z różnych pudełeczek po lekarstwach poobklejanych kolorowymi papierkami. Była nawet lodówka! Mieszkały tam małe lalki i misiek.

Oczywiście zapisano mnie do nowej szkoły, która była 30 metrów od mojej klatki schodowej. Wychowawczyni była kostyczna i niemiła. Ławki były pojedyncze i wcale mi się tam nie podobało.

Na podwórku poznałam nową koleżankę, Lizę. Mieszkała z mamą w budynku przy samym prospekcie, na wprost naszych okien. Liza nie miała ojca, w sensie, że z nimi nie mieszkał. Musiał być Kazachem albo Mongołem, może Sybirakiem z rdzennej ludności sybirskiej? Liza bowiem miała lekko skośne oczy, a jej mama nie. Mama Lizy dbała bardzo o rozwój kulturalny córki i Liza chodziła na lekcje fortepianu. U niej w domu nieraz brzdąkałyśmy na pianinie. Lubiła śpiewać. Znała śpiewne dumki ukraińskie.

Zresztą muzykalność Rosjan jest niezaprzeczalna i legendarna. Lizy podwórko, w przeciwieństwie do naszego, było zagospodarowane piaskownicami, drzewami, huśtawkami, trawnikami, na których kwitły kosmosy, łubiny, róże i aksamitki. Wieczorami na ławeczki wylegali mieszkańcy. Siadywali, ktoś wynosił „harmoszkę" i zaczynały się przyśpiewki i śpiewy. Na głosy, pięknie! Jak już pokazały się gwiazdy, pieśni robiły się rozlewiste i tęskne. Mama nieraz zachwycała się, widząc w piaskownicy małe brzdące bawiące się i jednocześnie śpiewające. I jak ich tam siedziało czworo, to na cztery głosy śpiewały.

Jakoś po przeprowadzce Wacek trochę się ustatkował i kończył właśnie jakąś dorosłą szkołę. W czerwcu przyjechał do nas mój drugi brat Mirek. Tata był bardzo szczęśliwy i kupił chłopakom aparaty fotograficzne. On sam nosił dumnie na piersiach starą lustrzankę. Wszyscy modnie ubrani, z okularami przeciwsłonecznymi na nosach, chłopaki w ortalionach, ja w sukience (!) jeździliśmy po wszystkich zabytkach Moskwy. Robiliśmy masę zdjęć. Masę! Jedliśmy też lody i kiełbaski z musztardą. Nawet muzea nie wydawały mi się nudne. Miałam dwóch dorosłych, przystojnych braci! Nosili wąskie spodnie, koszulki polo, a Mirek to nawet czerwone skarpety, i dziewczyny uśmiechały się do nich zalotnie.

To ja i moi bracia na placu Czerwonym. Ja w najlepszej kiecce, oni w najlepszych ciuchach. Ciemne okulary i ortalionowe kurtki czyniły z nich Europejczyków (po lewej Witek, po prawej, jakby nie patrzeć, Mirek).

Lubiłam chodzić z nimi na plac Czerwony, bo obok był duży sklep towarowy „GUM", a nieopodal kawiarnia z lodami podawanymi w metalowych pucharkach. Chłopcy pili do nich *cidr*, leciutkie musujące wino jabłkowe (jak szampan), a ja wolałam świeżo wyciskany sok z granatów albo koktajl mleczny z gałką lodów, prosto z shakera, z pianką. Pycha!

Wszystkich znajomych z Polski tato lubił zawozić pod Moskwę na wystawkę. Był to wielki park pokazujący dorobek gospodarczy Związku Radzieckiego. Park był podzielony na tyle części, ile było republik i w każdej części stał pawilon wystawowy, zbudowany w stylu charakterystycznym dla danego regionu. W środku, na planszach i podświetlanych tablicach pokazywano, czym się dana republika zajmuje, co za cuda techniki lub rolnictwa osiągnęła itd. Śmiertelne nudy dla mnie i chłopaków. Za to fantastyczne były ogromne, złocone fontanny z 12 porami roku i gruzińskie szaszłykarnie z rewelacyjną baraniną, miękką i aromatyczną, pachnącą ogniem! Do tego woda sodowa dla mnie i wino dla dorosłych. W ostateczności piwo, ale Gruzini uważali to za profanację. Spaceru było na pół dnia, więc i parówki kusiły. Gorące, w bułce, z piekielnie ostrą musztardą. I jeszcze lody! I woda z sokiem!

Wracaliśmy do domu zmęczeni i pełni wrażeń. Tam czekała mama, oczywiście z pierogami, bo chłopcy po prostu je uwielbiali. Szczególnie z *riażenką*. To był jogurt, tłuściutki i pyszny, o konsystencji galaretki. Mirkowi bardzo podobało się nowe osiedle i fakt, że było tuż obok Leninskiego Prospektu. Ogromna arteria robiła na nim wrażenie. Sam mógł z Wackiem ruszyć nią w głąb Moskwy na zwiedzanie i randki z dziewczynami autobusami i trolejbusami, w których pieniądze za przejazd wrzucało się samemu do przezroczystego dystrybutora, by pozostali podróżni mogli zobaczyć, że nie oszukujesz, a potem samemu wykręcało się bilet. Samoobsługa! To brzmi jak bajka o żelaznym wilku, wtedy jednak podobno był to system uczciwy i wychowujący w uczciwości. Kolejna utopia.

Oczywiście nie mogłam sama jeździć po Moskwie i nie lubiłam nowego osiedla... Fakt, blok, w którym mieszkaliśmy, był jak wieża Babel. Mieszkały tam rodziny pracowników wszystkich chyba ambasad, biur handlowych i ich przedstawicielstw. Pamiętam, że moja koleżanka z Kenii czy Sudanu, a może z Etiopii, czarna, z buzią pełną białych zębów i z kuleczkami czarnych splotów na głowie, oszalała na punkcie mojej skakanki. Była to dla niej wielka nowość i szalała z radości, gdy mogła na niej skakać. Miki miała lalkę „bobaska", ale o chińskich rysach. Byłam zdziwiona i oczywiście wyraziłam chęć posiadania takiego, ale rodzice nie wykazali zrozumienia dla moich kosmopolitycznych zapędów. Za to coś, co zobaczyłam u znajomej Arabki, nie dało mi spać!

Ta rodzina arabska mieszkała w klatce po prawej i ich córka, młodsza ode mnie ciemnoruda dziewczynka, pokazała mi maleńką szafę, taką 15 na 10 centymetrów, pełną maleńkich replik dorosłych ubrań. Czego tam nie było! Bluzeczki, spodenki, sukienki balowe z muślinu, piękne jak z bajki, kostiumiki, swetry i miniaturowe pantofelki. Wreszcie Ruda (nie pamiętam jej imienia) pokazała mi właścicielkę tego wszystkiego. Lalkę o wąziutkiej talii, długowłosą i pięknooką, z dłońmi smukłymi jak u Ani Onderko. Jej!!!

— *That's Barbie* — przedstawiła nas sobie.

W nocy śniłam o Barbie. To był prawdziwy, dziecięcy szok.

Byłam zapraszana do domów, więc u tej Arabki zdziwiłam się, że w pokoju nie ma stołu wysokiego, jak u nas, tylko niziutki, z żółtego metalu, a dookoła poduchy i wałki jak w *Baśniach z tysiąca i jednej nocy* (która stała u mnie na półce, pięknie ilustrowana i oczywiście po rosyjsku. Dostałam ją od Wiety i Borysa). Zaproszono mnie do posiłku. Wszyscy usiedli na poduchach koło stołu i mama wniosła misę ryżu i drugą, ładnie rzeźbioną, metalową, pełną pachnącego gulaszu w gęstym sosie. Nie było ani talerzyków, ani sztućców i oto ich tato wziął w dłoń trochę ryżu, uformował z niego kuleczkę i wziął do ust. Potem palcami zaczerpnął gulaszu i znów do ust. Uśmiechnął się i skinął przyzwalająco głową. Wówczas ichnia mama, z maluchem na kolanach, zaszwargotała coś do córki po arabsku, a ta pokazała mi, że mam jeść. Ten gulasz był ostry i nie smakował mi, więc dość szybko wymigałam się od jedzenia. Rudej też śpieszyło się na podwórko, więc mama szybkimi gestami pokazała nam, że możemy już znikać. Pan domu delektował się gulaszem, zabrał matce malucha i sam wkładał mu do ryjka maleńką gałeczkę ryżu. Żałowałam, że mama Rudej nosi się po europejsku, zresztą jak i tato. Chciałam zobaczyć ich w takich samych szatach, jakie były na obrazkach w mojej książce. Za to kapcie ojciec Rudej miał takie z wywiniętymi czubkami!

Niedługo później sprowadzili się Hindusi. Pani była niezwykle piękna i też przypominała księżniczki z mojej książki. Nawet bardziej, bo nosiła sari. Na jej balkonie często suszyły się, powiewając majestatycznie, jedwabne i muślinowe kawałki materiału, którymi Hinduski misternie się owijały tak, że na dole z przodu miały jakby falbany, by ciaśniej zwinięty wyżej materiał nie krępował im ruchów. Pan Hindus piękny nie był. Miał ospowatą cerę, wąsy i błyszczące jakby od tłuszczu włosy. Nosił zwykłe garnitury, choć czasem wkładał dłuższy, kolorowy surdut.

Kiedy bywałam w ambasadzie lub w teatrze na corocznej choince, widywałam Hinduski w strojach narodowych. Zachwycały mnie małe dziewczynki w maleńkich sari, w złotych japonkach i z pierścionkami na paluszkach u nóg.

Gdy zapomniałam o Barbie, na podwórku pojawiła się nowa atrakcja — kontenery po nowych meblach. Na ogół Niemcy i Holendrzy sprowadzali sobie meble ze swoich krajów kontenerami. Zanim je zabrano, wypełniano je dotychczasowymi, starymi meblami. Mieliśmy raj na te kilka dni! Kontenery, umeblowane i dostępne nam, dzieciakom! Nikt nas nie gonił, a my, głównie dziewczynki, urządzałyśmy tam sobie pyszną zabawę w dom. Wkrótce mi się to znudziło. Zaczęłam tęsknić za Sawińskim, Rimą, Mariną i Lidią Fiodorowną.

Niedługo potem dowiedziałam się od rodziców, że wracamy do kraju. Znów odżyły wspomnienia z Międzynarodowej.

Wiedziałam, że wszystko tam się zmieniło. Byłam bardzo ciekawa i niecierpliwie czekałam na powrót. Był bardzo męczący i na raty.

Powrót z Moskwy

Wróciłam do kraju z mamą ze względu na nowy rok szkolny latem, żeby się zaaklimatyzować na wsi z ciotką, a rodzice (mama po odwiezieniu mnie do Polski wróciła do Moskwy na krótko) zafundowali sobie jeszcze wycieczkę po terenach starej Rusi. Kupioną wołgą pojechali ze znajomymi w podróż dziwną i czasem niełatwą. Dodam, że żona tego znajomego była w zaawansowanej ciaży. Najpierw musieli zdobyć mnóstwo pozwoleń, bo to nie szlaki turystyczne. Szlaków zresztą w Związku Radzieckim wiele nie było, jeśli już to nad Morze Czarne do kilku miejscowości nadmorskich znanych i oswojonych przez turystów, ale żeby ktoś chciał samodzielnie po ich kraju?! Od razu pachniało to szpiegostwem, ale o dziwo, po dokładnym wyrysowaniu i objaśnieniu trasy po terenie nazywanym ze względu na zabytki Zołotoje Kolco (Złote Koło), dostali pozwolenie. W podróży, po właściwie kompletnie nieprzystosowanych terenach (brak hoteli, restauracji czy choćby barów) stale w pobliżu widzieli motocykl lub samochód z milicją, która jawnie ich pilnowała.

Ojciec robił zdjęcia cerkwi, oglądali stare ikony, podziwali pamiątki, które cudem się uratowały przed religijnym pogromem Chruszczowa. Z tej wyprawy rodzice moi przywieźli mnóstwo wrażeń. Z ich opowieści niewiele jednak spamiętałam. Może to, jak się nagle urwała przed nimi szosa i wylądowali wołgą w błocie. Na pomoc ze wsi przypyrkotał traktor — dziw i cudo myśli technicznej, zabytek muzealny. Wytaszczył się z niego typowy rosyjski Wańka w średnim wieku i zdjąwszy czapkę ze zdumienia, zawołał:

— *Jej Bohu, piewryj raz w żyzni inostrancow wiżu!**

Po tej wycieczce, rodzice ostatecznie powrócili z placówki do kraju.

Zaczął się rok szkolny.

Wiem, że dość szybko zaaklimatyzowałam się na Międzynarodowej. Co prawda, wylądowaliśmy znów w pokoju z kuchnią, ale rodzice od razu zrobili mi w pokoju mój kąt, oddzielając go od reszty pomieszczenia cudem wynalazczości ówczesnych stolarzy, tapczano-półką. Na dzień był to regał pionowy, kryjący w sobie rozkładany na noc tapczan. Mieszkania, owszem, budowano, ale tak maleńkie, że bez wynalezienia tapczano-półki w maciupkich pokoikach nowego budownictwa w ogóle nie można by się poruszać.

W moim kąciku mieściło się biurko, sekretarzyk i domek dla lalek, którego Kuba nie wyśmiał. Zaczął nawet przychodzić ze swoimi miśkami. Nasz pies Kuba wzbudził u wszystkich ogromną sympatię, z wyjątkiem sąsiada bez nóg, pana Brańskiego. Pan Brański nie znosił psów, kotów i dzieci.

Szybko nawiązałam kontakt z kolegami z podwórka. Szybko przyzwyczaili się do mnie i wciągnęli mnie do zabawy. Zaczęłam szukać dawnej Międzynarodowej, ale nic już nie było takie samo.

Dzielnice zmieniły się — jak my.

---

* Na Boga, pierwszy raz w życiu widzę zagraniczniaków.

Część 4

Wakacje

Fot. Janusz Czarnecki

Baranów, Szafranki, Puck

Kuba i ja jako dwu-, trzyletnie szkraby pojechaliśmy na wakacje do Baranowa. Pojechał też z nami mój brat, Wacek, bo wówczas, już bardzo dorosły, miał ze... dwanaście lat! Mirek też pojechał, mój drugi brat, ale ponieważ był okropnie dorosły (miał z piętnaście lat!), to prawie go stamtąd nie pamiętam. Kojarzę tylko pożar jakiejś stodoły i wtedy obaj, Wacek i Mirek, uspokajali mnie, bo się okropnie bałam.

Wakacje na wsi były dla nas workiem pełnym przygód i radości. Rano, po śniadaniu, prostym i pysznym (np. chleb ze śmietaną gęstą jak budyń, kasza manna z domową konfiturą), szliśmy sobie, ja i Kuba, na podwórko z Witkiem postrugać patyki. Znaczy to, że Wituś strugał witki wycięte z krzaków leszczyny i „przyrządzał" nam wielce profesjonalne wędki.

Robił to za pomocą ostrego scyzoryka i... języka, wysuniętego aż do brody. Zawsze gdy skupiał się nad jakąś pracą, wyciągał język. Koło dziesiątej szliśmy na ryby! Do wędek, strasznie długich (miały jakieś 150 centymetrów!), Wituś doczepiał mocny, cienki sznurek. Dodawał do tego spławik, który zrobił sam z korka od wina i dudki z piórka. (Dudka to ta rurka pośrodku gęsiego pióra, pusta w środku, odpowiednio „zacięta" nożem, mogła być piórem do pisania lub fragmentem spławika). Potem braliśmy pajdę chleba na przynętę i szliśmy z Witkiem na ryby za stary sad, gdzie w cieniu ogromnych olszyn porastały cichutko rzęsą stawy rybne, prostokątne, małe, podzielone groblami. Tam, ubrani w czarne kaloszki, w sweterkach, bo rano było chłodno, robiliśmy kuleczki z chleba i przyczepialiśmy do czegoś, co powinno być haczykiem, ale nie było, bo Witek nie chciał, żebyśmy się pokaleczyli i to coś było z drucika, ale właściwie niewygięte. Tak więc wędki spuszczaliśmy do wody i cicho czekaliśmy.

My wyjadamy jagody albo kogel-mogel z kubeczków. Kubuś i ja. A Wituś-Wacuś, mój brat, struga nam wędziska z leszczynowych kijów.

Witek miał oczywiście prawdziwą wędkę i szedł na inne stawy albo nad Wieprz, zostawiając nas przy tych stawach całkowicie bezpiecznych. Mieliśmy zakaz wchodzenia do wody pod groźbą obicia tyłka.

Maleńkie rybki podpływały do rozmiękłej kulki chleba i trącały ją pyszczkami. W napięciu czekaliśmy na większe, żarłoczniejsze ryby, żeby uczepiły się haka i siup! dały się złapać. A we wsi (marzyliśmy) byłby aplauz, że takie maluchy i taką rybę złapały! Więc z nudów, chęci zysku sypaliśmy do wody okruszki chleba, na który narybek rzucał się wesoło i zżerał. Bo to były stawy hodowlane...

Z czasem robiło się gorąco i żaby, co rechotały na wielkich liściach (ze śmiechu pewnie), pochowały się pod te liście jak pod parasole. Słońce przedzierało się przez konary olch, rozgrzewając wodę, liście i nas. Witek, mój starszy, mądry brat pokazał mi, jak nie zgubić sweterka, żeby mama potem nie utyskiwała. Trzeba go było zdjąć, jak było za gorąco, i obwiązać się nim w biodrach!

Staliśmy sobie dalej z Kubusiem obwiązani, w kaloszkach i już bez chleba. Czasem idąc na ryby, zaglądał do nas mój tato (jak był w Baranowie i miał urlop) albo mama, żeby sprawdzić, czy żyjemy. Czasem przerywaliśmy nabożną ciszę i zaczynaliśmy sobie z Kubusiem gadać i gadać, zapomniawszy o rybach. Potem biegliśmy do domu przebrać się w krótkie galotki, jako że było południe i robiło się gorąco. Mama właśnie pakowała obiad na wóz, bo gospodarz wywoził nas nad pobliską rzekę. Mama i Witek ładowali na wóz wszystko, co do wieczora byłoby nam potrzebne, bo powrót mógł być dopiero o zachodzie słońca. Normalnie to po obiedzie szliśmy z Kubą do sadu na rozkładane łóżko, gdzie wkrótce dopadała nas drzemka, ale gdy jechaliśmy nad wodę, spaliśmy na wozie albo na kocu rozłożonym pod krzakiem.

Nad rzeką mama i Witek zakopywali „po szyję", w pobliżu wody, bańkę z „zupą NIC". To taki fajny wynalazek z mleka, jajek i wanilii z cukrem. Smakuje jak roztopione, waniliowe lody. Przed wojną we dworach w upały podawana była wprost z chłodziarek (drewniane szafy z kawałami lodu, co się uchował w ziemiankach jeszcze z zimy), a do tego piana z białek w postaci jakby lekkich kluseczek. W koszu, na talerzu owiniętym w ręcznik, leżały naleśniki, a obok, w gazecie, kluski z serem, bańka z mlekiem i słoik dżemu. Taplanie w wodzie, budowa zamków z mokrego piachu i przekomarzanki z Witkiem sprawiały, że wołani na obiad mieliśmy już z Kubą sine wargi i żuliśmy obiad, ledwo ruszając buziami, a półprzymknięte oczy ledwo, ledwo co widziały. Robiliśmy wywrotkę na koc, który Witek z mamą wciągali pod krzaki, i w cieniu spaliśmy snem sprawiedliwego.

Mama w tym czasie czytała, szyła, cerowała. Wacek, uwolniony od nas, szalał w wodzie lub na wozie. Po przebudzeniu bawiliśmy się jeszcze w chowanego, struganie łódeczek z kory lub po prostu szliśmy do pobliskiego lasku po owoce. Umazani, z sinymi językami wracaliśmy, niosąc mamie kilka jagódek w kubeczku, zapewniając ją, że to wszystko, bo jagódki się gdzieś pochowały. Pod wieczór sine ryjki i zmęczony Wituś, mama i ktoś od gospodarzy (syn gospodarza, który zapewne przyjechał po nas) wracaliśmy do domu leniwym stępem. Oczywiście stępem szedł koń, bo my leżeliśmy na słomie i patrzyliśmy w niebo, gryząc słomki. Na wozie telepała się pusta bańka po „zupie NIC". Słońce, czerwone już, ledwo dotykało wierzchołków krzaków, z daleka słychać było ryczenie pojonych krów, a myśmy obmyślali nowy plan zabaw na jutro.

Szafranki — moja mała ojczyzna

Ogromną rolę w moim życiu odegrał nie tylko dom rodzinny i szkoła. Nie tak dawno mówiło się o małych ojczyznach. To podwórka, dzielnice, wsie, nawet babcine obejścia, które ludzie wspominają jako oazę spokoju. W wielkim stopniu ukształtowała mnie moja mała ojczyzna — Szafranki, białostocka wieś, zatopiona gdzieś w rozlewiskach Biebrzy.

Łąki, stóg z sianem, czyli koniec lata.

Fot. Jan Wajszczuk

Moich rodziców w latach sześćdziesiątych nie stać było na wczasy. Zresztą było to pojęcie dopiero rozwijające się i mało kto korzystał z tej formy wypoczynku. Nie każdy (a już na pewno nie ojciec) chciał się podporządkować tym wszystkim wieczorkom zapoznawczym, kaowcom (pan lub pani „kulturalno-oświatowa" organizująca na wczasach czas wolny). Oczywiście byli wielbiciele tej formy wypoczynku. Głównie miastowi. Wszyscy inni, posiadacze bliższych lub dalszych krewnych na wsi, robili im ogromną frajdę (w ich mniemaniu), zwalając się im latem na głowę. Mówiło się: „Jadę do rodziny na letnisko".

Rodzice nie mieli rodziny na wsi, mieli za to w Szafrankach przyjaciół ojca, jeszcze z czasów okupacji. Pod koniec wojny ojciec znalazł przypadkiem urokliwą tę wieś malowniczo położoną tuż nad Biebrzą, koło miasteczka Goniądz. Zaprzyjaźnił się tam z paroma gospodarzami. Gdy w 1955 roku ożenił się, zawiózł tam moją ciężarną mamę na wakacje. Mama też pokochała Szafranki, Biebrzę i tamtejszych ludzi i przez długie lata była to nasza baza wypadowa na lato.

Nauczycielskie wakacje trwają dwa miesiące. Tyle też mogłam z mamą siedzieć sobie na wsi. Kiedy się już urodziłam, mama i tata znów pojechali „na letnisko". Zamieszkali wtedy pod niedalekim od Szafranek Goniądzem, u gospodarzy Pełszyńskich. Na zdjęciach z tamtego okresu widnieję jako tłusty berbeć nieokreślonej płci wystrzyżony na jeża, w koszulinie i śpiochach uciętych pod kolanem. Opalony i roześmiany ryjek świadczy o tym, że jestem dobrze odżywionym i szczęśliwym dzieckiem.

Moja mama chętnie rezygnowała z luksusów domów wczasowych na rzecz szkoły przetrwania u „Pełchów". Do Goniądza, a potem co rok do Szafranek, mama musiała spakować WSZYSTKO. No, prawie wszystko. Do wielkiego kosza z wikliny szła: pościel, garnki, ręczniki, maszynka spirytusowa, latarka, sprzęt wędkarski taty, kalosze taty, mamy, moje etc. To wszystko nadawał tato w przeddzień wyjazdu na pociąg towarowy, na dworcu. Następnego dnia rano, ze mną i psem oraz walizkami i koszem wiktuałów, wsiadaliśmy do pociągu na stacji Warszawa Wileńska. O 6.00 rano. Pociągiem jechaliśmy do Białegostoku i tam, po przesiadce, docieraliśmy do Osowca, gdzie czekała na nas furmanka któregoś z gospodarzy. Cztery, pięć kilometrów od stacji koniem i byliśmy w domu!

Po drodze, w pociągu jeszcze, nie mogłam się doczekać śniadania. To dziwne, ale kanapki w podróży, takie zwykłe, z jajkiem na twardo i szczypiorem, kiełbasą albo białym serem były o niebo lepsze od tych samych na talerzu, w domu. Herbata z termosu, z krążkiem cytryny i cukrem — po prostu poemat! I ściereczka na kolanach, i stukot pociągu, i to, że wakacje! Tak przyjemnie się jadło i tak wszystko inaczej smakowało! Przez okno widać było tyle rzeczy dziwnych, innych niż w mieście! Miasteczka, wsie, krowy na pastwiskach i dzieciaki na rowerach. I stacja kolejowa Tłuszcz. Zawsze śmieszyła mnie ta nazwa. Semafory i ludzie z bagażami wsiadający do pociągu. Dokąd jechali? Bo ja NA WAKACJE!!! Po drodze do wsi, już na furmance, odnajdywałam znane widoki i niecierpliwiłam się wolnym stępem Pełchowej kobyły. O! Już zagajnik! I pola szafrankowskie! I widać dwie wieże kościoła w Goniądzu!

Po przyjeździe mama razem z Pełchową szorowały wodą z szarym mydłem izbę, w której zagnieżdżaliśmy się na wakacje. Potem napełniały słomą pociętą na sieczkarni pasiaste sienniki kładzione na rozklekotanych żelaznych łóżkach. Tato spał na zbitej z desek pryczy, też na pasiastym sienniku. Potem mama okadzała dymem i spryskiwała azotoksem wszystkie kąty i sień, by wypędzić pluskwy, karaluchy, prusaki i pająki. Codziennie też odbywała rytuał wielokrotnego ciągania wody ze studni, grzania jej do mycia i prania. Swoistym wyczynem było załatwianie czynności fizjologicznych w sławojce. Był to drewniany sracz za oborą, w którego wnętrzu lęgły się tłuste białe larwy, ohyda! Stary Pełszyński co tydzień wapnował ten sracz. Wtedy było czyściej i mniej śmierdziało. Ja tam miałam nocniczek, więc mnie to nie dotyczyło... Do czasu!

Skubanie i patroszenie kury na obiad niedzielny też nie było ulubionym zajęciem mamy, ale cała reszta była fantastyczna! Dzika przyroda, prawie nietknięta cywilizacją (elektryfikacja dopiero wkraczała na Białostocczyznę), Biebrza, czyściutka rzeka pełna ryb i raków. Żabie koncerty wieczorem, zapach tataraku, drzewa owocowe w obejściu dające schronienie przed gorącym lipcowym słońcem. Cudowną rzeczą był chleb z miejscowej piekarni, a jeszcze lepszą, gdy Pełchowa sama taki chleb upiekła. Wszyscy lubiliśmy mleko od jej krowy, które i świeże, i zsiadłe warte było poematu. Na śniadania jadało się biały ser i jajka prosto z kurnika, miód od sąsiada, złocisty i gęsty, i chrupiące zielone ogórki prosto z ogródka. Na obiady byle co — gotowane ziemniaki ze słoniną i zsiadłym mlekiem, barszcz, naleśniki z dżemem, placki ziemniaczane albo zacierkę. Na kolacje odsmażane ziemniaki ze zsiadłym mlekiem albo własnoręcznie złowione przez ojca ryby usmażone na smalcu, prosto z patelni.

Czasami i mnie udaje się złowić rybę.
Mój kolega, Staś Sputowski, dopisał wiersz:

Jedna złota rybka
jeden karaś złoty
dwa złote warkocze i pierwsze zaloty
trzy złote życzenia i trzy niespełnienia
niedorzeczne rybki rzeczne wydają
ostatnie tchnienia
cztery złote kosztowało wtedy wiadro
bez reszty złotego milczenia
trzy zioła i jeden cień
mięta, pokrzywa i rdest
Mazowsze, miętus i Małgosia
piąta po południu jest
złote słońce zachodzi
tenisówki się suszą
podpiwek się chłodzi.

Ja bezpieczna, „bezgraniczna", bo w całej okolicy nas znano. Gdy podreptałam gdzieś dalej, to w każdym domu dostawałam pajdę chleba z cukrem, jajem lub śmietaną, a potem odprowadzano mnie do mamy, która na chwilę tylko spuściła z oczu Jasia Wędrowniczka. Bywałam pocięta przez komary, czasem muchy lub gzy — ale to szczegół niewart, doprawdy, uwagi.

Mama wolne chwile spędzała na mereżkowaniu lnianych serwetek, trochę czytała, chodziła z ojcem i ze mną na spacery i patrzyła szczęśliwa, jak ojciec i ja nabieramy zdrowia i radości. Do Szafranek często, jak byłam mała, jeździli z nami moi przyrodni bracia, Mirek i Wacek.

Na jeden z wyjazdów mamie chciało się uszyć nam wszystkim podobne ciuchy. Po pierwsze, z ciuchami to nikt z nas dobrze nie stał, a jak już szyła koszulę dla ojca, to jak nie uszyć dla chłopaków? Był też w tym pewien zamysł, trik socjopsychologiczny. Byliśmy rodziną, więc identyczne ubranie bardzo nas zbliżyło. Mama kupiła mnóstwo flaneli w żółto-czarną kratkę i poszyła z niej koszule dla nas wszystkich. Dla siebie, ojca, mnie — szkraba — i dla chłopców. Tacie i mnie uszyła też szare spodnie, a sobie spódniczkę, bo naprawdę cienko było z wakacyjnym strojem. W sklepach nie było dresów, farmerek i T-shirtów jak teraz. No i łatwiej było uszyć to, co się chciało, niż drogo kupić w sklepach. Nikt z nas nie był wymagający. Na przykład co do spania, to chłopakom bardzo odpowiadało spanie na sianie albo na siennikach wypchanych sieczką słomianą.

Mirek i Wacek byli starsi ode mnie i oczywiście więcej im było wolno. Mama musiała wziąć odpowiedzialność za chłopaków, a wiadomo, co im do głów strzeli?! Pewnego dnia mama robiła coś w kuchni i nawykowo spojrzała za okno. Tam chłopcy, trzymając mnie za rączki (miałam jakieś dwa, trzy latka), każdy po innej stronie, prowadzili mnie, ostrożnie, po płocie. Bardzo grzecznie i powolutku stawiałam nóżki w sandałkach na ostro zakończonych sztachetach. Mama pobladła, widząc oczyma duszy, jak „nawlekam" się na sztachetę, gdy tylko mnie lub któremuś nóżka się powinie. Bała się krzyknąć, bo odwrócę się i stanę małym Azją Tuhajbejowiczem na paliku... Cicho podeszła i lekko zdjęła mnie z płotu. Chłopcom wyjaśniła spokojnie, co mogłoby się stać, a w domu wzięła krople na serce.

Bracia byli dla mnie jak woda i powietrze. Pokazywali mi świat, bawili się ze mną fantastycznie i... bardzo po chłopięcemu. Nauczyli mnie mnóstwa rzeczy. Pamiętam to dobrze, gdy byłam trzylatką, zaprowadzili mnie do stodoły, by pokazać mi malutkie kotki. Kocica okociła się w sianie, na sąsieku. Trzeba było na ten sąsiek wejść po drabinie. Była stara, spróchniała i miała wyłamane niektóre poprzeczki. Pierwszy wlazł Mirek i wisiał z góry, wyciągając do mnie ręce, potem lazłam ja, a pode mną Wacuś z językiem wywalonym na pół brody. Asekurował mnie z dołu. Z moimi braćmi wlazłam i zlazłam, i jeszcze kociaczki widziałam! Kiedy indziej mama przyniosła z targu wielką cebulę. No, nie jedną, mnóstwo. Cukrową, do sałatek. Chłopcy mieli obrać je do obiadu czy kolacji. Mireczek dał mi do łapki taką obraną i powiedział:

— Jedz, Goniu, to jest PYSZNE!

Skoro Miruś tak powiedział... Szłam przez podwórko, jedząc tę cebulę jak jabłko, bo mi brat tak powiedział. Nawet nie krzywiłam się zanadto. Dopiero mama wybawiła mnie od tego szczęścia.

Chodziłam z chłopakami na ryby, gdzie uczynili mnie mistrzynią w nawlekaniu robaków na haczyki. Uczyli łazić po drzewach, łowić palcami raki i jeść je po ugotowaniu w koprze. Uwielbiali chodzić z Władzikiem Krymskim i Staszkiem Gładkowskim na raki. Często pewnie klęli, bo lazłam za nimi wszędzie jak namolna mucha.

Tato z koszykiem na zakupach w Goniądzu — na rynku.

Mama na szczęście nie zastanawiała się, jakie to nieszczęścia mogły mnie spotkać, więc nie zadręczała nadopiekuńczością ani mnie, ani siebie. Była zajęta robieniem dla nas obiadu, cerowaniem dziur i własnym odpoczynkiem w wolnych chwilach. Nie było ich zresztą za dużo, bo nie było żadnych pokojówek i służących, więc wszystko musiała robić sama lub rozdzielać zajęcia chłopakom. Rąbanie drzewa, noszenie wody ze studni, ukopanie ziemniaków na obiad, palenie w piecu, gdy trzeba było zagrzać dużo wody do prania, kręcenie wyżymaczką przy balii. Także aprowizacja szybka, czyli skok do Goniądza (2 km) po chleb albo cukier. Gdy podrośliśmy, już nie jeździliśmy razem na wakacje...

Początkowo, jak pisałam, mieszkaliśmy w Goniądzu, u Pełszyńskich, potem w Szafrankach, już na amen. Najpierw u Albiny i Hipolita Krymskich, później u Mieczysława i Adeli Gładkowskich.

Gładkowscy mieli czworo dzieci: Staśka i Elżbietę prawie dorosłych, Dankę, moją rówieśnicę, i Jankę — najmłodszą. W ich drewnianej chałupie była sień, duża kuchnia i dwa pokoje. Jeden z nich oddawali nam. W tym domu, jak też w każdym innym, nie było łazienki. Oczywiście był sracz obok stodoły. Stoi tam do dziś. Myto się w soboty, tak bardziej dokładnie, a co dzień byle jak w misce, w sieni albo w kuchni, jak nikogo nie było, albo pod studnią. To dorośli. My, bachory, myłyśmy się w rzece codziennie i w soboty w kuchni — bardziej porządnie. To był zresztą cały rytuał.

Ciasnota nam, młodym dziewczynom, nie odpowiadała, więc wyprowadzałyśmy się na sąsiek do stodoły, jak było po sianokosach, na klepisko na słomę lub do namiotu rozbitego w sadziku lub obok domu. Różnie. Było to o tyle wygodne, że nie wchodziłyśmy w drogę dorosłym. Wieczorami myłyśmy się, czesałyśmy ładnie i szłyśmy „na wioskę". Przed domostwami na jednych ławeczkach siedziały gospodynie gawędziarki, na innych chłopi pijący piwo (gdy był to piątek, sobota lub niedziela). My, dzieciaki, okupywałyśmy mostek nad miejscową strugą. Nazywałyśmy go „klubem". Po jednej stronie na betonowym murku siadali chłopcy, po drugiej dziewczynki i zaczynały się końskie zaloty. Te pogaduchy i przekomarzanki trwały do późna i wracałyśmy, gdy rodzice już spali. Nikt się o nas nie bał, bo byłyśmy bezpieczne. Krótkie chlap-chlap pod studnią i na siano spać!

Rano wpadałyśmy do domu, gdzie mama lub pani Adela robiły nam śniadanie: herbata, zimne mleko, chleb, masło, marmolada, jajka w dowolnej postaci, dymka, pomidory i ogórki, czyli rarytasy z obejścia! Wędlin się nie jadało. Było za ciepło i by się popsuły. O lodówkach na wsi nie marzyło się wtedy. Były znamieniem luksusu i nawet miastowi nie mieli ich tak jak dziś, w każdym domu. Radzono sobie inaczej. Mleko chłodziło się spuszczone w bańce do studni, a ziemniaki, smalec i śmietanę trzymano w ziemiance, na wierzchu której układano kamienie. Schodziło się po schodkach w dół i za małymi drewnianymi drzwiczkami była chłodna, ziemista jama, w której nie psuły się warzywa. Także ryby leżące w koszu, w pokrzywach mogły w ziemiance poleżeć jakiś czas. Nie wiem dlaczego w pokrzywach, ale tak zawsze robiono. Trzymano tam śmietanę w gliniaku i mięso w smalcu, zamknięte w wekach, czyli słojach litrowych z szerokim ujściem.

Na zimę chowano tam marchew w piasku i kapustę. Zwykłą i ukiszoną. I oczywiście przetwory.

Za to solona słonina leżała w drewnianej skrzyni na strychu.

W sieni trzymano to, co było potrzebne teraz zaraz. Kosz ziemniaków na obiad, przyniesione z ogródka warzywa, jajka w łubiance leżące na sieczce ze słomy i ewentualne zakupy.

Po śniadaniu szłyśmy do zagajników rosnących za wsią, za pastwiskami jeszcze. Raniutko pełne były maleńkich maślaczków i kurek. W międzyczasie bawiłyśmy się w chowanego albo w strachy. Potem wchodziłyśmy do dużego, wysokiego lasu połazić po drzewach i zobaczyć, czy dojrzewają już jagody na jagodnikach. W brzeźniaku cięłyśmy trochę koźlarzy. Pięknie czerwieniły się w trawie, pod brzozami. Wracałyśmy przez pastwiska i przy odrobinie szczęścia można było na nich znaleźć pieczarki albo kanie. Pieczarki zawsze rosną tam, gdzie sikają krowy albo konie.

Kto był spragniony, wskakiwał do kojca z czyimiś krowami i strzykał sobie do ust mleko prosto z krowiego cycka. Potem gnałyśmy do domu pochwalić się grzybami. Czyszczeniem i marynowaniem grzybów zajmowały się mamy, bo myśmy nie miały do tego głowy.

Czasem, wracając z lasu, zatrzymywałyśmy się koło starej, rozwalonej stodoły stojącej na pastwisku przy drodze za wsią. Mieszkała tam stara Kubiacka (lub mówili też Kukułka), zwariowana baba, którą dzieci drażniły i prowokowały do obelg i wyzwisk. Bałam się jej, lecz kiedyś tak się zdarzyło, że siedziałyśmy z dziewczynkami przy pylistej wiejskiej drodze opodal stodoły starej Kubiackiej i pokazywałyśmy sobie kurzajki. Byłam rekordzistką. W maju mama policzyła ich na moich dłoniach czterdzieści osiem. W czerwcu byłyśmy w salonie kosmetycznym na Świętokrzyskiej, w którym pani kosmetyczka wypaliła mi je urządzeniem elektrycznym rozgrzanym do białości. Ani razu nie miauknęłam nawet! Bolało, ale byłam twarda! Na łapach miałam czterdzieści osiem czarnokrwawych kraterków posypanych riwanolem. Niestety, dwie ogromne kurzaje na kciukach odrosły i właśnie te dwie pokazywałam dziewczynom. Za nami pojawiła się Kukułka. Pokazała paluchem zielsko z żółtymi kwiatkami i powiedziała:

— Natrzyj tym, natrzyj! Przepadno! Zgino!...

Zerwałam, natarłam pomarańczowym mleczkiem jaskółczego ziela i... następnego dnia kurzajki były mniejsze, po kolejnym zginęły! Przepadły na wieki!

Po leśnych zabawach wracałyśmy do domu wygłodniałe, i spragnione. Do obiadu było jeszcze sporo czasu, żłopałyśmy lodowatą wodę, którą Danka zgrabnym ruchem wyciągała haczką (kij z hakiem) ze studni. W sieni smarowałyśmy sobie chleb śmietaną (albo tylko moczyłyśmy w wodzie), żeby go obsypać cukrem, albo odkrawałyśmy po plastrze solonej słoniny leżącej na desce, pod pieluszką chroniącą ją od much. Słonina leżała w grubej soli przez parę miesięcy i miała konsystencję zimnego masła. Kładłyśmy ją na pajdę chleba, uzbrojone w scyzoryk lub ostry nóż, siadałyśmy na drewnianych schodach. Odkrawałyśmy sobie kawałek chleba, słoniny, zagryzałyśmy to dymką. Rewelacja! Nikt nas nie musztrował, żeby siąść „jak ludzie" do stołu!

Przed domem, w cieniu, nasze mamy oglądały przyniesione przez nas grzyby ze znawstwem i pochwałami. Sortowały je — które na zupę, które do marynaty, które na patelnię na wieczór. Przyjemnie było mieć swój wkład we „wspólny garnek"! Czasem dołączałyśmy do nawlekania zbiorów na grubą nić do suszenia.

Tak nawleczone grzyby, całe korale, kolie, wieszło się na ścianie domu.

Gdy pogoda była piękna, gdy nie były to sianokosy ani żniwa, siedziałyśmy prawie cały dzień nad rzeką. Po porannych zajęciach szybkie przebieranko w kostiumy kąpielowe, które pani Adela wyjęła spod maszyny. Kostiumy szyło się ze starych kiecek przychodzących w paczkach z Ameryki. Niektóre te ciuchy były tak zwariowane, kolorowe, że nadawały się świetnie tylko na kostiumy właśnie. Czasem wystarczył kretonik z GS-u (sklep wielobranżowy „Gminna Spółdzielnia"). Wystarczały na rok, bo później się z nich wyrastało. Były naprawdę ładne, a gdy już nam urosły piersi, staniczki Adela pikowała, żeby miały ładniejszy kształt. Elżbiecie wszywała trochę watoliny, bo Ela miała małe piersi.

Nad Biebrzę szło się z burym kocem i butelką wody ze studni albo cienką, słodką herbatą. Mówiło się: „Idziemy do rzeki" jak do kogoś. Ładne!

Fot. Jan Wajszczuk

To jest rzeka, do której się idzie. Koło Szafranek wygląda ciut inaczej.

Do kąpieliska naszego, wiejskiego, szło się boczną dróżką porośniętą po obu stronach krzaczastymi wierzbami. Mijało się stary, rozwalony bunkier zarośnięty trawą i dziurawcem, na który zawsze wchodziła pasąca się tam krowa Olszewskich. Dalej trzeba było przejść przez błotnisty bród, który w sierpniu wysychał, ale w lipcu sięgał nam do pasa. Co roku Biebrza wylewała rozlegle. Potem woda stopniowo osiadała. Dno brodu było ohydne, muliste. Muł przełaził przez palce tłustymi balasami — bleeeeeeeee! Chłopacy często nam dokuczali, że chodzimy po gównach. Rzeczywiście, muł śmierdział jak sto choler! Po przejściu przez bród trzeba było dokładnie obejrzeć sobie nogi, czy czasem nie przyczepiły się pijawki. Nic to, jeśli „ludzkie". Gorzej było, jak „końskie", te zostawiały w skórze wielki krater, z którego krew wypływała jak wściekła i nie dawała się zatamować. To były jednak rzadkie przypadki. Dalej, sto metrów prostej drogi i brzeg rzeki, ukochanego kąpieliska moich dziecinnych lat. Rzeka wijąca się, pełna trzcin po bokach, ale i brzegów łagodniejszych — wychodzących na pobliskie pastwiska.

U nas, koło Szafranek, była płytka, mała zatoczka o piaszczystym dnie, porosła po bokach trzciną i grążelami. Tu taplały się maluchy i kobiety, co nie umiały pływać, i piszczały, gdy tylko zamoczyły uda. Tam też spławiano krowy. Jakieś siedemdziesiąt metrów w lewo, koło kulistego krzaka wierzby rozkładałyśmy bury kocyk. Tam było ostrzejsze wejście do wody, bez trzcin, z małą ostrogą — skarpą do skakania. Jeden metr, dwa od brzegu już nie było gruntu. Ci, co umieli pływać, tacy „dorośli" jak my, pływali tam, ale ostrożnie, bo pośrodku nurt był bardzo wartki, a za krzakiem można się było nieźle zaplątać w podwodne rośliny. Tamta płytka zatoczka dla małych dzieci była też po to, by tam wystartować i płynąć środkiem aż do naszej ostrogi środkiem rzeki.

Pamiętam mój pierwszy pływ! Byłam podekscytowana, jakbym zdawała na kartę pływacką!

Gdy już skończyło się skakanie, pływanie, parskanie i inne rzeczne popisy, siadałyśmy na kocu otulone w ręczniki, bo często przesadzałyśmy z kąpielą. Świadczyły o tym sine usta, gęsia skórka i dygoty. Wystarczyło jednak piętnaście minut na słońcu i znów było nam nieznośnie gorąco.

Chłopacy szczególnie ukochali sobie popisy koło naszego krzaka. Bez żenady zdejmowali spodnie lub szorty i zostawali w byle jakich kąpielówkach, gaciach, co kto miał. Pamiętam chłopaka o przezwisku Niania. Nosił czarne, powyciągane majtki z bawełny, które miał po starszym bracie, a ten po ojcu pewnie. Byli biedni i już. Te gacie nie miały gumki i Niania ściągał je grubym, wojskowym paskiem, wywleczonym ze spodni. Skakali „na bombę" tak, żeby pióropusz wody koniecznie nas dosięgnął. Oczywiście byłyśmy strasznie oburzone każdą taką fontanną, ale kocyka nie przesuwałyśmy, bo co by wtedy chłopacy robili?

Czasem Biebrzą płynęli kajakarze, czasem rybacy w długich łódkach z sieciami. Pytaliśmy więc grzecznie:

— No i jak dzisiaj? Biorą?

Rybacy kiwali głową albo mówili, czy biorą, czy nie, i pozdrawiali nas podniesioną ręką. Do kajakarzy machaliśmy tylko albo pytaliśmy zdawkowo:

— Daleko to tak?

A oni, zmęczeni słońcem i wiosłowaniem, odpowiadali:

— O! Jeszcze, jeszcze!

Oj, jak dobrze się tak leżało na słońcu!

Na niebieskim niebie prawie nie było chmurek, słychać było cykanie polnych koników z nagrzanego ścierniska, a gdzieś wysoko trelował skowronek. Trudno go było zobaczyć pod słońce, ale czasem się dało. Wisiał nieruchomo nad łąkami, taki maleńki, i śpiewał. To jest taki specyficzny wakacyjny dźwięk emanujący świętym i świetnym spokojem. Tego błogiego nastroju nie psuło nic, nawet dorośli, którzy też przychodzili kąpać się w Biebrzy.

Moi rodzice przynosili kanapki, piłkę, kometkę, ringo i nad rzeką robiło się bardziej po sportowemu — gwarniej i weselej. Przyprowadzali ze sobą naszego psa, który chętnie pływał i równie chętnie aportował patyk lub gumowy krążek. Chłopacy od razu zarządzali grę w zbijaka. Mój pies szalał, próbując nam odebrać piłkę. Potem były mecze w ringo i znów pies okazywał się najlepszy. Tato zadziwiał wszystkich pływaniem. Mimo jednej ręki, świetnie pływał. Mama pływała w asyście psa, bo on sądził, że musi ją ratować z wodnej kąpieli.

Często, gdy słońce już „się przegięło" i upał zelżał, przychodził któryś gospodarz spławić krowy i wtedy ssało nas w brzuchu, bo to była już pora na bardzo spóźniony obiad. Wracaliśmy więc wszyscy do domu. Na piecu stała chłodna już zupa (np. szczawiowa ze świeżego szczawiu, gęsta od ziemniaków i tłustej śmietany, albo grzybowa ze świeżych grzybów, z lanymi kluskami, zwykła kartoflanka z zasmażaną cebulą...). Nalewałyśmy ją do metalowych misek i jadłyśmy z pajdą chleba, siedząc oczywiście na schodach. Tak było najprzyjemniej.

Gdy w wiadrze na piecu „dochodziły" już świńskie ziemniaki gotowane z obierkami, wyciągałyśmy po kilka. Na schody, obok siebie, wysypywałyśmy garstkę soli i obierałyśmy je niecierpliwie ze skóry, parząc sobie palce. Wiem, że to niehigieniczne, ale kto wtedy myślał o zarazkach? Zaręczam — NIKT. Mama wynosiła nam zsiadłe mleko w kubkach. Jego chłód i kwaskowaty smak znakomicie pasują do ziemniaka. To jest właściwie prawdziwa polska specjalność. Jedząc świńskie ziemniaki, chichotałyśmy albo po prostu odpoczywałyśmy po dniu pełnym zajęć, a nieskończonym jeszcze przecież.

Moja mama w Szafrankach jadła na obiad wyłącznie ziemniaki ze skwarkami i z zsiadłym mlekiem. Cokolwiek pani Adela proponowała, racuchy, makaron, ryż z czymś tam, mama zawsze mówiła:

— Pani Adelo, ja, jak zwykle, chcę to, co najlepsze, ziemniaki z zsiadłym mlekiem!

Krowy Gładkowskich w lipcu pasły się wieczorami na

podeschłych już łąkach, na które wiosną wylewała Biebrza. Te łąki, ciągnące się od Mietkowej stodoły aż do rzeki, porośnięte były tatarakiem. Po gwałtownym dość wyschnięciu wody tatarak kiełkował bardzo intensywnie i krowy bardzo lubiły młodziutkie liście i chrupiące przy kłączu słodkie zgrubienia. Pani Gładkowska twierdziła, że to właśnie od tego mleko jej krów zsiadało się w postać wyjątkowo gęstej galarety. Gdy wyjmowało się to mleko łyżką wazową z glinianego dzbana, na talerzu leżało w postaci wielkiej, białej półkuli, zupełnie jak gałka ogromnych lodów. Nie rozpływało się. Gdy krowy zmieniały pastwisko, mleko zmieniało swoją konsystencję. Na szczęście smak pozostawał zawsze ten sam. Najczęściej więc jadało się to mleko do wszystkiego: placków ziemniaczanych, racuchów z kwaśnymi jabłkami i cynamonem, makaronu z cienkim pomidorowym sosem, chleba ze smalcem.

Do wieczornego wyjścia na wioskę zostało jeszcze trochę czasu, bo bardzo późno zachodziło słońce. Ubierałyśmy się w dresy i trampki i biegłyśmy na łąki leżące między rzeką a pastwiskami, na których było mnóstwo rozwalonych bunkrów. Penetrowałyśmy je z duszą na ramieniu, bo my, dziewczyny, bałyśmy się duchów. Krążyły o nich opowieści, jakoby są to duchy Niemców, których kości jeszcze ponoć do niedawna walały się wokół bunkrów. Ja bałam się pająków i szczurów. Chłopacy zawzięcie szukali skarbów, łusek, odłamków. Ktoś kiedyś znalazł stary hełm, zardzewiały bagnet...

Gdy nie chciało nam się łazić do bunkrów, szłyśmy w zarośla nad strugą, koło zagrody Wróblów, tych od Haliny i Irki. Rosły tam bardzo długie i cienkie olsze. Właziłyśmy na ich czubki, wiotkie i giętkie, i rozhuśtywałyśmy je na boki. To było lepsze od karuzeli i całego wesołego miasteczka! Jakby matki zobaczyły te brewerie, dostałybyśmy „choler" i może nawet w tyłek za brak rozsądku.

Czasem, gdy zebraliśmy się większą grupą, szliśmy pobawić się w podchody do lasu, ale już koło 19.00 czekaliśmy na skraju wsi na stado krów wracających z pastwisk koło Osowca. Każdy odbierał swoją albo swoje i pędził do domu, do obory. Tam czekała już gospodyni z wiadrem ciepłej wody i kubkiem smalcu. Myła krowie wymiona, smarowała smalcem i doiła. W wiadrze pieniło się bieluśkie mleko, którego, takiego prosto z cyca, „biologicznie ciepłego" nikt nie lubił. Tylko mój tato nadstawiał emaliowany kubek i mówił:

— Małe z pianką, pani Adelo!

I wypijał tak, jakby pił coś najwspanialszego. Zawsze lubił mleko.

Kolację jadło się wspólnie. Rozwlekły, wieczorny posiłek przygotowywały mama i pani Adela. Elżbieta szła nakarmić świnie, my zaganiałyśmy kury do kurnika. Pan Mieczysław, mąż Adeli, i Stasiek, najstarszy syn, wracali właśnie ze stodoły, w której robili porządek przed zwózką siana albo właśnie obredlili ziemniaki. Zatrzymywali się pod studnią, by obmyć się po robocie. Tam, na kręgu, czekało już na nich mydło, ręcznik i miednica.

W kuchni na stole leżał pokrojony chleb, ogórki z ogródka i pomidory z cebulą, po które mama jeździła rowerem do Goniądza na targ. Ser biały, jajka na twardo ze szczypiorem, a dla Staśka i pana Mietka pani Adela smażyła wielkie skwarki z solonej słoniny, na które wbijała świeże jaja, po które wysyłała nas do kurnika. Bywały też smażone rybki w zalewie octowej. W porcelanowym dzbanku z utrąconym dzióbkiem stała gorąca herbata z kwaskiem cytrynowym albo i cytryną, jeśli mama przywiozła z Warszawy. Obok kolorowe szklanki i cukier. Po umyciu rąk zasiadaliśmy wszyscy i najpierw my, dziewczynki, byłyśmy pytane, co też dzisiaj zmalowałyśmy? Danka wzruszała ramionami i mówiła:

— Nic tam, o tak o, ganialim po wsi.

Ja zawsze szczegółowo opowiadałam o różnych cudach, jakie nam się przytrafiły, a Janka się śmiała i nic nie mówiła. Potem dorośli zaczynali swoje rozmowy. Najpierw o tym, co w polu, jakie będą zbiory, jaka się szykuje pogoda, co najpierw, co potem. Gdy na stole została tylko herbata, chłopy i moja mama zapalali papierosy. Przyszedł czas na wspominki, jak to było przed wojną, mama opowiadała o partyzantce, tato o tułaczce. Pan Mieczysław był w kawalerii, miał więc szczególną „miękkość" do koni i opowiadał o zupełnie innych przygodach wojennych niż mój ojciec saper.

My czmychałyśmy do pokoju, żeby się przebrać „na wieś".

Elżbieta szła do kuchni pomóc dziadkowi. Pod ścianą,

opodal okna, w kuchni było łóżko dziadka Gładkowskiego. Dziadek miał tuż po wojnie wypadek na pastwisku. Mina urwała mu nogę do kolana. Rana paprała się strasznie i nawet teraz nie zarosła blizną, bo dziadek z uporem mamuta co wieczór rozkładał opatrunki — gazę, bandaże i maści. Tłuste, robione z linomagu. Smarował nimi grubo tę gazę i kazał Elżbiecie odwijać nogę. Potem Ela nakładała mu opatrunki i zawijała kikuta bandażem. Na to dziadek nakładał starą, wełnianą czapkę. Kłócił się nawet z lekarką, która tłumaczyła mu, że tłuszcz nie dopuszcza tlenu i rana nigdy tak „nie zażyje". Dziadek wiedział swoje i tak siedział od powojnia z tym kikutem niezarośniętym i złościł się. Elżunię lubił szczególnie. Jej się nie obrywało od dziadka, a jak ją wkurzył, krzyczała: „Sam niech se zawija!" i dziadek potulniał, burcząc coś pod nosem.

Czasami rano padał deszcz. Słyszałam go już w nocy, przez sen, ale zawsze myślałam, że rano go nie będzie. Niestety, zdarzały się dni deszczowe, nudne. Rano siedziałyśmy przy śniadaniu długo, bo nie byłyśmy zrywane ze spania. Potem każda wymyślała jakieś zajęcie. Najpierw dobierałyśmy się do zeszytu Elżbiety, w który wklejała zdjęcia aktorów i piosenkarek. Każda dorastająca dziewczyna miała wówczas taki zeszyt. Nie było wtedy takiego zalewu pism kolorowych, pełnych plotek z aktorskiego i muzycznego świata. Zdjęcia artystów łowiło się z wielu różnych pism. Kolorowych i czarno-białych. Potem wklejało się do zeszytu. Im był grubszy, tym większy powód do dumy!

— Patrzcie, Brigitte Bardot! A to Monica Vitti. Ale ładna!

— A tu, Marina Vlady. Podobno się kolegują, bo one z jednego kraju są.

— Tak? A ty skąd wiesz?

— A wiem!

— O Jezu! To Marilyn Monroe! Skąd Ela ma jej zdjęcie? Takiego ładnego to nie ma w naszych gazetach.

— Zamieniła się z Haliną, dała jej Pierra Brice'a, tego, co grał Winnetou.

I był tu gdzieś Janek, ten z *Pancernych*...

— Jaśka, poszukaj...

Po obejrzeniu gwiazd znów robiło się nudno, bo deszcz lał i lał... Danka proponowała więc wyprawę na strych. No, jasne!!! Na strychu było bardzo emocjonująco, bo deszcz bębnił po dachu głośniej niż w domu, a wkoło mnóstwo było pajęczyn i zdechłych much. Pod samym stropem walały się tekturowe pudła z jakimiś papierami. Dookoła nas leżały stare i dziwne rzeczy: szczątki kołowrotka, na którym Adela po wojnie przędła wełnę, żelazne łóżko bez nogi, butelki po winie, słoiki, co miały być na przetwory, lampy naftowe, żelazko na duszę, nocnik i sterta ciuchów z amerykańskiej paczki. Niektóre Adela jeszcze przerabiała dziewczynkom na sukienki i bluzeczki, inne były takie dziwne, że nadawały się tylko do przebierania i wygłupiania.

Jak już miałyśmy dość, schodziłyśmy na dół, do kuchni nudzić się dalej. Sennie czekałyśmy na obiad. Czasem, jak chwilowo przestawało padać, szłyśmy na bosaka na dwór potaplać się w ciepłych kałużach. Skakanie po błocie wprawiało nas w świetny nastrój i tak po wsi niósł się nasz śmiech i śpiewy wniebogłosy. Zmokłe kury łaziły wokół nas, przekrzywiając durne łebki i płochliwie odskakując na boki. Gdy znów zagrzmiało i zaczęło padać, biegłyśmy do kurnika po jajka, bo Jaśka wymyśliła kręcenie kogla-mogla. W kuchni rozbijałyśmy ostrożnie jajka i oddzielały od białek, bo to miał być kogel-mogel z pianą. Jak w białku będzie choć ciutka żółtka, choć ociupinka, nie zrobi się piana — za nic! Siadałyśmy pod piecem i kręciłyśmy sobie te kogle-mogle. Każda dodawała coś po swojemu. Ja lubiłam dodać kakao, za mną Jaśka. Danka i Ela robiły z cytryną. Jak była. Jak nie, to z jagodami, wiśniami, nawet tartym jabłkiem. Oczywiście, obiad nam nie wchodził po tej porcji słodyczy. Tylko zupa albo trochę ziemniaków z sosem i ogórkiem ze słoika.

Włączałyśmy radio i patrzyłyśmy, jak na szybie ciągną się nieznośne strużki deszczu. Jak na złość! Audycje nie zajmowały naszej uwagi na długo i znów zdychałyśmy z nudów. Mama czytała i zachęcała do przeczytania jakiejś lektury szkolnej. No, kompletny absurd! Wolałyśmy zdychać, niż robić coś z sensem, a już lektura szkolna?! Namawianie nas do tego było nietaktem.

— Toć wakacje są! — mówiłam z wiejska.

Ojciec ze Staśkiem naprawiali w stodole wędki albo robili spławiki. Pan Mieczysław reperował sprzęt. Klepał kosy albo obsadzał połamane widły i łopaty. Szył nadprutą uprząż Gniadego albo spał na słomie. Można było zwariować, bo deszcz lał, miejsce przy miejscu, jakby mu za to płacili. Wreszcie pani Adela litowała się nad nami i mówiła jak gdyby nigdy nic:

— A może napieczem pączków?

Rzucałyśmy się z krzykiem do pomocy. Już myłyśmy miednicę do rozczyniania ciasta, już biegłyśmy do sieni po drożdże i mąkę i nagle jak obuchem stawał problem: JAJKA!!! Zeżarłyśmy je przed obiadem!!! W koglach-moglach! Pani Adela jednak uśmiechała się i mówiła:

— A widzicie? Trzeba być zapobiegliwym! Stoją w sieni w koszu, bo miałam je sprzedać do skupu.

Były i jajka! Potem patrzyłyśmy, jak Adela rozczynia ciasto na pączki i jak topi smalec do pieczenia. Gdy dymił, wkładała pączki i kawałek surowego ziemniaka, żeby tłuszcz nie palił się za mocno. Tego osmażonego ziemniaka szybko zjadałyśmy. Raz jedna, raz druga. Fajne były takie chrupiące kawałki... Na kolację wszyscy siadali do stołu. Na nim stawała patera pełna pączusiów z marmoladą w środku, a do tego surowe, zimne mleko. Wieczorem przychodził Krymski pogadać i popalić papierosy zawijane z machory w gazetę, bo się mu nudziło, a my wcześniej, senne i napasione, szłyśmy spać.

Rano znów było słońce, jak gdyby nigdy nic!

Wiejska niedziela

W niedzielę wszyscy pięknie się ubierali do kościoła. Czasem nawet pan Mieczysław zaprzęgał konia, ale często, gdy prace w polu były intensywne, obaj nie szli do kościoła, ani koń, ani pan Mietek. My — tak. Moi rodzice zostawali z panią Adelą. Mama robiła obiad. Tato czytał albo szedł na ryby. Po obraniu ziemniaków pani Adela szła do pokoju i siadała z kryształowym różańcem w dłoni pomodlić się w ciszy. Kościół nie był jej szczególnie potrzebny do kontaktów z Panem

Bogiem. Ja uczestniczyłam w mszach z ciekawości i poczucia wspólnoty. Byłam poganką (jak usłyszałam w dzieciństwie), nie przeszkadzało mi to jednak w zbiorowych modłach.

Po kościele, gdy byliśmy wozem, pan Mieczysław zabierał nas do domu, a też Irkę i Halinę od Wróblów, kogo tam jeszcze się spotkało. Ile było śmiechów i żartów! Pan Mieczysław nie pospolitował się jednak, nie uczestniczył w naszych żartach, bo był człowiekiem godnym i tylko uśmiechał się do siebie i Gniadego. Gdy byłyśmy w kościele piechotą, szłyśmy po mszy na lizaki, lody, czereśnie, a potem na wielki most w Goniądzu. Tam zbierała się w niedziele młodzież. Tam można było zobaczyć ładnego chłopca z sąsiedniej wsi albo przystojnego letnika, a on może nawet zagwiżdże za nami albo przyjdzie na zabawę?

Obiad zawsze był o 14, więc wyruszałyśmy w drogę powrotną, żeby się nie spóźnić. Nie szłyśmy szosą, tylko wiejską, piaszczystą drogą, Bednarką, koło Pełchów, u których mieszkałam jako berbeć. Bednarka zaczyna się koło mostu, równolegle do rzeki, i dalej dzielą ją od Biebrzy zagrody chłopskie i pastwiska. To najpiękniejsza polna droga, jaką widziałam. Żółty piasek nieco poszarzały od wiejskich wozów jadących znad rzeki, przez błota, a w nim koleiny od kół. Po obu stronach walące się płociny, biedniutkie, ściągnięte starym drutem. Przysadziste wierzby, pełne zgrubień i brodawek, rozkładające swe gałęzie jak namioty. To te „płaczące". Inne, cięte, co roku wypuszczały swoje witki w górę gęstym pióropuszem. Jakieś krzaki i chaszcze, a opodal kilku zagród po drodze, na płotach widniały gdzieniegdzie krzyże unickie rdzewiejące tam od lat. Na stodole i słupie telegraficznym gniazda boćków. Jakaś kapliczka umalowana farbką do bielizny na niebiesko-biało, ogrodzona maleńkim płotkiem, z którego wylewały się malwy i kosmosy, nazywane tu też amerykanami. Dalej pastwiska, garbate od kretowisk, z krótko przyszczypaną trawą. I krowy. Zwykłe, czarno-białe mućki, ogonami leniwie odganiające natrętne muchy i złośliwe gzy. W górze, koniecznie, skowronek. To dźwięk, melodia lata.

Upał albo tylko gorąco i my, już bez klapek i sandałków, przyjemnie po ciepłym piaseczku bosymi stopami dreptałyśmy do domu. Po drodze często „wariowałyśmy". Śpiewałyśmy radiowe przeboje, tańczyłyśmy i żartowały z wyelegantowanych chłopaków na moście tak głośno, by żadna nie domyśliła się, który której wpadł w oko.

Zdarzała się znienacka letnia burza. Skakałyśmy w strugach ciepłego deszczu, włosy lepiły się nam do roześmianych buziaków, odbywałyśmy dziwaczne tańce, wskakując z plaskiem w dopiero co utworzone kałuże w koleinach Bednarki. Mokre i rozkrzyczane wpadałyśmy do domu. Na kuchni właśnie dochodziły ziemniaki. Umyty i ulizany dziadek siedział i klepał pacierz, a na nasz widok burczał: „Sio! sio! Muchy, natrętne!" Przebrane i wysuszone myłyśmy ręce i już wszyscy siadali do stołu. Dzisiaj w pokoju stołowym! Wszak niedziela! Na nierównych, wybielonych ścianach wisiały na gwoździach ręcznie haftowane makatki na białym płótnie. „Smacznego" oraz „Dobra żona męża korona" (albo coś takiego). Pod ścianami stał tapczan i wyrko jakieś, a pośrodku stół z krzesłami w niedzielę nakrywany obrusem. Na co dzień ceratą w kwiatki.

Na niedzielny obiad najczęściej był cienki rosół z kury, którą Elżbieta zabiła raniutko, gdy jeszcze spałyśmy. Parę rachitycznych, lipcowych marchewek i pietruszek cienkich jak szczurzy ogon, musiało udawać włoszczyznę. Sytuację ratowały kostki maggi, które najpierw przychodziły w paczkach z Ameryki, potem zaś Winiary zaczęły je masowo produkować. Niestety, moja pragmatyczna mama wybiła z głowy pani Adeli robienie domowego makaronu do rosołu, bo „przecież jest w sklepie, fabryczny, równie dobry". Kura z rosołu lądowała w prodiżu i bez żadnych czosnków i innych przypraw nabierała rumieńców. Do tego mizeria w gęstej, swojskiej śmietanie i ogródkowa sałata robiona dziwnie, ale efekt był fajny. Pani Adela przynosiła z ogrodu zieloną sałatę, nie jakąś tam kruchą czy masłową, ale sałacisko od lat w Szafrankach rosnące w ogródkach, którym też karmiono kury nioski, i po umyciu każdy liść ściskała w dłoni, zanim legł w salaterce. Takie liście jak mokre ściereczki zalewała śmietaną z cukrem, solą i octem. Naprawdę pycha! Na starych, utłuczonych ziemniakach szkliły się wielkie skwarki ze słoniny, żeby było smaczniej i „bogaciej". I było.

Jadłyśmy mało, bo apetyt stępiłyśmy już lizakami i lodami w Goniądzu. Po obiedzie chłopy wychodziły na ławkę przed domem popalić i pogawędzić sennie. Na starym stoliku z ławkami stawiali herbatę, kawę, czasem ogórki w słoiku z zeszłego roku i pan Mietek pytał mojej mamy:

— Pani Kalecińska, napije się pani?

— A jakże, panie Mieczysławie, napiję!

Rodzice z Gładkowskimi nigdy się nie „tykali". Mimo wielu lat ogromnej zażyłości zawsze posługiwali się formami pan, pani. Mama mówiła jak polonistka: „pani Adelo", „panie Mieczysławie" (nigdy Mietku czy Adziu!), a pani Adela i pan Mieczysław: „pani Mario", „panie Kaleciński", rzadko „panie Zdzisławie". Ojciec nigdy nie pił, więc nawet go nie pytano. Wypijali tak, siedząc przed domem, kieliszek lub kilka, zagryzali kiszonym ogórkiem, a popołudniowa niedzielna nuda snuła się wkoło. Powietrze pachniało wczoraj zwiezionym sianem, zagon żyta falował lekko i uroczyście po lewej stronie chaty, wszystko działo się w zwolnionym tempie. Tylko kury odskakiwały wkurzone, rozgdakane, gdy Elżbieta, pozmywawszy, wyniosła wiadro brunatnej wody po naczyniach i chlusnęła wprost na nie, śpiące w krzakach bzu.

Ja, Danka i Jaśka odwiedzałyśmy wszystkie koleżanki w ich domach. Ciekawskie gospodynie chętnie wypytywały mnie: „Jak tam się żyje w tej Warszawie?" Ja chętnie pytlowałam i pytlowałam bez końca, bo wszystko, o czym mówiłam, było dla nich ciekawe.

Po południu przychodziły nad rzekę dorastające dziewczyny ze swoimi chłopakami, którzy przyjechali z wojska na przepustki, lub po prostu kawalerka z sąsiedniej wsi. Rozkładali koce, a po wódeczce, popitej słodką oranżadą, panny rozbierały się do halek, a panowie do czarnych, satynowych gaci, kolorowych slipek kąpielówek lub białawych majtek z płótna... Szli nad rzekę, gdzie taplali się i pryskali wodą na piszczące dziewczyny, by wkrótce rozpocząć popisy pływania, skoków i akrobacji wodnych. Jakoś nigdy nic złego nie wydarzyło się w Szafrankach w niedzielne popołudnia.

Co innego w Goniądzu. Tam napite wyrostki skakały z wysokiego mostu, nie sprawdziwszy, na ile Biebrza wyschła, i łamali sobie kręgosłupy, ręce, nogi albo pijani w sztok topili się po prostu. Na wieczornej zabawie niejeden miał rozkrwawiony nos, sine oko albo brak zęba po mordobiciu. W Szafrankach nie albo jakoś rzadko...

Nad rzeką pod wieczór panny wkładały sukienki, chłopaki się ubierali. To był znak, że nadszedł czas na spacer. Wtedy można było podglądać takie pary, bo to była pora na całowanie się. Stojąc za krzakami, wcześniej czy później, parskaliśmy śmiechem, a spłoszona para szła całować się gdzie indziej.

Gdy na Szafranki nasuwał się powoli zmierzch, ktoś we wsi wyjmował akordeon i grał, siedząc na ławeczce pod płotem. Nad głową wisiały mu gałęzie ciężkie od wiśni „szklanek", a obok siedzące kobiety, lekuchno kołysząc się pod melodię, rozmawiały cicho. Z sionek wynoszono zimne piwo i nakrywano do kolacji pod drzewami, w starych sadzikach albo pod oknem. Pojawiały się niedzielne specjały: gorące rybki prosto z patelni, kawałki zimnej wieprzowiny upeklowanej i przechowanej jeszcze od świniobicia, co to było w Wielkanoc, ogórki kwaszone, grzybki w occie...

Hipolit Krymski z nieodłącznym „kiepem" ze swojej machory. Żniwuje...

Do nas czasem przychodziła Wróblewska ze starym Wróblem rybakiem. Przynosili maleńkie, duszone kurki wodne i dosiadali się pogadać. Czasem też przyszedł stary Hipolit Krymski. Palił uprawianą przez siebie na polu machorkę, którą suszył w słońcu nawleczoną na drut. Wisiała tak na chałupie, w słońcu, a gdy była prawie sucha, Hipolit kroił ją ostrym nożykiem na drobno i nosił w jakimś dziwnym kapciuchu. Miał też w kieszeniach spodni pociętą na kwadraty „Gazetę Białostocką" i w te kwadraty zwijał machorkę i przypalał zapałkami. Papier i machora pachniały słodkawo, ale dym był mocny, duszący. Francuskie *goluazy* to była delikatna mgła do inhalacji w porównania z fajkami Krymskiego. Napaliwszy się tej swojej machorki i ołowiu z „Gazety Białostockiej", zmarł nieborak na raka płuc, mając coś koło 70 lat...

Do nocy my, dzieciaki siedziałyśmy na mostku, a po wsi szły już pijackie śpiewy i śmiechy — to ci, co się ponapijali. Były też ciche, wieczorne rozmowy, jedzenie niedzielnego ciasta z kruszonką albo rabarbarem i oganianie się od much i tnących niemiłosiernie komarów. Czas wracać z wieczornej włóczęgi. Zasypiałam kamiennym snem.

Tydzień po przyjeździe do Szafranek przychodzili do ojca starsi chłopacy. Tacy w wieku Staśka (17-18 lat) i pytali:

— Panie Kaleciński (choroba! Nikt nie mówił prawidłowo — KALICIŃSKI), a na raki to pójdziem w tym roku?

— A, jasne, że tak — odpowiadał ojciec. — Kołbuk jest?

— Toć wisi od zeszłego roku, tylko siatkę się nareperuje trochę i już gotowy będzie!

Kołbuk to było urządzenie z drewna, przypominające model ostrosłupa o podstawie trójkątnej, obleczony siatką. Dno nie, tylko ściany boczne. Robili to chłopaki z grubych, okorowanych gałęzi olszyn. Były plastyczne i to sprawiało, że jeden bok był wygięty jak garb. Kołbuk kładło się tak, że otwór był prostopadle do ziemi, a garb był na górze i za niego ciągnęło się kołbuk po dnie rozlewisk biebrzańskich, za stodołą Krymskich i Zdunka. Ojciec nie zakładał „woderów", chłopaki — tak. Ci, co bali się końskich pijawek. Leźli tak po rozlewisku, ciągnąc kołbuk nisko, po piachu i co rusz podnosili i wyciągali raki do wiader, które niósł za nimi młodszy Krymski, Sławek. Władzik był głównym operatorem i wraz ze Staśkiem uznawali się za ekspertów. Ojciec był przywódcą całej tej akcji.

W domu już gotował się wrzątek z solą i koprem. Na podwórku stała balia do mycia i płukania raków. Nie lubiłam być przy gotowaniu, ale zapach raczej uczty wyciągał mnie na podwórko, gdzie wszyscy już siedzieli kołem wokół miski z czerwoniutkimi rakami i skubali szyjki, wysysali szczypce, a Władzik przynosił trochę piwa. Robiło się to powolutku i dostojnie, przy okazji rozmawiając o różnych rzeczach, które kompletnie nas, dziewczynki, nie obchodziły.

W dzień, kiedy pani Adela przynosiła ze strychu białe, popelinowe stare koszule, znać było, że zaczynają się żniwa! Prała je wszystkie i prasowała na gładko. W dzień kośby każdy raniuśko, koło 5, wkładał ciasne portki i długą koszulę, tę popelinową, którą przy nadgarstkach pani Adela każdemu zawiązywała sznurkiem (żeby „kolki" z żyta nie właziły). Senne wsiadałyśmy na wóz i razem z panem Mieczysławem, Staśkiem, kosami i grabiami jechaliśmy na pola odległe o jakieś 3-4 kilometry, gdzie Gładkowscy mieli żyto i trochę owsa.

My, dzieci, zaczynałyśmy od kręcenia sznurów ze słomy, wiązania snopków. Ela i pani Adela podbierały za żniwiarzami ścięte zboże i nagniótłszy je kolanem, wiązały mocno w „talii" zgrabnym ruchem. Gdy robiło się gorąco i słońce wylazło ponad pobliski zagajnik, znać było, że to pora na śniadanie. My jadłyśmy chleb z marmoladą albo „swoim" masłem i pomidorami. Chłopy miały kanapki z mięsem ze słoika albo z kiełbasą.

Nieopodal na jakimś pastwisku stała studnia do pojenia krów. W niej zatapiało się bańkę z wcześniej zrobionym podpiwkiem. Był to musujący napój robiony z kawy zbożowej, cukru i drożdży. Przypominał karmelowe piwo, trochę też kwas chlebowy. Później znów żniwowałyśmy w upale i nawet żartować się nam odechciało. Doceniłam białe koszule. Były przewiewne i niedopuszczające „kolek" do ramion i brzucha. Ręce i tak miałam pokłute. Wreszcie pan Mietek pozwolił mnie i Dance podbierać za sobą. Pani Adela z Jaśką robiły sznury. Adela miała chore serce i nie mogła długo żniwować. W południe zabierała konia i wóz i jechała z którąś z dziewczynek do domu po obiad. To była jedyna sytuacja, kiedy pan Mieczysław pozwalał komukolwiek powozić Gniadym. Gniady był ogromny i bardzo silny, mógł niechcący zrobić krzywdę.

Co robił mój tato całymi dniami? Do pomocy przy żniwach się nie nadawał, bo miał tylko jedną rękę, brał więc swoją ukochaną, bambusową wędkę, znajdował ciche zakole Biebrzy,

To mój wakacyjny tato i jego wędzisko z bambusa.

stawał po uda w ciepłej wodzie i „moczył kij". Czasem coś wyciągał, częściej jednak po prostu stał i wygrzewał się, myślał, odpoczywał.

Układał sobie w głowie myśli i kumulował słońce. Po powrocie znad rzeki przynosił w wiaderku trochę ryb. Uwielbiałam takie malutkie, ośmio-, dziesięciocentymetrowe, jak mama smażyła je na gorącym smalcu tak na frytkę. Chrupaliśmy wszyscy te rybie chipsy z wielkim apetytem.

Koło 14 przyjeżdżała na pole pani Adela z Danką albo Elą, przywożąc obiad. Na przykład stertę naleśników (dzieło mojej mamy!), mleko, ziemniaki ze skwarkami i sadzone jajka. Solidna kolacja była całkiem niedługo, koło 20, więc obiad nie był ciężki. Pracowaliśmy do momentu, aż słońce zaczęło dotykać czubków drzew wielkiego lasu za drogą. Skończywszy zestawiać snopki w dziesiątki, ładowaliśmy się na wóz. Dopiero teraz czułam zmęczenie.

Koń stąpał powoli, miarowo po piaszczystej, rozgrzanej upałem drodze. Mieczysław nie poganiał go. Koń też czuje upał i zmęczenie, choć to jeszcze nie zwózka. Z głębin traw, łopianów i ostów dobiegało cykanie świerszczy inne niż w upalne południe. Robiło się chłodniej niż w gorące i duszne wieczory na początku lipca. Kiedy jechaliśmy koło łąk nadbiebrzańskich, na sztywnych szpadach tataraku zbierały się krople rosy. W wodzie, w zapadliskach i zastoinach, „grały" żaby. W mijanych zagrodach też już wrócili z pola. Widać było, z leniwie jadącego wozu, jak rozprzęgali konia, ustawiali kosy i grabie pod okapem obory albo stodoły. Prowadzili konia do betonowego kręgu koło studni, gdzie stała dla niego i krów nalana w dzień woda. Nie za zimna. Konie nie mogą pić w upał zimnej wody.

Na podwórkach, blisko domów, chłopy, rozebrane do połowy, mydliły się tanim mydłem i spłukiwały wiadrem letniej wody. Jeszcze tylko kępa dzikiego bzu i już nasze podwórko. Często, gdy miałyśmy trochę siły, chwytałyśmy ręcznik i mydło i biegłyśmy nad rzekę. Wieczór chłodny, ale woda cieplutka, więc namydlałyśmy się i spławiały pod okiem mojego taty. Z nim było przyjemniej i jakoś raźniej. Dopiero w drodze do domu cała wieś chyba słyszała, jak nam kiszki marsza grały!

Zdarzało się, że przed żniwami pani Adela i inne gospodynie piekły wielkie, żytnie chleby na zakwasie, bo w trakcie żniw nie ma czasu na wyjazdy do Goniądza po zakupy. Gdy zaczynała się kolacja, bardzo wyczekiwana, leżał na stole taki właśnie wielki chleb z formy. Tato wtedy opowiadał, że jak był na rekonwalescencji w ZSRR, w tajdze, kobiety piekły tam takie chleby na plastrach słoniny. Pani Adela wiedziała, że w Polsce piecze się taki chleb na liściach chrzanu, ale ona zwyczajnie natłuszczała blachę grubo smalcem. Do tych pajd chleba, pachnącego jak nic innego na świecie, było jakieś mięso ze słojów, jajecznica na kiełbasie, kaszanka z cebulą, do tego ogórki małosolne. To dla chłopów. My dostawałyśmy inny specjał pani Adeli, „postną kiełbasę". Na desce rozcierała nam dużo czosnku z solą. Chleb smarowało się smalcem albo masłem i „postną kiełbasę" rozsmarowywało się po wierzchu. Do tego herbata z cytryną albo zimne mleko! Pochłaniałyśmy to jak smoki. Spałyśmy w stodole, na sianie, więc zapach czosnku nikomu nie przeszkadzał.

To pieczenie chleba, mycie dzieży, rozczynianie, rośnięcie ciasta długie i nudne powodowało, że szłyśmy sobie gdzieś na pola, na łąki, może wykąpać się w rzece? Albo plewić grządki, by po powrocie czuć już w całym domu kwasko-wo-drożdżowy zapach ciasta, które Adela po wyrobieniu i wyrośnięciu układała w prostokątnych formach grubo wysmarowanych smalcem.

Znów czekanie, żeby w formie — podrosły. W tym czasie już się rozgrzał piec. Jeszcze tylko w chlebowniku rozgarnąć węgle i już formy z wyrośniętymi chlebami lądowały w gorącej komorze pieca. Drzwiczki się zamykały.

— Idźcie jeszcze, idźcie — namawiała Adela.

Znów podwórko, ogród, cokolwiek, byle nie siedzieć bezczynnie. I wreszcie najstarsza Ela, co pomagała zawsze mamie, wołała z domu:

— Ej! Panny!

W domu już inny zapach. Słodkawy, no, nie do opisania! Tak pachną świeżutkie chleby wyjmowane z pieca — to trzeba samemu przeżyć. Już w pokoju paradnym bochny lądują na rozłożonych obrusach, na stygnięcie, na łóżku, a jeden na stole.

Wreszcie bochen ostygł! Adela go bierze, i przyciska do piersi, żeby ukroić. Najpierw jednak nożem kreśli na nim znak krzyża — to odwieczny polski rytuał. Rżnie skibę po całości. Grubawą i chrupiącą, twardą. Miąższ miękki, szarawy, bo mąka była pytlowa. Za drzwiami w sieni stoi zrobione wczoraj wieczorem masło w kierzonce. Że jej się chciało! Kochana Adela!

Przynosimy je do pokoju. Adela kroi jeszcze kilka kromek i smaruje je tym masłem. Podaje nam — ja chcę piętkę!

Taki chleb najlepiej nam smakuje na przyzbie — na schodach.

Gryzę z trudem cudownie twardą skórkę. Stopione, słonawe masło spływa mi po ustach, po dłoni, po łokciu.

Jemy w ciszy. Gapimy się na łąki za stodołą porośnięte tatarakiem, pałką wodną. Gdzieś za nimi płynie cicho Biebrza. Wspaniałe chwile. Takie, które zostają w pamięci zapachem i nastrojem. Czy sama będę kiedyś umiała upiec taki chleb?

Kiedyś inna gospodyni z Szafranek – Regina Wróblewska – pozwoliła i mnie upiec mój własny chlebek. Ja miastowa, więc zrobiłam sobie okrągły. Mój własny chleb! Obok mnie Halina Wróblów patrzy, jak kroję moje dzieło kozikiem.

We czwartki wieczorem, tak koło 18, szłyśmy z koszykiem i pieniążkiem nad rzekę czekać na starego Wróbla. Stary Wróbel łowił siecią ryby. Miał na to „papiery" i czynił to *legae artis*. Raz w tygodniu, we czwartki pod wieczór, przypływał na kąpielisko w Szafrankach łodzią pełną ryb.

Jego syn, Sławek, podjeżdżał furmanką i wysypywali na wóz ryby. Już czekali nabywcy. Duże wiadro — 5 zł, małe — 3 zł. Sumy i szczupaki powyżej 50 cm po 4 zł sztuka, małe po 2 zł. W piątki pani Adela robiła z tych ryb rosół rybny. Musiało być pięć gatunków ryb, a w tym jaź, okonki, miętus, płocie, karaski i sum mały albo szczupaczek. Trzeba na taką zupę dużo liścia bobkowego (laurowego), ziele angielskie, marchew, pietruchę, cebulę. Gotować 50 minut, ledwo ma się pyrkotać. Sprawić ryby — wyciąć skrzela ze łbów, poprocjować i uwaga: solić na początku, pieprzyć na końcu. Koper. Dużo, bo ryby „lubią" koper. Z zupy delikatnie, łyżką cedzakową wyjąć kawałki ryb te, co były krojone w dzwonka, na półmisek. Resztę (głowy, ogony, warzywa) odcedzić.

Adela gotowała ten rosół na igliwiu sosnowym. Był cudowny! Żółtawy, z oczkami tłuszczu, jak ryby go miały, esencjonalny i słonawy. Do niego gotowane ziemniaki z wody, nietłuczone. Jak ryby były duże, na przykład sum, szczupak, krasnopióry, smażyło się je na smalcu i mama robiła surówkę z kapusty kiszonej. Pan Mieczysław mówił, że ryby po to mają ości, żeby w czasie jedzenia nie śpieszyć się zanadto. Coś w tym jest. Rybę jadło się dostojnie.

Ja i Sławek Wróblów siedzimy na grzbiecie Wróblowej kobyły.

Byliśmy bardzo zżyci z mieszkańcami Szafranek. Ojciec był instytucją. Doradzał chłopom w sprawach urzędowych, objaśniał zdarzenia, pisał pisma i epatował wiedzą. Był człowiekiem bardzo światłym, a nadto wrażliwym i mądrym. Wiedział, jak zaadresować pismo w sprawie emerytury czy renty, jak je skomponować i zaargumentować. Również jakieś sądowe pozwy albo wnioski. Wiedział, jak się pisze do MON-u albo ZUS-u. Chętnie pomagał.

Mama również była osobą, do której ludzie, a zwłaszcza miejscowe kobiety, miały zaufanie, radziły się we wstydliwych sprawach. O, na przykład:

— Co ja mam zrobić, pani Mario? Rodzę i rodzę. Co mąż mnie weźmie, to ciąża, a ja przecież mu daję, tylko kiedy nie latuję (latowanie — ruja u krów).

Niektóre kobiety były pewne, że u ludzi, tak jak u zwierząt, ruja, czyli miesiączka, to czas płodny, więc ona dawała mężowi, kiedy nie latowała. No i mama musiała tłumaczyć kobietom „od początku świata", jak to jest. Nie dowierzały. Naprawdę! Często też kupowała takiej strapionej środki antykoncepcyjne, bo ona umarłaby ze wstydu, no i byłaby posądzona o posiadanie kochanka, bo jakże to kupować globulki Zet przeciw własnemu chłopu?! Była już tak utyrana porodami i wychowaniem! Najstarsze właśnie pożeniła, a najmłodsze ledwo zaczynało chodzić. Średnich też było dużo.

Byliśmy zapraszani na chrzciny, śluby, pogrzeby przez długie, długie lata. Oczywiście wolałam śluby i wesela. Zawsze było dużo oranżady, podpiwku, kaszanka, zimne nóżki z octem, kiszone ogórki i tańce. Koło północy zdarzały się pierwsze mordobicia, ale bez większych ofiar. Potem mama kategorycznie nakazywała mi iść spać.

W Goniądzu spotykaliśmy wielu miłych i ciekawych ludzi.

Mój tato kochał stare zegary. Nie był kolekcjonerem. Może dlatego, że nie było go na to stać? Miał taki swój ulubiony zegar na łańcuszku, z którym miał ustawiczne kłopoty. Ktoś polecił mu goniądzkich zegarmistrzów. Dwóch, bo byli to bracia. Poszłam z tatą w jakiś zaułek, którego, jak mi się zdawało, nigdy przedtem nie widziałam, i weszliśmy do pracowni. Panował tam łagodny półmrok, pachniało troszkę stęchlizną, trochę ziołami i kalafonią. Na ścianach wisiały jakieś zegary powleczone pajęczynami i mimo to cykały. Przywitało nas dwóch braci, którzy zjawili się bezszelestnie zza zasłonki o nieokreślonym kolorze. Powykrzywiani, jeden był garbaty. Mieli coś około 35-40 lat. Poważni i mrukliwi. Sceneria była baśniowa jak z braci Grimm. Tchnęli życie w taty zegarek, a potem cudem ożywili zegar naścienny, który tato kupił gdzieś na ciuchach, przy Dworcu Wschodnim. Może u słynnej pani Marii? Żaden warszawski zegarmistrz nie pokusił się o reperację. Każdy gadał: „Za dużo dłubaniny, panie, lepiej kupić nowy werk!" Bracia z Goniądza milcząco pokiwali głowami i po tygodniu „Gerwazy" tykał pięknie. Nie wiem, co z braćmi. Taty już dawno nie ma, a zegar tyka...

Drugą ciekawą postacią była pani doktor Zyta Sobotko-Łebek.

Rozchorowałam się dziwacznie. Nie mogłam złapać

tchu. Dusiłam się okropnie i wpadałam w panikę. Pan Mieczysław zaprzągł konia, na wozie położono słomę, koc, poduchę i kołdrę. Taką „erką" pojechaliśmy do Goniądza, do pani doktor. Zostały mi zapisane zastrzyki z oxyterracyny, które mama miała mi robić szklaną strzykawką przywiezioną z Warszawy w tym wielkim wiklinowym koszu. Tak jakoś nastąpiło zapoznanie się i po jakimś czasie, po roku, czy jakoś tak po rozwodzie pani doktor, zostaliśmy zaproszeni na podwieczorek (kto dziś zaprasza na podwieczorek?!).

Alter ego „Doktor Ewy", czyli pani doktor.

Mieszkały — pani doktor, jej córki i stareńka mama — nieopodal kościoła, w małym domku cofniętym od ulicy w głąb ogrodu.

Od frontu widniały klomby z peoniami, różami i aksamitkami, a między nimi ciągnęła się wyżwirowana alejka. Brzegi ogrodu po obu stronach obsadzone były krzakami czarnego bzu, kruszyną i wielkimi, brzydkimi już forsycjami. A może to były jaśminy? Za domkiem, parterowym i porośniętym winobluszczem od zachodniej strony, mama pani doktor uprawiała warzywa. Ogród był niewielki, ale bardzo starannie utrzymany. Wschodnia strona, tam, gdzie były drzwi wejściowe, ukwiecona była zwykłą, wiejską, pnącą różą, a dalej krzaczkami równie prostych, niepełnych różyczek, jakich pełno było w ogródkach Goniądza.

Doktor Zyta z córkami Kasią i Asiem.

(...) *W bukiecie wiejskim, jak wiadomo,*
Róże są skromne, bo po — domu;
Nie tkwią w kryształach na wystawie
Za lśniącą taflą szkła w Warszawie,
Nie sterczą swą łodygą długą,
Jakby połknęły jedna drugą;
Bez aspiracji do salonu,
Bez wywodzenia się z Saronu,
Bez dąsów, pąsów i purpury,
Nie zadzierają głów do góry;
Jak porzucone narzeczone,

Trzymają główki opuszczone,
A oczy wznoszą — i tak trwają,
I spoglądając — przepraszają.
Owe z cieplarni emigrantki,
Sztamowych biedne familiantki,
Nie są wyniosłe ni zawistne,
Lecz dobroduszne, drobnolistne,
Gęste i niskie, krasne, kraśne,
Zawsze z żółtawym proszkiem w środku,
Dobre przy bluzkach u podlotków
Lub w szklance. Takie róże właśnie. (...)

Kwiaty polskie, Julian Tuwim (fragment)

Mama pani Zyty była uroczą, starszą panią z siwymi włosami spiętymi w mały kok. Przez całe lato zapełniała spiżarnię domowymi przetworami. Czego tam nie było! Mnóstwo kompotów, grzybki, śliwki i gruszki w occie, korniszonki, ogórki kiszone, dżemy i konfitury, baniaki z owocowym winem, mniejsze — z nalewkami. Cukrzone jagody, maliny, przeciery i galaretki. Pani doktor, pyzata, różowa, przemiła szatynka przedstawiła nam swoje córki — starszą, chyba Ewę, i młodszą Asię, na którą mówiła Aś.

Zasiedliśmy do stołu, do kawy i herbaty, do szarlotki pachnącej cynamonem. I rozmów o życiu. Okazało się, że obie panie są rodowitymi warszawiankami! Pani Zyta wybrała po studiach Goniądz jako cel swojej życiowej misji. Osiadła tu z mężem pediatrą, sama zajęła się interną. Zresztą leczyła, jak popadło, dorosłych i dzieci, zwłaszcza po rozstaniu z mężem. Była skora do śmiechu, wrażliwa, ale i odporna na wichry życiowe. To była przyjaźń, jej i moich rodziców, na długie lata.

Pamiętam, że po szóstej czy siódmej klasie czekała mnie i Dankę Gładkowską lektura obowiązkowa *Pan Tadeusz*. Byłyśmy nieszczęśliwe. Tyle czytania! I to wierszem! Mama instynktownie, albo raczej z doświadczenia, wiedziała, że przeczytanie tego będzie dla nas problemem. Wymyślili wraz z tatą taką oto rzecz. Codziennie po obiedzie braliśmy wszyscy kapę z łóżka i siadaliśmy pod wielką, starą, dziką gruszą i po kolei czytaliśmy na głos. Tato pięknie czytał.

Miał ładną barwę głosu i lekko mu szło czytanie poezji, bo przecież był rozkochany w Gałczyńskim i Broniewskim. Mama też czytała ładnie, ze zrozumieniem i ciekawie. Nam szło gorzej, ale razem z nami to nawet młodsza od nas Janka czytała i słuchała cały czas, mimo że nie musiała. Po skończeniu całego *Pana Tadeusza* mama ogłosiła konkurs na recytację ulubionego fragmentu. Z nagrodami! Miały to być medale-wisiorki.

(Niektóre lekarstwa były sprzedawane w plastikowych, pomarańczowych i czerwonych buteleczkach z białym korkiem też z plastiku, w „rozetkę". Na gorącym piecu tato topił te buteleczki tak, że robił się z nich płaski medalion z tą rozetką w środku. Póki ciepłe, wkładał wygięty drucik tworzący oczko, a mama z kordonka uplotła na palcach ładne sznureczki. Powstały ładne medale.) Tymi medalami byłyśmy obdarowane wszystkie, oczywiście po wieczorze recytatorskim, na którym popisałyśmy się swoimi ulubionymi, wybranymi fragmentami wykutymi na pamięć. Ja, naturalnie, wybrałam sobie kawałek kulinarny o bigosie. Danka o chmurkach, a Janka... nie pamiętam. Mama i tatko też recytowali, ale bez nagród — ot tak z nami, żeby było sprawiedliwie, a w komisji zasiedli oni oboje i pani Adela.

To był niezapomniany wieczór z Mickiewiczem, który trafił pod białostockie strzechy.

Gdy przyjeżdżałam do Szafranek, nie unikałam żadnych prac, które robiły Jaśka i Danka. Dużo mnie nauczyły — karmić świnie, krowy, kury, przewracać siano, żniwować, obsypywać ziemniaki azotoksem wsypanym do pończochy. Pani Adela pokazała mi, jak się doi krowy i doiłam, jak trzeba było. Również pasłam je z Daną i Janką. Jeździłam z gospodarzem i dziewczynami na torfowiska, gdzie pan Mieczysław ze Staśkiem wykrawali torf wielkimi nożami, by po wyschnięciu był w zimie opałem (dziś myślę — jakie marnotrawstwo!). W tym czasie my z panią Adelą szłyśmy w zarośla na łochynie, czyli bagnówki — wielkie, czarne jagody rosnące tylko na bagnach. Trzy razy większe od tych normalnych. Smażyło się je z cukrem na dżem, robiło kompoty na zimę... Rosło ich na bagnach zatrzęsienie. W dwie godziny uzbierałyśmy wiadro!

Podobno są znakomite na wino. Przytaczam za Romanem Tokarczykiem:

„Łochynie, zwane także pijanicą, pochodzące z bagnistych ostępów Puszczy Solskiej, są owocem ze wszech miar unikalnym, rosnącym tylko w niektórych zakątkach Polski. Wino z łochyń ma kolor granatu graniczącego z fioletem, aromat powodujący lekkie odurzenie jakby narkotykiem, smak lekkiego czerwonego wina wytrawnego albo półwytrawnego. Z powodu rzadkiego występowania owocu łochyni, podczas kiperowania jego rodowód stanowi nie lada zagadkę dla wielu kiperów. Zaskakiwaliśmy tym wielokrotnie naszych gości".

W soboty musiałyśmy ukopać na polu koło domu duży kosz ziemniaków, żeby i na niedzielę było, bo w niedzielę się nie pracowało. W soboty też razem z dziewczynkami byłyśmy myte. To nic, że całe dnie „odmaczałyśmy" się w rzece. Sobota była na mycie podłóg, sprzątanie i szorowanie dzieci. Elżbieta myła nas po kolei w wielkiej, blaszanej, balii, do której od popołudnia grzała wodę na piecu. „Pazurkowała" nam głowy tak, że darłyśmy się wniebogłosy, aż dziadek stukał kijem w podłogę i wołał: „Wariatki! Ot, wariatki!" Siedziałyśmy potem rzędem pod piecem ulizane i schłyśmy owinięte w ręczniki albo stare szlafroki z amerykańskich paczek. Dziadek siedział na swoim łóżku i na nasze protesty, że „Patrzy!!!", obrażał się i zasłaniał gazetą. I tak podglądał!

Kiedy złapałyśmy wszy, moja mama przygotowała chustki i obie z panią Adelą wysmarowały nam głowy naftą, obwiązały ciasno i tak paradowałyśmy po wsi. Po południu i inne dziewczynki powychodziły w chustkach, a chłopaków pogolono na łysków. Wszy są demokratyczne, jak obłaziły — to wszystkich!

Wielą frajdą na wsi latem bywało wesele albo chrzciny. No, pogrzeb był smutniejszy.

Na wesele lub chrzciny zapraszano właściwie całą wieś, więc urządzano je w domu dla najważniejszych gości, ale i stoły stały na podwórku, tam też podest z desek dla orkiestry i tańców, a gdy padało, w stodole z braku innego miejsca. W Szafrankach nie było remizy.

Zabijano świnie i cielaka albo krowę i robiono przetwory. Pieczono chleby, smażono ryby do zalewy octowej. W przygotowaniach brały udział najbliższe sąsiadki gospodarzy — zaprzyjaźnione domy — właściwie każda gospodyni umiała robić kiełbasy i kaszanki. Chłopy wędziły je w wędzarni. W Szafrankach co najmniej kilku miało taką na podwórku.

W dniu weselnym, gdy para przyjechała z kościoła, rodzice witali ich chlebem i solą oraz kieliszkiem wódki. Mama panny młodej zazwyczaj płakała. Później wszyscy wystrojeni elegancko zasiadali na swoich miejscach. Dla dzieciaków też było! Każdemu już od rana ślinka ciekła na te specjały! Na swojską kiełbasę pachnącą czosnkiem i wędzoną dopiero co, kaszaneczki i płatki peklowanych szynek, których wówczas nie jedzono często, tylko podczas świąt i wesel.

Wspominam tak wesele Danki Wróblów (która wyszła za przystojnego młodego Kuczyńskiego), córki starego Wróbla, rybaka, i jego żony Reginy. Na stole oprócz mięs było mnóstwo ryb i wspomniane już kurki wodne — maleńkie, upieczone i uduszone w sosie z octem, wspaniałe! Mnóstwo grzybków, ogóreczków i pomidorów. Niecieszących się wielkim wzięciem, bo każdy chciał się najeść tym, co rzadko było na codziennym stole.

Torty i ciasta mnie nie zajmowały. Już zresztą grała muzyka, już było po pierwszym tańcu pary młodej. Zmierzchało, wódka po toastach robiła swoje i zaczynało się wiejskie wesele na całego!

Nie pamiętam wielkich niesnasek weselnych. Żadnych kłonic ani bitew wyrostków. Może gdzieś tam popici chłopacy „potargali się po szczękach" o jakąś pannę, ale woleli tańczyć i później iść obściskiwać się w krzaki, na spacerach w miarę romantycznych, żeby po paru miesiącach (albo po dziewięciu) mogło się odbyć następne wesele. Podobnie bywało na chrzcinach.

Nie wytrzymywałyśmy do rana i wcześniej czy później wracałyśmy do domu koło Wróblowej stodoły, za oborą, koło sławojki i wzdłuż kartofliska zroszonego nocnymi kroplami rosy.

Bywały i pogrzeby, podczas których zaobserwowałam

ciekawy zwyczaj. Gdy zmarłego wywożono już z domu na wozie po czuwaniu, to za mostkiem, gdzie była granica wsi, zdejmowano trumnę na szelkach i tą częścią, gdzie jest głowa, odwracano w stronę wsi. Wszyscy musieli zejść z wozów. Następnie stukano w ziemię trzy razy. Były to przeprosiny zmarłego za wszystko złe, co uczynił komukolwiek za życia, i prośba o wybaczenie. Po czym kładziono trumnę na wóz i my wsiadaliśmy na wozy, i jechaliśmy do Goniądza do kościoła.

Fantastyczna twarz starego Zdunka. Nie lubił się uśmiechać, wolał uchodzić za poważnego.

Wakacje, lato na wsi!

Najwspanialsze dni mojego dzieciństwa! Przeżywałam szczęścia i nieszczęścia bliskich mi mieszkańców wsi i to wszystko, czego się tu nauczyłam, stanowi ogromną część moich umiejętności, wiedzy i wrażliwości. Zawdzięczam to Szafrankom z północnych rozlewisk Biebrzy.

Puck, Sieraków... czyli wczasy

Jako nastolatka zaczęłam podmęczać rodziców o bardziej atrakcyjny dla mnie, panienki, sposób spędzania wakacji. Wkrótce też wyszła mi naprzeciw ciotka Teresa, pracująca w TKKF. To było Towarzystwo Krzewienia Kultury Fizycznej i jako organizacja państwowa dysponowało trzema dużymi ośrodkami w Polsce: w Józefowie, Sierakowie Wielkopolskim oraz Pucku nad morzem (było też pewnie dużo mniejszych).

Obóz w Pucku położony był obok zatoki, okolony siatką od frontu i oddzielony betonowym murkiem od nadmorskiego parku i deptaka. Za tym murkiem, od strony obozu rozciągały się rzędy domków kempingowych większych i mniejszych. Większe przeszklone, dwurodzinne, z wejściami po przeciwległych stronach — ciągnęły się wzdłuż murku aż do starego boiska. Przy spacerowej alejce stały jednorodzinne „Bajki" z werandkami, które wychodziły na wielkie boisko piłkarskie ciągnące się wzdłuż tej alejki. „Bajki" sklecone były z płyty paździerzowej pomalowanej farbą olejną na niebiesko, żółto i zielono. Przy krótszym boku boiska też stało kilka dwurodzinnych domków z wejściami obok siebie, których nazw już nie pamiętam. Były wiśniowe, beżowe i brązowe. Za nimi była niewielka skarpa i duży teren, na którym znajdował się plac apelowy otoczony jeszcze innymi domkami.

Przy placu, koło krzewów bzu, były schodki czy też po prostu nasyp wiodący do dużych sanitariatów (w domkach WC i wody nie było!). Sanitariaty, wyposażone w kabiny prysznicowe i toalety, miały osobne wejścia dla pań i panów. Wszystko to było wiecznie mokre i śmierdzące stęchlizną. Czasem po sprzątaniu — chlorem. Raniutko, w obiad i pod wieczór była ciepła woda. Około 18 kłębił się tam tłum spragniony ciepłego prysznicu.

Wszystkie alejki tego obozu prowadziły do parterowego budynku, w którym mieściły się: kuchnia, stołówka, magazyny i biura, gabinet lekarski i mieszkanie stróża. Miało ono osobne wejście.

Stróż był rdzennym Kaszubem. Nazywał się Gola i miał dwójkę dzieci. Ze starszym, Edwinem, często grałam w ping-ponga. Grał fantastycznie! Często dawał mi fory. Młodsza, chyba Ania, była ładna, milcząca i nie bawiła się z nami. Miała własne towarzystwo, zresztą często wyjeżdżała do dziadków czy coś takiego...

Naprzeciw wejścia do stołówki stały w półkolu ławeczki, a pośrodku fontanna, od lat nieczynna. Po obu stronach fontanny ustawiono stoły do ping-ponga. Z bramy na prawo widać było plażę, zatokę i wchodzące w nią molo, bardzo wówczas proste i byle jakie. Nie dochodząc do plaży, dalej w prawo zaczynał się wąski park-deptak, w którym rosły ogromne ilości dzikich róż. Od morza oddzielał je gęsty, strzyżony, grabowy żywopłot. W „lożach" z żywopłotu stały ławeczki, na których w dzień przysiadali emeryci, a wieczorem zakochane pary.

Na plażę schodziło się schodkami. Piasek był szary, brudny i było go stanowczo za mało. Między linią wody a piaskiem leżały skudlone, półgnijące morskie wodorosty, które zabijały sakramenckim smrodem każdego nowo przybyłego wczasowicza. Trzeciego dnia człowiek się przyzwyczajał i czuł już tylko „zapach morza".

Z bramy w lewo widać było mały fragment parku porosłego bardzo starymi bukami. Korony zasłaniały niebo, więc zamiast trawy było tam tylko ziemiste klepisko i postument z wielkim czołgiem, dokładnie takim, jak w *Czterech pancernych*. Po emisji serialu ktoś na nim odbił łapy i napisał: RUDY. Nie było sensu z tym walczyć. To musiał być Rudy i już! Tym ciemnym, cienistym parkiem wychodziło się na ulicę prowadzącą do ryneczku. Po drodze mijało się ośrodek zdrowia, szpital, małe sklepy — warzywny i spożywczy, kiosk z gazetami i punkt napraw AGD. Rynek był po to, by chodzić tam na lody i ciastka.

Obóz TKKF powtarzał wzorce działania wczasów FWP, na których czas był wypełniany obligatoryjnie przez kaowców i nie mogło być miejsca na nudę. Jak Polska długa i szeroka, wczasy miały swój rozkład dnia, obowiązkowe zajęcia, rygor itd.

Obozy TKKF były ośrodkami bardzo aktywnego wypoczynku. Oprócz wieczorków zapoznawczych i dancingów — sport! sport! sport!

Po przyjeździe trzeba się było zameldować i dokonać wpłaty. Dostawało się za to kluczyki do domku i kwity na posiłki. Kartoniki z cyferkami „1", „2", „3" oznaczały kolejno: śniadanko, obiad i kolację. Idąc na posiłek, nie wolno było zgubić numerka! Z kwitkiem na pościel szło się do magazynu pościelowego. Jak się przyszło odpowiednio wcześniej, dało się wymarudzić coś kolorowego, bo na ogół pościel była szarawa i byle jaka. Po kolacji wszyscy, ale to wszyscy (!) spotykali się na apelu informacyjnym. Na razie staliśmy jak stado owiec, bez ładu i składu. Tak jakoś niby wkoło. O 19 przyszli jacyś panowie w dresach. Niektórzy z brzuszkiem i łysiną. Z nimi pojawiła się pani i grupa młodych ludzi, na oko — studentów. Też w dresach. Pani była ładna i miała gwizdek, którym zagwizdała, a gdy ucichliśmy (niektórzy pełni oburzenia za ten gwizd), pani uśmiechnęła się czarująco i głośno zaczęła:

— Witam wszystkich na obozie sportowo-wypoczynkowym w ośrodku TKKF, w Pucku. Nazywam się Halina Kowalska i jestem kierownikiem tego obozu. Oto nasi działacze: pan X, pan Y, pan Z. Dzięki nim... ble, ble, ble i tra ta ta.

Panowie dostali brawa (diabli wiedzą za co) i kłaniali się.

Pani Halinka kontynuowała:

— A oto są „grupowi" — studenci warszawskiego i gdańskiego AWF-u, którzy umilą wam pobyt i zorganizują was w grupy. Proszę bardzo: panowie od 24 roku życia w górę — pan Mirek. Panie od 24 roku w górę — pani Ewa. Panowie młodsi, 15-24 lata, o, tutaj. Zajmie się wami pan Zbyszek. Panie młodsze, 15-24 lata — pani Małgosia. Młodzież 8-15 lat — pani Magda, ta brunetka, proszę stawać za nią! Maluszki, zajmie się wami pani Madzia! No? Chodźcie, nie bójcie się, to bardzo miła pani.

Tak oto pani Halinka szybko rozdysponowała przyjezdne stado w zgrabny, wojskowy prawie oddział gotów do wakacji. Polecenia, głośne i precyzyjnie wydawane przyjaznym, lecz nieznoszącym sprzeciwu głosem dały nam do zrozumienia, kto tu rządzi. Byliśmy przyzwyczajeni do pewnego drylu, bo w zakładach pracy i szkołach wtedy się nie dyskutowało. Byliśmy „zagospodarowani". Czuliśmy, że ktoś już postanowił, jak będą wyglądały te nasze urlopy i wakacje. Nikomu do głowy nie przyszło marudzenie, podawanie w wątpliwość, dyskusje i gadanie o wolności wyboru. My już wybraliśmy — obóz TKKF w Pucku! Teraz odpowiedni personel tchnie w nas sportowego ducha!

Pani Halinka uświadomiła nas, że rozkład zajęć będzie wisiał codziennie rano na tablicy ogłoszeń. Także menu i ogłoszenia różne, więc codziennie należy stanąć przed tą tablicą, bo ona nas oświeci. Zareklamowała też gimnastykę poranną. Powiedziała, że oczywiście nie wszyscy muszą mieć ochotę wstawać rano, o 6.45, ale jesteśmy na SPORTOWYM obozie, a nie w sanatorium dla emerytów i rencistów. Oczywiście połowa uczestników po dwóch, trzech dniach rezygnowała z porannej zaprawy, bo jednak przyjechali tu odpocząć i zapomnieć o tym, że codziennie rano budzik dzwonił im przy łóżku o 6.45!

Na plac co rano zbiegała się garstka zapaleńców i pod okiem pani Madzi, pana Mirka czy kogo tam ćwiczyli zapamiętale. Dobrze, że ze „szczekaczek" (w PRL-u — megafonów) nie rozbrzmiewały robotnicze pieśni zagrzewające do przysiadów i wymachów ramion. Najważniejsze, że świetnie im szło i już! Tak zaczynał się każdy dzień. Mama uparła się i biegała na tę gimnastykę. Tato miał w nosie i ja też.

Wystarczyło, że nigdy nie spóźniałam się do szkoły, a teraz miałam WAKACJE!!!

Po umyciu się szliśmy dostojnie do stołówki, w której już uwijały się miejscowe dziewczyny kelnerki. Na każdym stole nowo przybyłych stawiały wazę zupy mlecznej. U nas nie było problemu, ale przy innych stolikach zaczynały się próby przekonania dzieci do zjedzenia „choć paru łyżeczek":

— To pyszna zupka, Maciusiu (Adasiu czy tam Mariolko). Zobacz, jak tatuś pałaszuje z apetytem! — gdakała jakaś przejęta swoją rolą mateczka do rozgrymaszonego bachora. Bachor jednak był twardy i szantażował, „że są wakacje i nie musi!"

Kelnerka Ula zaraz zabierze przecież numerki śniadaniowe i przyniesie talerze z wędliną, masłem i plastrami świeżego ogórka. Może będzie metka? Przysmak pomorsko-poznański. Wędzone mięso z peklowaną słoniną zmielone na bardzo drobno, we flaku. Była tania i pyszna. W koszyku na stole leżał pokrojony chleb i bułeczki z chrupiącą skórką. Kawałki marmolady albo dżemu były na każdym stole w małej miseczce. Dziarsko krocząc, Ula przynosiła też dzbanek kawy z mlekiem.

Po śniadaniu mama i tato szli do swoich grup, ja do swojej i do obiadu każdy zajmował się czym innym. W upalne dni starano się jednak urządzać nam dużo zabaw plażowych. Dla nieumiejących — nauka pływania. Dla ambitnych — robienie karty pływackiej i „żółtego czepka", dla spragnionych ruchu — piłka plażowa, kajaki, zawody pływackie, a dla maluchów — konkursy budowania zamków z piasku. Reszta opalała się i kąpała. Wszystko pod okiem opiekunów, na wesoło.

W dni ciut gorsze, zimne i chłodne starsi panowie albo my, młodzież, lub też panie — wszyscy brali rowery z magazynu, bo w planie przewidziana była wycieczka do Władysławowa. Taki wypad zabierał całe przedpołudnie i wracało się dopiero na obiad. Inne grupy szły do lasu, zbierały skarby nad morzem lub gimnastykowały się na boisku. Inni w tym czasie rozgrywali mecz w cokolwiek. W czasie turnusu trwały rozgrywki w piłkę nożną, siatkówkę, koszykówkę, badmintona, ping-ponga, ringo. Każda grupa wyłaniała co lepszych graczy, a wkrótce odbywały się jakieś ćwierći półfinały. Finałowe rozgrywki o puchar i medale były już naprawdę ostre. Pucharem był często słoik dżemu, ale towarzyszyły mu dyplomy i medale.

Dzieciaki i maluchy, gdy było chłodniej, grały namiętnie w zbijaka, dwa ognie, jeździły na małych rowerkach i uczyły się wierszyków i piosenek. W czasie deszczu organizowano im zajęcia rysunkowe, czytano na głos książki, czasem wyświetlano filmy starym rzutnikiem.

Starsze panie, niezależnie od pogody, często chodziły w ładny zakątek koło dużego boiska lub na salę ćwiczeń, by poćwiczyć ze swoją panią piersi i talię, brzuszki i ogólnie się pogimnastykować „dla zdrowia i urody".

Wiadomo było z tablicy ogłoszeń, że na koniec obozu przewidziane jest ognisko z kiełbaskami. Na tym ognisku pani Halinka w towarzystwie działaczy podsumuje obóz, pochwali nas za sportową postawę, a my w zamian, każda grupa osobno, przygotujemy na to ognisko program artystyczny. Starsi panowie na pewno zrobią piramidę, starsze panie zaśpiewają coś wesołego i to na głosy. Młodzież wymyśli bardzo złośliwe echo, to jest każdemu dostanie się łatka, na przykład pani Halinka to „Szeryf w spódnicy" (O matko! Ale mocne!), pani Ewa — „Matka Joanna od aniołów", pan Mirek — „Ptyś" (no, po prostu, szczyty dowcipu...). Do „echa" brało się tytuły filmów oczywiście. Potem była gitara i jakieś pieśni. Mniej lub bardziej zaangażowane, np. *Łazi mucha po ścianie*, *Jajco holenderskie — blues*, a zakończone *Sokołami* czy *Czerwonym pasem*.

Młodzież wystąpi ze skeczami, okropnie śmiesznymi albo nie bardzo. Maluchy? Maluchy nie szły na ognisko, tylko spać. Przy ognisku humory dopisywały, bo choć to obóz sportowy i picie było ABSOLUTNIE zakazane, krążyły małe naparsteczki od piersiówek. Jakiś jarzębiaczek, wiśnióweczka, czasem po prostu żytniówka i wszystko było coraz śmieszniejsze i coraz weselej się robiło!

Gdy zaczęłam jeździć do Pucka jako podlotek, nic się tam nie zmieniło. Pani Halinka, ciut starsza i wciąż ładna, była kierowniczką. Panowie z zarządu bardziej łysi i brzuchaci, a pan Gola, stróż, bardziej szpakowaty. W tych czasach jeździła do Pucka ciotka Teresa, siostra mamy, z Michasiem, nieletnim smarkaczem. Ja „wczasowałam się" z moją cioteczną siostrą Kaśką. Obie nastoletnie (między nami jest sześć dni różnicy), BEZ rodziców! Terenia była zbyt pochłonięta „Misiasiem", by spoglądać na nas. Zresztą byłyśmy świętoszkowate jak cholera, więc co mogło się stać? Zapaliłyśmy w tajemnicy papieroska? No to co?

Rozkład zajęć był taki sam, grupy i wszystko dookoła. Nawet kelnerki się nie zmieniły... Tylko inni ludzie niż kilka lat wstecz, gdy byłam tu z rodzicami. Po obiedzie też był czas wolny, ale nie do końca. My, młodzież, biegliśmy na plażę, by aż do kolacji pływać i opalać się, grać w piłkę i obserwować się nawzajem. Musiały się jakoś zawiązać te wakacyjne sympatie. Dorośli w tym czasie zajmowali boiska, gdzie zaciekle rozgrywali rodzinne i towarzyskie mecze we wszystko, czym dysponował magazyn. Mniej usportowieni rozkładali stoliczki, krzesełka aluminiowe i grali w brydża. Kobiety parzyły kawę w termosach. Zwykłą mieloną albo marago rozpuszczalną, z brązowej puszki. Była bardzo modna i świetna do kogla-mogla. Na talerzykach leżały herbatniki *Petit berry*, a i butelka adwokata wabiła łagodnie żółtą słodyczą (w „Delikatesach" można było kupić do adwokata małe kieliszki z czekolady po 50 gr, zdaje się...). Dostojnie rozdawano karty i zapalano papierosa. Bardzo elegancko tak się grało. Aż do kolacji, na którą robiono przerwę. Potem wracano do stoliczków, zapalano świeczki, jak się ściemniało, toczono miłe i ciche rozmowy.

Przed kolacją ci, co już spocili się na boiskach, brali mydła i ręczniki i szli pod prysznice. Generalnie uczestnicy obozu dzielili się względem mycia na dwie grupy. Ci upoceni — piłkarze, siatkarze, rowerzyści i strzelcy — zajmowali sanitariaty przed kolacją. Młodzież, czyli my, mieliśmy swój czas godzinkę po kolacji. Godzinkę tę zajmowały mamy z „Michasiami". Zostawało dla nas jeszcze sporo gorącej wody, bo powstawała ona w bojlerze połączonym z kuchnią. Po śniadaniu, obiedzie i kolacji gorąca woda była. Potem już nie.

Pod prysznice wchodziło się po dwie. Tak było ekonomiczniej, szybciej i weselej. Nawet oberwane zasłonki nie przeszkadzały. Najgorsza była obślizgła, mokra podłoga, dlatego przestrzegałyśmy chodzenia pod prysznice w japonkach chińskiej produkcji. Wychodziłyśmy z sanitariatów w kolorowych szlafrokach albo owinięte w wielkie, kąpielowe ręczniki. Oczywiście chińskie. W kwiaty i motyle. Zalotnie popatrywałyśmy na umytych chłopaków wychodzących z męskiej części natrysków. Stawiałyśmy stopy uważnie i wdzięcznie (bo wzdłuż sanitariatów już zdążyła wylać się jakaś cuchnąca woda z nieszczelnej rury). Scenka trochę jak z wiersza Marii Pawlikowskiej-Jasnorzewskiej *La précieuse*:

Widzę cię w futro wtuloną,
Wahającą się nad małą kałużą
Z chińskim pieskiem pod pachą, z parasolem i z różą...
I jakże ty zrobisz krok w nieskończoność?

A mogło być tak:

Widzę cię w szlafrok wtuloną
Wahającą się nad śmierdzącą kałużą
Z chińskim ręcznikiem pod pachą, i gąbką jakąś niedużą
I jakże ty zrobisz krok... w to cholerne bagno?!

W naszych oczach to oni, chłopaki, mieli być rycerzami, fantastycznymi zdobywcami naszych serc... a tu nic! Głupawe uśmieszki, gdy wychodzili z łazienek. Trzeba było czekać do wieczorku zapoznawczego, by adorator się objawił.

To ja
– panna Gosia
z turnusu trzeciego!

Nie było lekko. W tamtych czasach wieczorki taneczne były może cztery w turnusie, nie codziennie, jak dziś.

Wracając do samego pobytu w Pucku, lubiłyśmy z Kaśką wypady do miasteczka. Było małe i kolorowe. Dla nas składało się z portu, rynku i paru przyległych uliczek z ich sklepikami, lodziarniami i straganami. Dookoła rynku stały sobie ładne, przedwojenne kamieniczki. Na parterze każdej z nich były jakieś kawiarenki, sklepiki, księgarnie i piekarnie. Po prawej stronie wielka fara z czerwonej cegły, którą nie zachwycałyśmy się jakoś, bo obie byłyśmy pogankami.

Za farą, w małej uliczce maleńka „kaszebsko checz", czyli knajpeczka ze smażonymi rybami. Czasem koło 17 z zaplecza dochodził rumor, bo ojciec rodziny właśnie dopłynął do nabrzeża i oto wejściem kuchennym pani odbierała świeżuśkie ryby. Sprawione szybko rybki natychmiast zostaną rzucone na patelnię, a czego się nie sprzeda, trafi po usmażeniu do octu! Takie smażone ryby w zalewie octowej to pycha i cud kulinarny nieznany mi dotąd! A ta checz stoi sobie do dzisiaj i serwuje wspaniałe rybne dania!

Po przeciwnej stronie rynku, w lewo, w uliczce stał stragan z warzywami i łakociami. Właściciel, starszy pan, a właściwie dziadek, miał w szklanych słojach niespotykane słodycze. Jakieś okrągłe gumy do żucia, lizaki, krówki niewedlowskie i płaskie, prostokątne cukierki „na kaszel". Był to stary wynalazek naszych prababć — ślazowe cukierki robione w domu w jakiejś starej formie. Smakowały miodem i anyżem, a długo trzymane na języku zamieniały się w cieniutki płatek. Kupowałyśmy też czereśnie i truskawki pakowane do zwijanej ręcznie z papieru tytki. Jadłyśmy prosto z torebki, niemyte, i to zostało nam do dziś.

W drodze powrotnej zachodziłyśmy na molo, na które prowadziły schody, i to tam właśnie moja kuzynka serwowała mi swoje niekomplementy, od których mogłam (gdybym tylko chciała!) wpaść w kompleksy.

Opalałam się najpierw na malinowo — to cena, którą płacą blondynki za „cerę jak śnieg". Taka czerwonoskóra schodziłam tymi schodami na plażę, a Kaśka (pięknie opalona na oliwkowo — wiadomo: brunetka z błękitnymi oczami) stała z lodami na dole i komentowała:

— Wyglądasz jak budyń malinowy rozlany na tych schodkach!

Innym razem moja słodka kuzyneczka wzbudziła we mnie na wiele lat niechęć do koloru czerwonego. Dostałam od ciotki wymarzoną bluzeczkę bouclé w kolorze utlenionej krwi, z maleńkimi kwiatkami. Założyłam ją radośnie i... Co usłyszałam po parsknięciu śmiechem?

— Gośka! Wyglądasz w tej czerwieni jak Jagna od Borynów!

Że też ja jej nie zadusiłam!

W kiosku „Ruchu" kupowałyśmy pocztówki z mewami siedzącymi na kutrach i z zachodem słońca nad zatoką. Wieczorem wypisywałyśmy oryginalne życzenia do bliższych i dalszych znajomych, a następnego dnia szłyśmy na pocztę wrzucić je do skrzynki. Mogłyśmy to zrobić na terenie ośrodka, ale tak miałyśmy pretekst do ponownego pójścia „na miasto".

Każdy, kto wychodził rano ze śniadania, stawał przy tablicy informacyjnej (ciągle tablica była ważnym obiektem!) i czytał, jakie zajęcia dziś będą, która grupa co robi i najważniejsze — co będzie na obiad. Obiad jadło się w dwóch turach. Ula i Halinka podchodziły do stołów z wazą pełną zupy i zabierały nasze numerki. Wazy były białe i kremowe, poobtłukiwane, z grubego porcelitu (te same co z zupami mlecznymi podczas śniadań). Sztućce aluminiowe, o niewyszukanej formie. Na talerzach, też niepięknych, widniał czerwono-zielony napis „TKKF". Wkrótce zaczęły pojawiać się napisy „WSS Społem" i talerze bez napisów.

Menu było nieskomplikowane, zdrowe i, po dodaniu soli lub maggi, smaczne. Barszcze, pomidorówki, ogórkowe, rosoły cienkie i bez smaku (ale za to tylko w niedziele), żurki i kapuśniaki. Zupy owocowe były przez nas omijane. Za to na „drugie" zjadałyśmy na ogół wszystko. Twardawą wołowinę z rosołu, mielaki, zrazy jakieś wieprzowe i gulasze. W niedzielnych rosołach ugotowane i obsmażone potem kurczaki. Ziemniaki, wszędzie takie same, niezauważalnie znikały z talerzy wraz z surówkami, których smaku nigdy nie umiałam odtworzyć w domu, gdy byłam już dorosła. To chyba zasługa ilości. Były robione w wielkich miednicach i jakoś tam przechodziły swoim smakiem, puszczały soki mieszane z solą i octem...

Kompoty — obowiązkowo w kubasach śniadaniowych. Mdławe i mało słodkie na szczęście, z pływającą w środku śliwką lub jabłkiem uzupełniały obiad. Halinka i Ula zgrabnie i szybko sprzątały ze stołów, bo szykowała się druga tura.

Pamiętam, że Ula miała spore wole tarczycowe. Chyba lęgła się jej choroba Basedowa, bo miała wyraźnie zaznaczone oczy. Była nawet ładna. Miała jakby nadęte usta, malowane perłową szminką, falujące włosy spinała plastikową klamerką. Większość pań postanowiła uświadomić Ulę co do jej problemów z tarczycą i biedna Ula po wielekroć musiała zapewniać wścibską babę, że jest pod opieką lekarzy. Halinka miała piegi, szeroki uśmiech i rude, proste włosy, też w ogonek. Pod fartuchem szorty. Spódnicę tylko w niedziele. Biegała po sali w pepegach albo drewniakach. Ula w plastikowych klapkach. Ale były szybkie! A na rękę, zgiętą w pół, potrafiły zabrać sześć talerzy z drugim daniem!

Zatoka Pucka ma to do siebie, że jest zaciszna i spokojna. Typowe morskie fale nikogo tu nie zachłystują. Przyjazne, długo „uchwytne" dno pozwala taplać się i pływać nawet takim, co uczyli się pływać w rzeczkach lub jeziorkach. Po kolacji brałyśmy, ja i Kaśka, ręczniki i szlafroki i szłyśmy popływać sobie przy zachodzie słońca. „Współpływaczy" było niewielu lub wcale. Spokojna woda, słona jak diabli, ale ciepła, sprawiała, że można tak było pływać i pływać. Woda rzeczywiście uspokaja.

Później już, przebrane w dresy, szłyśmy z kolegami w prawo od molo, wąskim niegdyś odcinkiem plaży aż do maleńkiej zatoczki, gdzie robiliśmy sobie małe ognisko. Takie z paru suchych patyków i suchych glonów, otoczone kamieniami. Snuliśmy ciche senne rozmowy, pełne filozoficznych wynurzeń i romantycznych westchnień. Nie wstydziliśmy się siebie, bo byliśmy sobie dość bliscy i czuliśmy podobnie. Czasem spóźniony jacht sunął dostojnie do portu, a za nim, na linii horyzontu topiło się wielkie, pomarańczowe słońce. Wstawał wielgachny księżyc i już błyskały gwiazdy. To wielkie kiczowisko było naprawdę piękne i brakowało nam tylko jelenia.

Gdy wracałyśmy późno do łóżek, chciało nam się jeszcze czytać. Zawsze na głos, jedna drugiej. Na przemian byli czytani *Kolumbowie* Romana Bratnego (cudowna książka! Ważna!), *Atlantyk-Pacyfik* i *Królik i oceany*, *Ziele na kraterze*, po których pokochałam Melchiora Wańkowicza, i *Muminki* Tove Jansson. Lampkę gasiłyśmy, jak książka z plaskiem wypadała na podłogę ze śpiącej już ręki którejś z nas...

W międzyczasie popalałyśmy papieroski, jak przystało na panny z dobrych domów. Kupiłyśmy sobie pudełko „Damskich" (ładna nazwa dla cienkich fajeczek) i zapałki. „Damskie" były cienkie dosłownie i w przenośni. Były lekkie po prostu i cienko zawijane w białą bibułkę, z bardzo długim, białym ustnikiem. Czasem na fajeczkę wpadał do nas Janusz, syn działacza i surowej mamy. Ta wytropiła jego ścieżki i któregoś wieczoru, kiedy Januszek jak huzar zaciągnął się właśnie skrętem, usłyszeliśmy całkiem blisko dyszkant jego mamusi:

Tak wyglądał panoramiczny „rzut oka" na obóz TKKF w Pucku. Na pierwszym planie – patyczak – moja siostra cioteczna, Kasia (170 cm i 48 kg – małpa!).

— Janusz! Jaaanusz!

Duży, prawie dorosły chłop puścił dym uszami i rzucił się do naszej półki z kosmetykami w poszukiwaniu miętowego sprayu do ust. Zamiast niego złapał (w podobnej buteleczce) moje perfumy „Alicja" (ładne były!), strzelił sobie kilka „psików" do ust, żeby mamusia fajek nie poczuła, i wyległ na dwór. „Hauskommando" spytało:

— Gdzie byłeś, synku?

Januszek zaś bąkał coś, że „u koleżanek, mamusiu", a ta zaciągnęła się moją „Alicją" jadącą z pyska Januszka i spojrzała srogo i wrogo.

— Tatuś wraca do Warszawy. Marsz do domu pożegnać tatusia i żebyś mi się tu więcej nie włóczył!

Następnego dnia Janusz prężył się, że „co tam mamusia, on po prostu był zmęczony i ot, tak, poszedł sobie spać", ale my i tak wiedziałyśmy, kto u nich spodnie nosi. Bynajmniej nie starszy brat Janusza...

W ogóle trzeba przyznać, że towarzystwo miałyśmy zawsze. Kaśka stroniła od chłopaków, z którymi nawiązywała jakie takie kontakty opornie. Była nieimprezowa, nie chadzała na potańcówki. Ja przeciwnie — chętnie, tak więc zanim minął dwutygodniowy turnus, zdążyłam się nie raz zakochać i odkochać! W ogóle lubiłam towarzystwo.

Kaśka z pewną dozą zazdrości syczała zawsze:

— Bo ty z każdym za pan brat — jak świnia z pastuchem!

Jestem miła i jednak jej nie udusiłam!

W ostatni piątek obozu rozgrywano zgadywankę terenową, znakomitą zabawę. Połączenie podchodów ze zdobywaniem sprawności harcerskich i teleturnieju o Różnych Różnościach, jakby powiedział Prosiaczek. Trwała pół dnia, do obiadu. Rodziny dobierały się tak, by były to „teamy" trzy- lub czteroosobowe — jak w prawdziwych rodzinach, ktoś starszy, młodszy... Każda prawdziwa i taka sztuczna rodzina stawała na mecie i dostawała kartonik-druczek. Po jednej stronie były opisane sprawności fizyczne i tabelka do wpisania zdobytych punktów, a z drugiej strony numery oznaczające napotkane w lesie pytania i zaznaczone odpowiedzi: 1, 2, 3. Po wpisaniu godziny startu (czas przebiegu rodziny przez las i sprawności też się liczyły do punktacji) rodzina wychodziła z obozu i szła po oznakowanym szlaku, szukając stanowisk z trenerami, którzy oceniali daną sprawność fizyczną. Na przykład slalom rowerowy, rzut piłeczką palantową, skok w dal lub wzwyż. Oczywiście była osobna punktacja panów, pań, dzieci i młodzieży. W lesie trzeba było uważać na znaki, takie jak w podchodach, bo na gałęziach, w jamkach lub starych pniach ukryte były kartoniki z pytaniami i trzema wersjami odpowiedzi. Sami na naszych blankietach zaznaczaliśmy numer pytania i wersję odpowiedzi uznaną za odpowiednią. Pytania dotyczyły miejsca, w którym byliśmy (np. historii Pucka), jak i spraw obozowych, znajomości kadry i czegoś tam. Po odnalezieniu wszystkich stanowisk i pytań rodzina biegła na metę, która znajdowała się już na terenie obozu, i tam wpisywano na blankiet godzinę powrotu. Taka trasa trwała zwyczajowo godzinę, półtorej i nie była wyniszczająca dla nikogo. Na ogólną punktację czekało się do wieczora. Po kolacji wyniki już wisiały na... tablicy ogłoszeń oczywiście! Osobno były klasyfikowane rodziny trzy-, osobno czteroosobowe. Jednak na nagrody trzeba było poczekać do ostatniego apelu.

Pamiętam, że pod koniec moich wyjazdów do Pucka w skład rozrywek obozowych wszedł jeszcze konkurs rodzin Kowalskich. Otóż obozy, których jeszcze parę było w pobliżu, już nie TKKF, ale FWP (Fundusz Wczasów Pracowniczych) i inne jakieś, dogadały się ze sobą i zrobiły dużą imprezę plenerową — konkurs rodzin Kowalskich (nie o kowalstwo tu bynajmniej chodzi). Rzecz cała działa się i miała swój wielki finał na rynku puckim, na wielkiej drewnianej estradzie, ustawianej tam zawsze co rok na poczet różnych atrakcji. A to przyjechał pokaz Mody Polskiej z Trójmiasta, a to zagrał zespół big-beatowy, a to jakieś cyrkowe akrobacje uprzyjemniały pobyt wczasowiczom.

Na tej estradzie w sobotnie popołudnie rozegrano ów konkurs. Każdy ośrodek sklecił rodzinę składającą się z babci i dziadka, mamy i taty, córki i synka, wnuczki i wnuczka. Oczywiście były to osoby nieformalnie połączone w niby-rodziny. Osobno startowały babcie w swojej konkurencji fizycznej i umysłowej. Osobno dzieci, mamy, dziadkowie i w ogóle wszyscy. Ja byłam, mając 16 lat, mamą. Po babciach, które miały obieranie ziemniaków na czas i opowieść o pierwszej randce z dziadkiem, byli dziadkowie. Musieli dać sprawozdanie z meczu piłkarskiego lub wyścigu pokoju przez minutę i podbijać piłkę jedną nogą, do góry, też przez minutę. My, mamy, musiałyśmy zaśpiewać piosenkę wojskową i skakać na skakance przez minutę bez skuchy (która więcej). Zaśpiewałam *Deszcz, jesienny deszcz*, bardzo ładną piosenkę z chóru szkolnego i to tak, jak uczyła nas śpiewać Małgosia Komorowska — głośno i pewnie. Potem naskakałam na minutę 148 „skików" i byłam najlepsza! Naturalnie znałam treść polecenia wcześniej. Jak wszyscy. W czasie treningu „przegięłam" i naciągnęłam ścięgno Achillesa. Bolało jak cholera, ale taki miły kolega z Katowic, piłkarz, zrobił mi tuż przed skakaniem masaż rozgrzewający, że skacząc, nie czułam bólu. Za to potem długo kuśtykałam.

Bardzo przyjemnie było występować na puckim rynku, mieć dużą publiczność, brać udział w wielkiej i wesołej imprezie. Kiedy w tygodniu szłyśmy z Kaśką na rynek, idąca z naprzeciwka kawalerka ryknęła głośno:

— Cześć, mamuśka!

Kaśkę ubawiła ta popularność.

Naturalnie zajęliśmy pierwsze miejsce jako rodzina i czekaliśmy na końcowy apel, by dostać medal, dyplom i owacje. Bardzo często ten ostatni apel łączono z późniejszym ogniskiem, czasem nie. Różnie to bywało. Pani Halinka, w białym dresie, była bardzo uroczysta. My, obozowicze, staliśmy z naszymi opiekunami-trenerami w oczekiwaniu na nagrody, wyprostowani, niecierpliwi.

W trakcie trwania obozu prawie codziennie odbywały się jakieś konkursy, rozgrywki, mecze. Wszyściutko było rozliczane i oceniane, nawet stroje na bal przebierańców, rysunki malowane przez dzieciaki w czasie deszczu, wierszyki deklamowane na ognisku maluchów, badminton, ping-pong, kosz, siatkówka, brydż, ringo, pływanie samodzielne i kajakiem, slalomy i wyścigi rowerowe, no i oczywiście mecz piłki nożnej. Na ten mecz szykował się każdy uczestnik obozu. Panowie trenowali w każdej wolnej chwili, bo był to mecz kadra kontra uczestnicy.

Młodzież niegrająca (dziewczyny) i panie przygotowywały napisy na ogromnych, rozwijanych transparentach oraz wymyślały hasła do skandowania. Im śmieszniejsze, tym lepiej. Oczywiście na plaży, w tajemnicy! Potem cały obóz, wszyscy, młodzi i niekoniecznie, szli na stary stadion na zapleczu obozu, gdzie było boisko otoczone drewnianymi trybunami, zszarzałymi już i trzeszczącymi ze starości. Atmosfera była niezwykle gorąca. Zawsze ktoś z kadry albo uczestników podejmował się komentowania meczu przez megafon ręczny. Zazwyczaj była to osoba bardzo dowcipna i zarumieniona już naparstkiem winiaku. Ryczeliśmy ze śmiechu, słuchając nieporadnego, ale rozpalonego spikera posługującego się określeniami: „pan z brzuszkiem", „łysiejący blondyn", „Tarzan z domku nr 8", „rączy kucyk" (to o naszym koledze z włosami w kucyk), „mój kolega Bolo" i mnóstwo innych. Nikt nie był oszczędzony. Trybuny szalały, kobiety falowały i gwizdały na palcach (to ja), reszta po prostu zagrzewała do walki naszych wspaniałych mistrzów sportu obozu TKKF w Pucku.

Pani Halinka podsumowując nasz pobyt, pochwaliła za coś, zganiła za coś i wreszcie następowała chwila, gdy wnoszono stolik z dyplomami oraz długi kij od szczotki, na którym dyndało mnóstwo tasiemek z medalami. Najpierw TKKF miało kasę na medale z metalu z napisem TKKF i coś tam o sporcie na odwrocie. Złote, srebrne i brązowe. Ale jak było cienko z pieniędzmi, robiono je z gałęzi brzozowych, które pan Gola, stróż, ciął na ukośne plasterki, jak kiełbasę, szlifował po obu stronach, a nasi opiekunowie pięknie zdobili. Po jednej stronie kolorowymi flamastrami rysowali symbol TKKF i napis „TKKF", a po drugiej stronie pisali za co medal i które miejsce. Roboty było z tym mnóstwo, więc czasem zapraszano do współpracy jakieś panie, które nieusportowione bardzo się nudziły i wyżywały w tej oto formie twórczości. Kij z medalami spoczywał na ramionach jakichś silnych i pięknych młodzieńców, pani Halinka zaś wyczytywała dyscyplinę, kto i kiedy, jakie miejsce. Oklaski i ktoś wychodził na środek, odbierał dyplom, medal i gratulacje. Buziak od pani Halinki był też swego rodzaju nagrodą, bo pani Halinka ogólnie bardzo się panom podobała. Jeszcze uścisk dłoni działaczy i „wstąp do szeregu". Oczywiście najbardziej te dyplomy i wyróżnienia przeżywały dzieciaki, bo dbało się o to, by żadne dziecko nie ominęła nagroda. Choćby za piękny zamek z piasku lub odwagę w czasie podchodów w ciemnym lesie.

Pozostała jeszcze „zielona noc" i już trzeba było żegnać spotkanych przyjaciół, choć niektóre znajomości kontynuowało się niezależnie od tego, czy było się rodzicem czy młodzieżą. Rozstawały się miłości, przysięgając korespondencję i wierność. Żal było odjeżdżać. Żal było zielononocnych malowanek pastą do zębów po szybach, psikusów i żartów robionych tym, których się lubiło. Pamiętam, jak działaczowi czy któremuś z trenerów wniesiono jego trabanta na boisko i ulokowano w bramce. Do tego wyczynu trzeba było paru silnych chłopa!

Wszyscy odprowadzaliśmy się na pociągi i autobusy — grupowo. Machaliśmy chusteczkami i wołaliśmy „do widzenia" tak głośno, by ten żegnany ktoś słyszał to jeszcze za zakrętem. Obóz pustoszał. Tylko pokojówki uwijały się, wynosząc z opuszczonych domków pościel, a pomagały im

Halinka i Ulka z jadalni. Pan Gola z Edwinem reperowali sprzęt, pod prysznicami nie było gorącej wody, bo obiadu też nie było. Pierwsi z nowego turnusu przyjadą dopiero wieczorem. Zostawali zaś ci, co chcą pobyć w obozie dwa lub trzy turnusy i wtedy szli na obiad do „Nadmorskiej", restauracji koło molo, baru mlecznego przy rynku lub „kaszebskiej checzy" koło fary...

Wojciech Młynarski, twórca panny Krysi z turnusu trzeciego.

Wieczorem na sali żułyśmy chleb z sałatką rybną Neptun, popijając cienką i słodką herbatą i patrzyłyśmy na nowo przybyłych. Żadna z nas nie wierzyła, że zdołamy się z nimi zaprzyjaźnić na te nowe dwa tygodnie. A jednak...

Bliźniaczy obóz TKKF był też w Sierakowie Wielkopolskim. Tamten obóz najbardziej lubiła Tereska, Michaś i Jacek. Byłam tam kiedyś z wujem Maćkiem Szczepańskim i Kaśką. Pojechała z nami jeszcze córka znajomego cioci Ziuty, panna Jane z Anglii. Dziewczę miało 15 lat (my po 17) i nieokiełznany temperament towarzyski. Mieliśmy z nią wszyscy krzyż pański, bo królowała na dyskotekach jak panna Krysia z piosenki Młynarskiego. Zawracała głowę biednym chłopakom, otumaniała ich i szalała po prostu. Strasznieśmy się bali, że do tej swojej ojczyzny zawiezie jakąś niechcianą i lekkomyślnie zapuszczoną ciążę. Jak mówią Rosjanie: „Boh hranił".

Jakoś nie pokochałam Sierakowa tak jak Pucka i wspomnień mam stamtąd mniej...

Za to pamiętam czarowne wakacje spędzone z Kaśką w miejscowości, w której lubili spędzać wakacje jej rodzice. Była to miejscowość Stare Jabłonki koło Ostródy. Tam wujostwo znaleźli bardzo miłą rodzinę, która wynajmowała pokoje wczasowiczom. Państwo Symonowiczowie byli bezdzietnym małżeństwem. Ona Kaszubka, on lwowianin.

W przybudówce mieszkała siostra pani Ireny, pani Renata, panna (!) kulejąca na nogę, a w ogrodzie nieopodal mieli swój domek pani Dorota i jej mąż. Pani Dorcia była siostrą pani Ireny. W głównym domu, na pięterku państwo Symonowiczowie wygospodarowali trzy pokoiki dla wczasowiczów. My z Kaśką miałyśmy jeden, malutki, mansardowy, a obok wprowadziło się małżeństwo z Warszawy, państwo Anna i Tadeusz Soplicowie. Ona ogromna, ze śladami dawnej urody, on wysoki, szczupły, wyprostowany i dziarski, jak dragon.

Opiszę jeden z wielu wieczorów, jakie tam się odbywały.

Po południu, po jakichś zajęciach nad wodą wracałyśmy z Kaśką i robiłyśmy namiastkę obiadu. Później małe sprzątanie i już zaczynały się powolne przygotowania do wieczoru. Pani Irena wycierała stół pod wielką czereśnią w sadzie. Państwo Soplicowie przynieśli zapewne ze spaceru do miasteczka paczkę ciastek. W letniej kuchni już parował czajnik. Słońce chyliło się ku zachodowi. Lipcowe powietrze pełne było brzęczących polatuch, pszczół, bąków, motyli i komarów. Z ogrodu dochodził zapach maciejki.

Powoli schodziliśmy się pod wielką czereśnię. Na stole stały już szklanki i filiżanki, talerz z ciastkami i od czasu do czasu karafka gruszkowego wina pani Renaty. Ja i Kaśka dorzucałyśmy od siebie miseczkę uzbieranych własnoręcznie jagód lub wczesnych wiśni. Pomagałyśmy nalewać kawę lub herbatę, a potem siadałyśmy na ławeczce i słuchałyśmy niezwykle ciekawych opowieści biesiadników.

Dość interesujące były przedwojenne dzieje pana Symonowicza ze Lwowa i późniejsze z okresu zawieruchy wojennej. Ciekawsze były wspomnienia z domu rodzinnego wszystkich trzech sióstr mieszkających przed wojną w jakimś majątku na Kaszubach. Chłonęłyśmy te wszystkie opowieści, bo były zupełnie inne niż to, co się działo współcześnie. Bardzo ciekawe były te opowieści o codziennym życiu w majątku, o świętach, miłosnych przygodach itd. Najbardziej jednak czekałyśmy na opowieść pani Anny o przedwojennych rozrywkach arystokracji warszawskiej. O balach w resursie, strojach i zalotach. Pani Anna zapewniała nas, że przed wojną była szczupłą i wiotką dziewczyną i nie szczędziła detalicznych opisów swoich sukien, prunelek, wachlarzy i biżuterii. Czasem zwracała się do męża z zalotnym: „Prawda, kochanie?" Wówczas pan Tadeusz całował ją w pulchną dłoń i mówił szarmancko:

„Oczywiście, Aneczko".

Myślę, że te wieczory ukształtowały moją sympatię do przedwojennego świata. Dziś próbuję odnaleźć klimat tych rozmów w literaturze wspomnieniowej.

Część 5

Zmiany

Fot. PAP/Stefan Kraszewski

Przeprowadzka, czyli Międzynarodowa 52, bez trzepaka...

Mieszkanie na Międzynarodowej 53 było już stanowczo za ciasne.

Bogaci nie byliśmy nigdy, ale mieliśmy intelektualne zapędy, więc na półkach pokojowego regału pojawiło się dużo książek, płyt z muzyką klasyczną, albumów z reprodukcjami sztuki, podręczniki taty do hiszpańskiego, którego naukę rozpoczął w Moskwie jako samouk. Książeczki z dzieciństwa wylądowały na moim regale w kuchni, w której rodzice wygospodarowali mi maleńki kącik do spania. To już nie były: *Koziołki Matołki* Walentynowicza i Makuszyńskiego, *Pchła Szachrajka* Brzechwy, *Lokomotywa* Tuwima, *Bajki i wiersze polskich poetów* czy wreszcie tanie książeczki z serii „Poczytaj mi, mamo". Na moim regale, obok tej mojej dziecięcej literatury, stały pozycje młodzieżowe: *Ania z Zielonego Wzgórza* (prawie wszystkie tomy, oprawione w płótno!), *Zapałka na zakręcie* i *Przez dziurkę od klucza* Siesickiej, *Słoneczniki* Snopkiewiczowej, *Ten obcy* Jurgielewiczowej i mnóstwo innych, bo bardzo dużo czytałam. Późno dość (i całe szczęście) dorosłam do *Kubusia Puchatka*, a już *Muminki* pokochałam na całe życie dopiero jako szesnastolatka. Ku zdumieniu mamy lubiłam przed snem poczytać *Kuchnię polską*.

Oczywiście rodzice prawie nie kupowali beletrystyki. Ją wypożyczało się w bibliotekach. Na półkach stały za to tomy Encyklopedii Powszechnej, poezje ukochanych poetów, zbiór dzieł Mickiewicza, Słowackiego i Sienkiewicza, słowniki, *Historia sztuki* Estreichera i kilkanaście podręczników do języka polskiego — mamy.

W czasie naszego pobytu w Moskwie mój ojciec uważany był za „czubka", bo pieniądze i, to niemałe, wydawał w międzynarodowej księgarni na albumy malarstwa światowego. Oczywiście kupował też albumy artystów rosyjskich, Szyszkina, Riepina, Szczedrina, Ajwazowskiego. One były tańsze naturalnie. Ciekawostką jest fakt, że muzea takie, jak Prado (Hiszpania) i paryski Luwr wydały wtedy swoje najlepsze dzieła w pięknych, dwualbumowych wydaniach. Do Moskwy przyszło tylko po pięć egzemplarzy tych albumów. I ojciec kupił po komplecie, wydając na to prawie pół pensji... Pukano się w głowy, bo dorzuciłby jeszcze trochę i byłby złoty pierścień, kolia lub futro z karakułów. Na szczęście moja mama nie miała zapędów na futra i biżuterię. Miała to brązowe, z Londynu. Wciąż było piękne. Kiedyś jednak ktoś z rodziny „namolił" się na karakuły i rodzice poszli do sklepu z napisem „Miecha" (futra). Spytali naburmuszonej ekspedientki, czy znalazłoby się zgrabne futerko o takim to a takim rozmiarze. Pannica z furią odburknęła: „Nie ma! Wszystkie są w Polsce!" A w księgarniach nikt tak nie odszczekiwał! Stąd w naszym domu było dużo albumów sztuki, które bardzo mnie fascynowały.

Gdy chorowałam, siedziałam sobie w łóżku w piżamce. Obok, na stoliczku herbatka i termometr, a ja oglądałam sobie powoluśku te albumy, strona po stronie. Poznałam dzięki temu perły malarstwa światowego, nie ruszając się z domu. To taty pasja sprawiła, że mam serce otwarte na sztukę.

Tato, prosty chłopak, miał jeszcze jedno zamiłowanie. Muzyka klasyczna. Gdzieś w młodości, w ZSRR, usłyszał Koncert Czajkowskiego i oszalał z zachwytu. Zaczął słuchać klasyki, a gdy byliśmy w Moskwie, skwapliwie kupował co piękniejsze krążki. Na półce, obok adapteru, stało ze czterysta płyt... Reszta znajdowała się pod regałem, nie mieszcząc się w płytotece podręcznej.

Tak więc, gdy już na naszej Międzynarodowej 53 zrobiło się bardzo ciasno, tato zaczął się rozglądać za nowym mieszkaniem. Owszem, jeździli gdzieś z mamą i oglądali jakieś Sadyby, Żoliborze i inne, ale nadarzyła się nie lada gratka — rodzice znaleźli mieszkanie na Międzynarodowej! W tych nowych blokach zbudowanych po drugiej stronie ulicy, na miejscu zlikwidowanych działek. Tam wyrosły od ulicy punktowce, z jedną klatką schodową, i wzdłuż kanałku mrówkowce, z kilkoma klatkami. Wszystkie dziesięciopiętrowe.

No, nie były ładne ani luksusowe, ale władzom nie chodziło o to, by nam robić przyjemność, ale żeby poupychać nas jakoś, bo przecież z Warszawy po rozkazie Hitlera miał nie zostać kamień na kamieniu. Prawie mu się udało. Warszawiacy, którzy przeżyli wojnę, wrócili do swojego miasta, a oprócz nich mnóstwo przyjezdnych jako nowi warszawiacy. Rozkokosili się wszędzie i trzeba było mnóstwo budować, by wystarczyło dla wszystkich „substancji mieszkaniowej". Rzeczywiście była to „substancja", bo trudno nazwać mieszkaniami klitki ze ślepą kuchnią i pokoikami jak dla gnomów, po sześć, siedem metrów kwadratowych. Zdarzały się kiszki dwa metry na cztery... Idiotyzm.

Moi rodzice zadowoleni nie byli, ale usiłowali dorabiać dobrą minę do tej ślepej kuchenki, w której nawet stoliczek się nie mieścił, do „dużego" pokoju, który był mały, i mojego, który był... maleńki. Poszliśmy obejrzeć ten cud budownictwa i oczywiście natknęliśmy się na nieczynną windę, która nie działała jeszcze z pół roku, bo przecież od wożenia mebli mogła się popsuć! Naród zniósł wojnę to i meble na dziesiąte piętro wtaszczy.

Wreszcie mój własny pokój!

Wersalka (wszyscy mieli wtedy wersalki) stała przy ścianie po prawej stronie, a biurko po lewej. Oczywiście nad wersalką, na ścianie powiesiłam to, co nad wersalkami mieli wówczas wszyscy, słomianą matę z Cepelii. Chyba trzeba powiedzieć, co to była Cepelia. Władza nie życzyła ani sobie, ani nam, by ktoś, poza „państwem", wysysał krew, więc zlikwidowała prawie całą własność prywatną. Ze wsi polskiej znikły wszystkie rzemiosła: zduni, kowale, garncarze, rymarze, stolarze, a nade wszystko tkaczki, koszykarki, prządki i zwykli artyści. Jednak stworzono możliwość nabywania „dzieł sztuki ludowej", bo się na to zrobiła moda. Utworzono więc Cepelię, czyli centralę skupiającą twórców ludowych, od których ich dzieła kupowało państwo, a dopiero my od państwa. Przyjezdni turyści płacili krocie za kilimy, ceramikę, rzeźby, malowanki na szkle. Cepelia zarabiała, a artyści ludowi dostawali tak zwane stawki.

Wracając do rzeczy, słomiana mata, nazywana „słomianką", albo kilimek były w każdym domu, jak nie nad tapczanem, to w holu. Na nich — zazwyczaj zdjęcia artystów powycinane z czasopism, poprzypinane szpilkami.

Pod oknem stanęła ława ze starego mieszkania, po której łagodnie wchodziło się na parapet okna. Była świetnym podnóżkiem. Z moich okien (to znaczy z okien dużego i mojego pokoju) widać było blok stojący równolegle do kanałka, mrówkowiec, sam kanałek i działki, które zaczynały się przy Kamionku na ulicy Kinowej i ciągnęły aż za zatrasie (tereny za Trasą Łazienkowską). Kiedy w maju kwitły drzewka owocowe, widać było tę białą zawieruchę, wielkie, białe korso kwiatowe.

Pewnego dnia wybuchła bomba! Anita, moja koleżanka powiedziała mi, że w naszym sklepie już jest! Tęsknie oczekiwana... Coca-cola! To był chyba 1972 rok.

Władza, odmrażając powoli kontakty z Zachodem, rzuciła narodowi na rynek ochłapek. Powiało Zachodem. Cola pojawiła się w sklepach nagle i tak już zostało. Oczywiście był to szok cenowy, bo szklana butelka, ¼ litra, kosztowała 5 zł!!!, podczas gdy oranżada rodzimej produkcji 1,40 zł. Co prawda mieliśmy tanią namiastkę Polo-Coctę, ale była to, jak to zazwyczaj bywa, kiepska namiastka. Prawdziwa cola bardzo długo bąbelkowała, podobno nawet parę dni pół butelki pozostawione nienakryte stale bąbelkowało! Ale nikogo nie stać było na takie eksperymenty! Piło się do dna.

Wracając do mieszkania, cieszyłam się z tego, co miałam, i nie marudziłam, bo tato kupił sobie i mamie nowy sprzęt grający, więc oddał mi swoje stare, niemieckie radio. Takie wielkie, z gałkami do kręcenia i szukania częstotliwości, z klawiszami z żółtawo-białego plastiku, z zielonym oczkiem, które zapalało się w pełni, gdy lampy już się nagrzały. Pamiętam, jak reperował je, gdy się zepsuło. Siedział przed odwróconym tyłem radia, w którym było mnóstwo szklanych lamp. Szarych, przezroczystych, lustrzanych, jakieś kondensatorki i przewody... Tato rozgrzewał lutownicę, otwierał pudełeczko z kalafonią, a obok kładł kawałek cyny i coś lutował. Dawał mi drucik do trzymania. Kalafonia pachniała, jej dymek łaskotał mnie w nos, a tato uważnie przylutowywał ten cieniutki drucik, który też musiałam przytrzymać, bo tato nie miał przecież lewej ręki. To ja nią byłam! Potem, jak zreperował, kręcił gałką, a radio piszczało, wydawało takie śmieszne dźwięki i „łapało" radiostacje. Te, które się chciało, a czasem te, które były zabronione...

Dorośli słuchali po kryjomu przed władzami Radia

Wolna Europa, zakłócanego przez nasze służby radiolokacyjne. Młodzież namiętnie łapała Radio Luksemburg. Jako podlotkowi na razie wystarczała mi Rozgłośnia Harcerska, która nadawała między audycjami sporo młodzieżowej muzyki. Polskiej, ale nie tylko!!! Była i lista przebojów, koncert życzeń i inne. Piotr Kaczkowski przemycał dla słuchaczy, spragnionych nowości ze świata, wszystko, co mógł! Bloki programowe godzinne, z czasem dwugodzinne szły w „pętli", więc do utworu jakiegoś nowego, zagranicznego można było wrócić równo za godzinkę, potem za dwie. Czekało się już z przygotowanym magnetofonem (jak się go wymodliło u rodziców), szpulą zatrzymaną w odpowiednim miejscu i przez mikrofon (!) nagrywało ulubioną piosenkę. Na przykład *With a Girl Like You* albo *Michelle*, *House of the Rising Sun* i takie tam, zapisywane później w zeszycie, fonetycznie, bo z angielskim staliśmy słabo. Władze wczesnego PRL-u nie zalecały nauczania „języków wrogich nam ideowo". Łaskawiej patrzono na niemiecki, bo to „język wroga", i jako enerdowski uważany był też za język sąsiedzki i... trzeba go znać. Rosyjski, jako język „przyjaciół", był obowiązkowy i już! Ja i tak już go znałam. Dodatkowo zapisano mnie na niemiecki do pani Pączkowej. Mama wyjaśniła mi, że jakikolwiek byłby to język, każdego warto się uczyć. Chodziliśmy do „Pączka" do domu. Ja, Olgierd Szenk i chyba Bożena Żukowska, i Marek Waszkiewicz. Lekcje były nudne i beznadziejne, pani wiecznie naburmuszona i zła. Rzuciłam to w diabły i obraziłam się na rodziców, bo ja chciałam na angielski!!!

Moje wielkie radio z polskimi i zachodnimi gwiazdami piosenki zamieszkało ze mną w moim maleńkim pokoiku, do którego meble trzeba było robić na zamówienie, bo „standard" się nie mieścił.

Pan Szcześniewski, stary stolarz, ten, co robił nam meble z „palonej sosny" do domu i miał zakład na Walecznych w piwnicy, zrobił mi dookoła drzwi taki „kombinezon": szafa na ciuchy po prawej od wejścia, a po lewej regalik na książki i półka na radio. Zmieścił się też stary adapter rodziców, bo przecież tato kupił sobie nowy, cały zestaw. Częściej teraz gromadziłam fundusze na pocztówki i płyty, ale wkrótce mama kupiła sobie, niby pomoc naukową, magnetofon Grundig i... oddała mi go. Był duży, trudny w obsłudze i mamie do niczego się nie przydał. Zrobiła z nim tylko jedną jakąś pokazową lekcję polskiego „z wykorzystaniem środków audiowizualnych". Ucieszyła władze, że taka nowoczesna, przyniosła mi do pokoju i powiedziała:

— Proszę, Gonisiu, to nie dla mnie! Baw się.

Zwariowałam z radości. Do tej pory musiały mi wystarczyć plastikowe pocztówki grające. Kupowało się je „na ciuchach" albo na Bazarze Różyckiego.

Ciuchy na Pradze i muzyka

Ciuchy powojenne zagnieździły się najpierw na Poznańskiej, koło dworca na Towarowej i częściowo na Bazarze Różyckiego. Później jednak przeniosły się w pobliże Dworca Wschodniego. Różycki zajął się sprzedażą rzeczy od prywaciarzy, tandeciarzy i szmuglu z zakładów pracy — butów, waciaków, rękawic ochronnych, fartuchów. Była też część gastronomiczna („pyyyyzy!"). Stały też budy z mięsem, warzywami i owocami, takoż rzeczy, o których „sza..." (np. „gnat" i bynajmniej nie o kostkę dla psa tutaj chodzi, lub inną „pukawkę"). Oczywiście i na Różyckim była buda z pocztówkami, ale jakaś taka „nie moja".

Na nowych ciuchach, koło Dworca Wschodniego, sprzedawało się to, co w paczkach przysłała zagranica. Handlowano też paczkami z Unry. Krawcy szyli i tu sprzedawali podróby jeansów, z polskich lub czeskich materiałów, i sztruksiaki. Obcisłe i rozkloszowane w nogawkach, z cienkiego sztruksu. Całkiem były ładne i niedrogie. Z wejścia na lewo, wzdłuż alejki stały lady z desek, na których melomani handlowali czarnymi krążkami przeszmuglowanymi przez granice. Stali tam, paląc nonszalancko papierosa, a przed nimi leżał jazz, pop, rock. Dla mnie stanowczo za drogie. W rogu stały dwie, trzy budy z pocztówkami. Wykonane z kolorowego plastiku (oczywiście pocztówki, budy były z desek i dykty), miały wytłoczone po dwie piosenki. Kosztowały:

— polskie obie — 4-8 zł
— mieszanka (jedna polska, druga zagraniczna) — 10-14 zł
— dwie zagraniczne — 14-16 zł.

Na pewno miałam jedną z Beatlesami — *Girl* i *Michelle*; jedną, która chodziła z pojedynczym utworem, bo był długi, *Hey Jude* Beatlesów; Czerwonych Gitar *Jesień idzie przez park* i *Stracić kogoś*; Janusza Laskowskiego *Żółty, jesienny liść* i oczywiście *Beatę*. Reszty nie pamiętam, ale miałam niezłą kolekcję!

W telewizji i radiu królowała Irena Jarocka, Zbigniew Wodecki, Maryla Rodowicz, Partita — śpiewający chórek, w którym zaczynała Alicja Majewska, i pojawiła się też wschodząca gwiazda z Katowic Zdzisława Sośnicka. Jednak ich nie wytłaczano na pocztówkach. Na pocztówki trafiały utwory „prywatkowe" lub jakieś unikalne, jak Laskowski czy Tercet Egzotyczny ze słynnym *Pamelo, żegnaj*. No, i oczywiście zachodnie nagrywane przez rodzimych „przedsiębiorców" bez żadnych licencji, czyli poszanowania praw autorskich — Wolna Amerykanka, jak mawiano, choć ja powiedziałbym Wolna Rosjanka, bo to właśnie „bracia" ze Wchodu bili wszelkie rekordy, wydając tłumaczenia wielkich dzieł literatury światowej (np. science fiction) bez żadnych praw autorskich.

Wracam do muzyki.

Nobilitacją było występować na festiwalach, bo oglądała je cała Polska, czy w katowickim „Spodku", bo na widowni klaskał sam Gierek! Ale na prywatkach przy *Żółtym, jesiennym liściu* kolebały się pary, przy *Stracić kogoś* chlipało się w plerezę kolegi (plereza — długie włosy u faceta, nazywane tak pogardliwie przez nauczycieli i ówczesne władze). I chociaż z pocztówek żaden artysta nie zobaczył ani złotówki, miał satysfakcję, że „trafił do serc". Gdyby nie pocztówki, Janusz Laskowski nie byłby dziś ikoną disco polo w najlepszym wydaniu, o Izabeli Skrybant nie wspominając, bo zanim zaczęli wydawać longplaye i małe krążki, „latali" po Polsce na pocztówkach (*Pamelo, żegnaj, Cu cu ru cu cu* i inne baaaaardzo egzotyczne).

Nie dam rady opisać wszystkiego, co związane z ówczesną muzyką, zaznaczam tylko, że muzyka trzymała się w naszym życiu, i dobrze się trzymała.

Dalej, w górnym lewym rogu ciuchów, było królestwo pani Marii. Pani Maria była kobietą handlującą początkowo „domowym złomem". Po wojnie szabrownicy przywozili jej tony żelazek, sztućców, lamp, cukiernic, świeczników, karbówek do włosów, samowarów, lamp naftowych itp. Siedziała pod takim baldachimem zbitym z desek i jakiejś szmaty i handlowała. Z czasem „zwąchali" ją znawcy, antykwariusze, kolekcjonerzy, a też ludzie (mój tato) lubiący od czasu do czasu zrobić sobie mały prezent z ładnej rzeczy. Przez lata pani Maria stała się instytutem, dziś, powiedzielibyśmy, hurtownią sztuki użytkowej, galerią. Kupujący lubili z nią pogadać. Miała niski, zniszczony głos i szybko się uczyła. Zamiast tektury i szmat miała teraz swój baldachim ładnie uszyty z brezentu. Wciąż jednak nie chciała postawić sobie porządnej budy. Siedziała jak królowa obok sterty złomu, w którym miłośnicy przygód szukali cudu. Zawsze znajdowali. A to sztućce związane sznurkiem z „identycznymi, jak miała mamusia przed wojną, inicjałami", a to piękną lampę (taty znalezisko), a to cukiernicę, to znów, za tydzień, łyżeczkę do niej! Pani Maria rozróżniała już epoki i poznawała style. U niej zawsze można było trafić na coś ciekawego. Tato bardzo ją szanował. W latach siedemdziesiątych siedziała już w drewnianym kantorku. Zawsze wierna swoim klientom i kupie żelastwa.

Resztę tego targu stanowiły brzydko sklecone ławki z zadaszeniem z tektury i szmat, pod którymi szły jak woda ciuchy, lanszafty, czasem meble.

Międzynarodowa 52, czyli życie w bloku

Nowy dom i nowe mieszkanie musiały zaowocować nowymi przyjaźniami. Obok nas mieszkała rodzina z córką Anią w moim wieku, synem Darkiem, starszym, i małym bachorem, który sikał w pieluchy i darł się, jak to mają w zwyczaju dzieci. Jednak to nie bachorek był upiorem, a Daruś o ksywce Fusbas. Miał on mianowicie w pokoju kolumny giganty i dawał czadu tak, że łeb pękał. Najczęściej robił to, jak wieżowiec był pusty, czyli rano, gdy urwał się na wagary, albo koło 13, zaraz po szkole. Matka darła się na niego, on na matkę, bachor się wtrącał, a Anka, jego siostra, tylko się śmiała i... szłyśmy na podwórko.

Naprzeciw schodów mieszkali państwo Puparowie z Waldusiem, lat 4, i Zbyszkiem, moim równolatkiem. Obaj ładni aż do przesady. Czarnoocy i ciemnowłosi. Zbyszek powalał na kolana uprzejmością i manierami. Był fantastycznym materiałem na „wzdychadło". Tyle że nie dał mi szans. Zaczął pierwszy i już nie „szło mi się zakochać". Przyjaźniliśmy się bardzo. Za to Walduś, jego czteroletni braciszek, był właścicielem cudnych, nieprzyzwoicie długich i wywiniętych rzęs, więc każda sąsiadka, gdy szedł z mamą na zakupy, wyrażała głośno swe zachwyty, „że jak u dziewczynki!" Zezłościło go to i któregoś dnia wziął mamy krawieckie nożyczki i ciachnął sobie rzęsiska tuż przy skórze.

Koło zsypu mieszkał kolejny Darek. Zamknięty w sobie i dość samotny, o irlandzkiej urodzie... No, dobrze. Rudy był.

Na szóstym, piętro niżej niż my, naprzeciw schodów zamieszkała rodzina lekarska z córką Anitą. Mama, pani Krystyna, piękna, wysoka kobieta z klasą, była świetnym neurologiem ze szpitala na Grenadierów, a jej mąż, pan Krzysiek, bardzo interesujący, szpakowaty, z nieodłączną fajką, też sława pulmonologiczna szpitala płucnego w Otwocku. Drobnokościsty, z wydatnymi kośćmi policzkowymi i dość ostrymi rysami. Jak mój ojciec, nie lubił się pospolitować z byle kim. Ich córka była starsza o rok ode mnie. Zdecydowanie ładna, z przełamanym nosem jak u Kleopatry. Dodawało jej to urody. Miałyśmy podobne poczucie humoru, poglądy na wiele spraw i chyba dobrze nam było jako kumpelom. Nasi rodzice zaprzyjaźnili się ze sobą. Chodzili do siebie na kawki i herbatki i chyba nigdy nie przeszli na ty. Ależ tak! Pod koniec naszego tam mieszkania, po latach, zdaje się, przeszli na ty. Tak. Chyba tak.

Ja i Anita słuchałyśmy różnej muzyki. Anita ostrzejszej. Ona wolała Janis Joplin, Hendrixa, Blood Sweet & Tears, Black Sabbath... ale poza tym miałyśmy masę wspólnych tematów i wspólnie obgadywałyśmy kolegów.

Przyszła moda na absolutną „hippiserię", taką żurnalo-

Hoffland – moda dla młodych. Nasze okno na wielki świat, zafundowany nam przez panią Basię.

wo-uliczną. Piosenkarze o różnych poglądach nosili się po ludowemu, pseudohippisowsku. Różne tam krajki, chusty, afro, jeansy poszarpane starannie, kolorowe, okrągłe okulary, drewniaki-saboty z kolorowymi wierzchami, sznury łańcuszków, zwariowany makijaż z różnobarwnymi piegami i rysowanymi rzęsami pod dolną powieką. O, barwnie było! Nawet nie tyle kasy to wymagało, co pomysłowości. Miałyśmy ją! Inspiracje łapałyśmy wszędzie: w TV, kolorowych czasopismach, na ulicy...

Wielkie zasługi w tej dziedzinie ma bez wątpienia Barbara Hoff, która najpierw rysowała nam tę modę z zagranicy w „Przekroju".

To było nasze okno na świat mody, na to, co się nosi i jak. Zresztą po jakimś czasie powstał Hoffland — stoisko w Domu Towarowym „Junior", z krótkimi seriami bajecznie kolorowych i modnych ciuchów, po które ustawiały się kolejki. Tu kupowałyśmy wymarzone podkoszulki i spodnie dzwony, nawet kowbojki na słoninie, z prawdziwej skóry, a reszta, to mniej lub bardziej perfekcyjne wykonanie *hand made*. Za Hoffland pani Barbara powinna dostać od naszego pokolenia jakiś medal, order, a już najpewniej wielkie zbiorowe:

DZIĘKUJEMY, PANI BASIU!

Zrobiły się modne farbowane koszulki. Teraz mówi się T-shirt. Wtedy jeszcze nie. Na Paryskiej, w tym sklepiku, w którym było szwarc, mydło i powidło, kupiłyśmy farbki do bawełny i białe koszulki. Potem nastawiłyśmy wielkie garnki z wodą i tą farbką. Pamiętam, pierwsze egzemplarze były niebieskie. Koszulki powiązałyśmy z przodu i na plecach sznurkami, tak, żeby potem utworzyło się słoneczne kółko, i włożyłyśmy je do wrzącej farby. Dodałyśmy soli, jak było w przepisie, i wyjmowałyśmy drewniana łyżką, sprawdzając, czy „chwyciło". Potem zanurzyłyśmy te zawijasy do zimnej wody z octem, według przepisu oczywiście, i po kilku chwilach rozwinęłyśmy. Super!!! Bluzeczki wyszły kolorowe i inne niż wszystkie, jakie dotąd miałyśmy. Pełne wiary w swoje możliwości kupiłyśmy jeszcze po koszulce. Nastawiłam dwie farby, żółtą i czerwoną. Zawiązałam koszulki zupełnie inaczej i najpierw zabarwiłyśmy je na żółto. Potem te egzorcyzmy z solą i octem i znów: żółte bluzeczki powiązałyśmy ciaśniej i tak, specjalnie by zachować ową żółć, i teraz, do czerwonej farbki. Wyszły dwie, naprawdę atrakcyjne szmatki. Takie, jakich nikt nie miał, jedyny, niepowtarzalny wzór!

Za to mama zezłościła się na mnie, bo uświniłam jej farbą najlepszą, drewnianą łyżkę do bigosu. Teraz trzeba będzie czekać do wakacji, by taką samą kupić na targu w Goniądzu. W Cepelii były za drogie, bo były dziełami sztuki ludowej...

Wkładałyśmy je z Anitą (koszulki, nie łyżki) jak bliźniaczki: niebieskie z kółkiem albo te czerwone, „płomienne", szorty z uciętych jeansów, do tego białe, grube skarpetki i butki sznurowane, „biszkopty" (przypominające dzisiejsze płytkie martensy). Anita nosiła kolorowe okulary przeciwsłoneczne, ja nie, bo nosiłam od ósmej klasy szkła korekcyjne. Chodziłam dumna, bo byłam w nich taka „interesująca", jak powiedział mi kolega z podstawówki, Jurek Szymański.

Dzwoniłyśmy też do Rozgłośni Harcerskiej, do „Koncertu życzeń" i wysyłałyśmy same sobie życzenia, niby to od anonimowych wielbicieli. Kiedy Anita skróciła włosy, zawijałam jej na noc papiloty, by rano mogła mieć afro jak bojowniczka o prawa Afroamerykanów Angela Davis. Oczywiście, znając ją, trzeba było też znać na pamięć całe *Hair*, musical pacyfistyczny przeciw wojnie w Wietnamie, słuchać Joan Baez, kanadyjskiej bojowniczki o pokój i wolność. Zachwycać się świrowaniem Hendrixa, guru gitary i narkotyków, oraz zdychać przy wariactwach głosowych Janis Joplin. No, naturalnie, zapłakać się na amen, gdy pomarli od nadmiaru ciężkich przeżyć i narkotyków. Nasza „hippisowość" była grzeczna i uładzona.

Nie uciekłyśmy z domów do komun, nie ćpałyśmy, jak kolega Anity, Irek, co żarł meprobamat i palił z trudem zdobytą marychę. Posłusznie chodziłyśmy do szkół i byłyśmy grzeczne dla rodziców.

To, co kotłowało się w Ameryce, konflikt kubański (1962/63) wojna w Wietnamie (1957-1975), śmierć braci Kennedych (1963 i 1968), Martina Luthera Kinga (1968), wystąpienia Angeli Davis w sprawie walki o prawa murzynów, hippisowskie komuny i Woodstock (1969) było jednowymiarowe, kolorowe i... bardzo nam, dzieciom, odległe. Nierzeczywiste i filmowo komercyjne. Na naszej ulicy, w naszym mieście i w naszym życiu nie działo się nic tragicznego, przynajmniej o niczym takim nie wiedziałyśmy. Daleka bardzo wojna w Wietnamie, bardziej jeszcze odległy Holokaust już nie rzucały cienia na nas, szesnastolatki żyjące na Międzynarodowej. Nie dotyczyły nas. My żyłyśmy w wolnym, znaczy niespętanym wojną kraju, chodziłyśmy do szkoły, w której już nie obowiązywały fartuszki, w sklepach była coca-cola, jeansy były dostępne w peweksach za bony (albo dolary przemycane z Zachodu) lub kupowane na bazarach i można było słuchać, czego się chciało. Można było już jeździć do Jugosławii, co też robili rodzice Anity, i ubiegać się o paszport (wkładki paszportowe) do krajów demokracji ludowej, bo paszportów w szufladach, oczywiście, nie mieliśmy, znaczy ani my, ani nasi starzy. Co to to nie!

Mimo tego, co działo się na świecie, byłyśmy szczęśliwe. Przywilej wieku, dziecięca beztroska...

W naszym bloku mieszkało jeszcze sporo młodzieży w naszym wieku. Jednak trochę byłam zajęta szkołą i korepetycjami z matmy (bo byłam matoł) i mało udzielałam się towarzysko. Nie chodziłam na prywatki, imprezki itp. Natomiast namiętnie zimą do parku Paderewskiego na ślizgawkę, latem czasami na baseny na Wał Miedzeszyński. Codziennie z psem rasy wilczur na spacer, brzegiem kanałka albo ulicą po prostu.

Jakoś tak, z wyjątkiem tych wieżowców, Saska Kępa nie zmieniała się za bardzo. Sklepy i kawiarenki te same, ciut nowych „samów" przybyło, szkoły te same... Nuda.

Przygody ze zdrowiem, dr Sosiński, czyli postać zapomniana

No, zdarzyło się coś, co wprowadziło trochę zamieszania w nasze rodzinne życie. Rozchorowałam się w ósmej klasie. Nie wiadomo, co tak naprawdę mi dolegało, więc wezwano na pomoc Haniśkę, byłą uczennicę mamy. Była już uznanym pediatrą. Zbadała mnie i poprosiła tatę, by przyniósł ze sklepu czerwone wino.

Doktor Andrzej Sosiński, ortopeda. Mężczyzna uroczy.

— Ono — wyjaśniła Haniśka — doskonale ujawnia odrę. Jak Gosię „wysypie" po parunastu minutach, znaczy to, że jest na nią chora!

Wysypało. W dodatku miała dość ciężki przebieg, ale byłam już duża, więc sama leżałam w domu. Czasem z gorączką. Któregoś dnia dostałam takiego krwotoku z nosa, że nawet wezwane pogotowie nie umiało porządnie tego zatamować. Sama witamina K w zastrzyku sprawiła tylko, że miesiączkę miałam trudną (byłam w trakcie). Po wyjściu lekarzy odstawienie tamponu od nosa skończyło się nowym krwotokiem. Tato zaradził! Rozpuścił w wodzie ałun, który miał do tamowania krwi przy goleniu. Namoczył wacik w tym roztworze i zapakował mi do nosa. No i... po kłopocie!

Następnego dnia leżałam sama w domu i czytałam. Bardzo rozbolał mnie brzuch. Byłam dzień po miesiączce, więc to nie to. Po kilku godzinach wezwałam z pracy ojca. Bardzo cierpiałam, coraz bardziej, z gorączką, a tato nie umiał mi ulżyć. Zadzwonił po mamę i razem już ustalili ponowne wezwanie pogotowia. Lekarz zarządził natychmiastowy wyjazd do szpitala z powodu ostrego zapalenia wyrostka. Pojechaliśmy, szybko zabrano mnie na badania. Z izby przyjęć wybiegł zaaferowany lekarz, odciągnął mamę od taty i dramatycznie spytał:

— Czy to pani jedyne dziecko?!

— Tak — powiedziała mama.

— Proszę podpisać zgodę na zabieg, szybko!

Pojechałam na wózku w głąb szpitala. Mama miała szklisty wzrok.

Zabiegu nie pamiętam, rzecz jasna. Po nim byłam bardzo śpiąca, a jakaś cholera trącała mnie wciąż i pytała:

— Jak się nazywasz? Dziecko, jak się nazywasz? Obudź się!

Szczęście, że rodzice dobrze mnie wychowali... Naubliżałabym jej najchętniej, tak mi się chciało spać! Obudziłam się wieczorem w jakiejś sali, w której leżało szesnaście pań, sala była wielka i przechodnia.. Tak, to stary, praski Szpital Przemienienia Pańskiego. Ten sam, w którym umierała na raka siostra mojej mamy, Zosia. Stare mury, stare wnętrza, wielkie sale i taki... szpitalny zapach.

Był wieczór i pić mi się chciało. Niestety, tylko moczono mi usta szpatułką owiniętą w bandaż. Leżałam na metalowym łóżku prawie pośrodku sali, senna, obolała, zamulona jeszcze silną narkozą, która bardzo powoli się we mnie rozpływała. Ledwo co kojarzyłam pół jawą, pół snem, gdy nagle w drzwiach ukazała się... Tereńka. Ciotka Teresa! Miała na sobie biały, lekarski kitel i... słuchawki lekarskie. Przywitała się ze mną czule i powiedziała na ucho:

— Ciiicho bądź! Udaję, że jestem lekarką z innego oddziału. Mamę też chciałam tak przebrać, żebyś mogła z nią zobaczyć (wtedy odwiedziny na oddziałach były tylko w dni i godziny wyznaczone), ale wiesz, jaka jest Maryna... święta uczciwość. No, to chociaż ja jestem! Jak tam, boli? — spytała z troską.

Przytaknęłam, więc Terenia zaczepiła siostrę roznoszącą leki z pytaniem, czy ja już dostałam coś na ból.

— Zaraz przyniosę — powiedziała uprzejmie siostra i spytała czujnie: — A pani doktor z jakiego oddziału?

— Jestem na zastępstwie, na laryngologii — powiedziała Tereska bez mrugnięcia powieką. — To moja kuzyneczka. Mogę tu chyba chwilkę posiedzieć?

— Naturalnie — odpowiedziała panienka i poszła po pyralginę.

A ciotka westchnęła:

— Zwariować można, szesnaście łóżek! Przepełnienie jak w powstanie!

Tereska przesiedziała tak ze mną do wieczora i znikła jak „sen srebrny Salomei", gdy tylko w drzwiach pokazał się profesor Pyrzakowski, ordynator. Następnego dnia zwolniło się łóżko pod oknem i już leżałam w szeregu, a nie pośrodku sali.

Zauważyłam, że oprócz pielęgniarek krążą po sali jeszcze dwie siostry zakonne w kornetach szarytek. Były wesołe i dobrotliwe. Siostra Henryka, siedemdziesięcioletnia, bardzo energiczna i wesoła. Głośna i dowcipna. Siostra Irena, w podobnym wieku, ale bardzo cicha, stanowcza i taka... święta. To ona, okazało się, robiła cioci Zosi zastrzyki dożylne w maleńką żyłkę w paluszku stopy.

Na sali było wesoło i często śmiałyśmy się głośno tak, że wpadała siostra Henryka z krzykiem:

— Cicho, wariatki! Szwy wam popękają!

Potem pytała, z czego tak się śmiejemy, i śmiała się razem z nami do rozpuku. Gdy wchodziła siostra Irena, to już nikt nie chichotał, a ona pytała:

— Potrzeba paniom czegoś?

I jeszcze do siostry Henryki, z małym wyrzutem, jak do psotnej dziewczynki:

— Siostro!

Gdy w niedzielę rodziny za długo męczyły chore swoimi odwiedzinami, siostra Henryka wchodziła na salę obładowana basenami i nocnikami i wołała głośno:

— Proszę opuścić salę, bo ja meble już niosę!

Ciocia Zosia Urbanówna, siostra Marynki i Tereńki. Zmarła, jak miałam 4 lata, w tym samym szpitalu, w którym cięto mi wyrostek.

Wypuszczono mnie do domu z sączkiem i ze szwami. Profesor wypisał mnie po paru dniach, każąc je (te szwy) zdjąć „w rejonie". Leżałam w domu, a z ranki sączyło się i śmierdziało ropą jak w afrykańskim lazarecie. Mama wymieniała z ojcem uwagi i była pełna oburzenia, że po tak ciężkim zabiegu i z cieknącą ropą wysłano mnie „do rejonu". Przyzwyczajona jednak do posłuszeństwa, zaprowadziła mnie na Niekłańską do zdjęcia szwów. Dyżurujący lekarz, doktor Andrzej Sosiński, wywlókł mamę z zabiegówki, jak tylko zobaczył, co było pod opatrunkiem.

— Natychmiast leć, kochana (do matek mówił często na „ty"), do tego durnia, co to tak zostawił. Nie dał żadnych antybiotyków! Siepacz! Dureń! Kto to robił?! Zrób tam, kochana, awanturę. To niedopuszczalne, a ja nie mogę brać za to odpowiedzialności!

Taksówką pojechałyśmy do Przemienienia. Profesor burknął, że to jakaś histeria, zdjął mi własnoręcznie szwy i dał mamie garść (sic!) jakichś tabletek z przykazaniem: „Dwa razy dziennie po dwie" i poszedł sobie nabzdyczony. Podczas powstania poświęcał się ratowaniu żołnierzy i cywilów. Był dyrektorem szpitala przy Kowalskiej, gdzie w konspiracji leczono żołnierzy AK. Później został dyrektorem Szpitala Przemienienia Pańskiego. To była znana i wielka postać, jednak osobowość miał... trudną.

Tak zaczęła się moja wielka przyjaźń z doktorem Andrzejem Sosińskim.

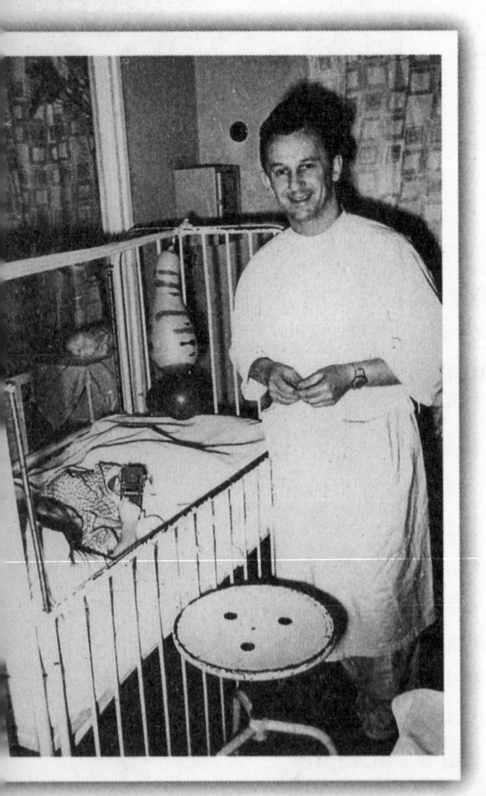

Doktor na stanowisku pracy, jak zwykle uśmiechnięty (zdjęcie mam dzięki uprzejmości córki doktora – Joanny).

To była wielce niekonwencjonalna postać. Był ortopedą w szpitalu dziecięcym na Niekłańskiej. Po Warszawie chodzi mnóstwo dzieciaków, którym leczył stawy biodrowe, składał połamane łapki, nogi, leczył kręgosłupy...

Przyjmowali oboje, on i doktor Kępska, urokliwa, siwa pani o nobliwej urodzie i nienagannych manierach. Doktor miał opinię bardzo dobrego lekarza o wielkim sercu i poczuciu obowiązku. Naturalnie każdy, kto się z nim zetknął, widział, że jego sposób bycia, odzywania się do matek, personelu, do dzieciaków jest inny, niż powszechnie przyjęty. Był, jak to się dziś mówi, „na luzie", sypał dowcipami, żarcikami, a to wszystko po to, by odwrócić uwagę zdenerwowanych rodziców i dzieciaków od problemu, który oni, lekarze, mają rozwiązać. Był więc sposób bycia doktora kontrowersyjny i jak można się łatwo domyśleć, zjednywał mu admiratorów, sympatyków, jak i budził zapiekłych wrogów. (To raczej ci bez poczucia humoru, chcący wepchnąć każdego w ścisły konwenans).

Dość niezwykły był też w stosunku do kobiet. Mówiło się o nim „babiarz", ale chyba na wyrost. Owszem, adorował, kokietował, podpuszczał... Może i romansował, ale z gracją. Wszelkie jego adoracje trzeba było odwzajemniać równie dowcipnie i już! Taki miał styl. Doktor Kępska mówiła: „nieszkodliwy don juan". Doktor poślubił niegdyś pielęgniarkę, która urodziła mu trójkę dzieci. Potem zapragnęła się uczyć, czemu doktor był rad, tyle że zwiększyło to ilość obowiązków domowych doktora, o czym mało kto wiedział. Zdarzało się, że schodził po dyżurze do przychodni, przyjmował zamiast czterdziestu, wszystkie dzieci z poczekalni (to znaczy dwa razy tyle), jechał do domu i tam jeszcze był tatą na etacie i to tatą bardzo kochającym. Małym pacjentom okazywał dużo miłości i zainteresowania, swojej rodzinie też i tylko o sobie zapominał. Spalał się w tym, co robił, ogromnie i walczył z biurokracją, ciemnogrodem, niekompetencją.

Zetknęłam się z nim, kiedy sama byłam matką, a moje dzieciaki przeszły przez jego ręce. Był już ogromnie zmęczony życiem, pracą, wysiłkiem utrzymania domu i rodziny w „kupie". Żartowaliśmy czasem na korytarzu lub podjeździe szpitalnym, ale jego oczy były zmęczone i zatroskane.

Spotkałam doktor Kępską po latach, gdy moje dzieciaki już biegały zdrowiutkie i nie bywaliśmy w szpitalu. Powiedziała mi, że doktor miał wylew, jednostronny paraliż i że ledwo chodzi o kulach. Znikąd pomocy. Jego rodzina też jakoś tam się posypała. Podobno żona go zostawiła, a najmłodszy syn wymagał wciąż jeszcze troski, bo niedorosły jeszcze. Życie tak się dziwnie plecie...

Opiszę tę historię, mimo że nie należy do mojego dzieciństwa, ale o doktorze trzeba opowiedzieć do końca. Zaledwie kilka dni po rozmowie z doktor Kępską spotkałam doktora na Nowym Świecie. Ledwo szedł. Powłóczył nogą, opadał mu kącik ust, ręka w przykurczu zwisała z torby założonej przez głowę jak konduktorka. Przywitał mnie i rozpłakał się.

— Zobacz, dziecko, co mi się zrobiło — poskarżył się boleśnie.

Wycierał łzy i, drepcząc powolutku, opowiedział mi o wylewie i o tym, jak odszedł ze szpitala na Niekłańskiej, w którym zostawił całe swoje zawodowe życie, cicho i bez pożegnania. Właściwie nikt nie dzwonił do doktora z propozycją pomocy, dobrym słowem... Tylko doktor Kępska i dwie, trzy pielęgniarki. Jakby go tam nigdy nie było, jakby nie zrobił nic dobrego... Byłam wstrząśnięta i rozżalona. Tyle wyleczonych dzieci, takie poświęcenie, taki doskonały ortopeda i chirurg, mądry, dobry człowiek i... nic?! Przestał istnieć, wyrzucony na śmietnik pamięci, bo się zepsuł? Nie był łatwą postacią, kiedy się kłócił o sprawy zawodowe, o dobro dzieciaków, o zdrowy rozsądek! Został wyrzucony na śmietnik jak ktoś niepotrzebny.

Po tygodniu, zgodnie z naszym ustaleniem, zadzwoniłam. Wiedziałam, że nie bierze udziału w żadnej rehabilitacji, że ważniejsze jest przygotowanie synowi obiadu na czas, że ciężko mu robić zakupy jedną ręką. Umówiliśmy się, że o określonej godzinie będę czekała na niego na pętli autobusu 111, na Międzynarodowej róg Zwycięzców. Pomogłam mu wysiąść. Kiedy już z widocznym wysiłkiem doczłapaliśmy się do naszej działki, doktor, siedząc pod morelą, powiedział do mojej mamy, z którą błyskawicznie przeszli na ty:

— Wiesz, Maryniu, że ta cholera (to ja!) wywlokła mnie z domu i ja pierwszy raz po wylewie sam zrobiłem taką trasę! SAM! No, ale wiesz, czego to facet nie zrobi dla takiej fajnej dupki! — zaśmiał się i pocałował mnie w rękę.

Mama zrobiła naleśniki, Stasiek (mój syn) spał w hamaku, a doktor opowiadał o całym swoim życiu. Czasem puszczały mu nerwy i płakał.

Po wizycie na naszej działce poszłam z doktorem na Kinową, na przystanek autobusu, który jechał na Nowy Świat. Miałam z nim jechać, bo był zmęczony, a to taka długa i męcząca podróż, jak na pierwszą po wylewie. Na szczęście w autobusie, który nadjechał, za kierownicą siedział... Rudy, bardzo miły i charakterystyczny (ruda głowa i ruda broda) kierowca, którego znali chyba wszyscy z Saskiej Kępy. Był bardzo uczynny i obiecał zaopiekować się doktorem. Widzieliśmy się jeszcze z panem Andrzejem kilka razy, a potem wyprowadziliśmy się do nowego mieszkania, pod Warszawę, zajęłam się budową domu, dzieci wymagały większej troski i... kontakt jakoś się urwał.

Czasem, wiem to, dzwonił do mojej mamy i rozmawiali. Ja wyjechałam na Mazury.

Dzisiaj nie mam pojęcia, co się z doktorem dzieje. Minęło tyle lat...

Popełniłam wielki grzech zaniedbania. Żałuję i mam o to żal do siebie.

Bardzo charakterystyczną postacią Saskiej Kępy był wspomniany przed chwilą Rudy, kierowca autobusu linii 111. Przyjaźnił się z mnóstwem osób z naszej dzielnicy. Najpierw jeździł jelczem o numerze bocznym 706. Wyglądał jak bosman, z rudą brodą i jowialnym śmiechem. Był bardzo uprzejmy i dbał o pasażerów. Zawsze polowało się na miejsce obok niego. Był taki pojedynczy fotel w jelczach. Między kierowcą a tym fotelem znajdował się silnik, nakryty wypukłą klapą. Na tej klapie leżał rozkład jazdy i czapka Rudego. Wychodziłam z domu o 7.15 i zawsze trafiałam na niego, bo odjeżdżał planowo 7.17. Wysiadałam na Nowym Świecie i szłam do liceum Dąbrowskiego nigdy niespóźniona. Prawie każdy wsiadający mówił głośno „dzień dobry" do Rudego, a kto stał bliżej, zawsze był zaczepiony, jak tam zdrowie, co z egzaminami, jak mama, żona lub dzieciak, jak to, jak tamto. Znał ludzkie problemy i jeździł tak z nami aż do emerytury. Chyba tylko ostatnie parę lat na innej linii.

Na tej „drugiej" Międzynarodowej, nr 52, nie było już tak czarodziejsko ani koleżeńsko jak na „pierwszej", mimo że nowe bloki dostarczyły mnóstwo świeżej krwi naszej dzielnicy. W szkołach pojawili się nowi koledzy, po ulicach chodziło więcej młodzieży, ale to już nie było to.

W tamtym okresie przeżyłam mnóstwo miłych chwil, bo z wiekiem coraz bardziej interesowali mnie chłopcy i zakochiwałam się dość łatwo. Prawie stale byłam w kimś zakochana. Jak nie w chłopaku z lodowiska, to w piosenkarzu, w sąsiedzie...

Naprzeciwko mojego okna, na parterze mrówkowca mieszkała rodzina z synem trochę starszym ode mnie i córką, prawie dorosłą. Andrzej był typowym podwórkowcem. Palił papierosy, nosił łapy w kieszeniach i pyskował. Naturalnie kopał w „gałę", czasem klął, ale nade wszystko... fantastycznie grał na gitarze. Miał blond włosy i przypłaszczony nos. No, nic takiego, żaden cud, a ja się... zakochałam. Chyba głównie dlatego, że siadywał na swoim parapecie i na całe podwórko wyśpiewywał *House of the Rising Sun* Animalsów, po polsku i po angielsku. Miał świetny słuch i dobry głos. Widząc mnie na moim parapecie, na siódmym piętrze, wiedział, że ma słuchaczkę. Byliśmy parą jakiś czas, ale krótko. Kiepsko całował...

Na lodowisku w parku Paderewskiego (Skaryszewskim) też oczywiście zakochiwałam się, ale na krótko. Lodowisko było wygospodarowane z kortów tenisowych. Latem na miale ceglanym grano w tenisa, zimą wylewano ślizgawkę. Była szatnia z numerkami, ciasna przebieralnia i naturalnie stara „szczekaczka", z której, trzeszcząc okrutnie, wypływały dźwięki obowiązujących przebojów puszczane w administracji lodowiska z pocztówek oczywiście.

Idąc na lodowisko, musiałam nałożyć na twarz fluid, upudrować się, żeby nie pokazywać rumieńców na twarzy, pokolorować powieki dyskretnym lila cieniem, no i ubrać się trzeba było jakoś ciepło. I modnie.

Samodzielnie dziergałam na drutach kolorowe szaliki i getry, czapeczki z kwiatkiem lub olbrzymim pomponem, czapeczki à la *Love Story* (jaką w tym filmie nosiła Ali MacGraw).

Gierkowskie rządy (lata siedemdziesiąte) przeszły jakoś bez echa u nas, dzieciaków. Poprawa zaopatrzenia po prostu działa się na bieżąco dzięki pożyczkom, kupowanym licencjom (np. na fiata 126p). I chociaż nadal były problemy z dobrymi wędlinami i mięsem (kompletnie mnie to nie dotyczyło; jadłam, co mama dała), byliśmy zadowoleni z obecności w naszym życiu zachodnich przebojów — jeansów z peweksu lub bazarów (markowych albo namiastek, podróbek), coca-coli, czekoladowych batonów i gumy do żucia, która płynęła do Polski oficjalną drogą i szmuglem.

Gdy tylko pojawiła się guma Donald Bubble Gum, nauczyłam się robić z niej wiekie balony. Wychodziły o wiele większe niż z gum kupowanych u „tej starej wariatki", w budzie pod kościołem na Nobla. Tam właśnie było źródło gum do żucia dziwnego pochodzenia (pewnie przemyt!). Sprzedawczynią i właścicielką budy była starsza pani. Miała okropny charakter, nie lubiła dzieci, dorosłych... no, chyba nikogo. Ogólnie była zła, więc bachory drażniły się z nią, a ona z nimi. Ta buda „pracowała" nawet w niedziele. Pani

Groźna vel Ta Stara Jędza sprzedawała tam gumę do żucia, włoszczyznę, owoce, jajka, słodycze i bakalie. W sumie była nam bardzo potrzebna, bo nie każdego stać było na gumę z peweksu, a u Starej była nawet taka po złotówce. Tylko balony z niej wychodziły kiepskie.

Muzyka, filmy, czyli telewizja

Muzyką to myśmy się zarazili z Zachodu mimo żelaznej kurtyny. Radio Luksemburg, przemycane płyty, taśmy przegrywane sobie nawzajem. Nie dało rady, żebyśmy nie oszaleli na punkcie Beach Boysów, Beatlesów, Rolling Stonesów, Animalsów, Zeppelinów, Black Sabath, Simona i Garfunkela, dużo później Boney M i ABB-y. Każdy z nas miał swoich idoli. Na słodko, na ostro — jak kto chciał. Mieliśmy swoje sposoby na zdobywanie ulubionych przebojów, słuchaliśmy ich do upadłego, śpiewając, nucąc po angielsku — oczywiście ze słuchu.

W kinach szło już dużo zachodnich filmów, a nie tylko jugosłowiańsko-niemieckie westerny. Telewizja też zrobiła się bardziej otwarta, szczególnie na rozrywkę. Organizowano i transmitowano od jakiegoś czasu koncerty rozrywkowe, festiwale z Opola i Sopotu, Kołobrzegu (piosenki wojskowej) i Zielonej Góry (piosenki radzieckiej), ale pojawił się też festiwal piosenki z San Remo, koncerty muzyki rozrywkowej z Włoch, („Studio Uno") i z Niemiec, z Friedrichstadt Palace. Z tych transmisji poznałam tańczące bliźniaczki, siostry Kessler, i piosenkarzy: Milvę, Minę, Dalidę, Paula Ankę, Charles'a Aznavoura, Udo Jürgensa, znanego już z radia, i wielu innych.

Pod koniec lat sześćdziesiątych pojawiło się w polskiej telewizji trochę zachodniej produkcji — serial *Czarownica* i niedzielny ulubieniec *Ed, koń, który mówi*, dla dzieci *Zorro* i disneyowskie kreskówki. Kiedy byłam młodsza i rodzice już kupili telewizor (czarno-biały na długo, bo chociaż w 1971 roku ruszyła kolorowa transmisja telewizyjna, mało kogo było stać na kolorowy telewizor), lubiłam chorować, bo rano mogłam naoglądać się seriali: *Kapitan Sowa na tropie,*

Stanisław Mikulski, uroczy do dziś.

Czterej pancerni i pies, *Kloss* i seriale dla dzieci. Najprzyjemniej jednak było oglądać filmy fabularne, francuskie, włoskie, angielskie, rosyjskie i czeskie. Naoglądałam się tego na chorobowym, „ile fabryka dała", stąd wiem, że w tych krajach istniała, i istnieje zapewne, Wielka Kinematografia Światowa. (Tyle że nasza współczesna telewizja zupełnie o tym nie wie i karmi nas już od lat amerykańską papą. Tak jak niegdyś, w pięćdziesiątych latach wszystko, co radzieckie, „było najlepsze", czy tego chcieliśmy, czy nie, dzisiaj w polskiej *ti-wi* królują amerykańskie filmiszcza, dobre i beznadziejne. Jakby inne kino nie istniało...).

W poniedziałki o 17.10 była audycja dla dzieci i młodzieży „Zwierzyniec", w której zawsze występował Michał Sumiński z wąsiskami. Piękną polszczyzną, ze swadą i dramaturgią opowiadał o zwierzętach. W czwartki niezmiennie i to zawsze, były na przemian albo „Teatr Sensacji", albo „Kobra". Były to przedstawienia teatralne o charakterze kryminalnym. Jedno pamiętam dobrze, bo tak nas wcisnęło w fotele, tak niesamowicie był oddany przez aktorkę dramatyzm i napięcie, że dygotaliśmy, oglądając ten thriller! Wszyscy, nawet tato. To był, bodajże, monodram, a w roli głównej wystąpiła Aleksandra Śląska i telefon. Ona grała kobietę sparaliżowaną, siedzącą na wózku, a telefon był z pogróżkami — że za chwilę ktoś przyjdzie ją zamordować. O, mamo, jak ja się trzęsłam trzęsłam z nerwów! I rodzice też. To była jedna z najlepszych sensacji w telewizji!

W poniedziałki wieczorem — do dziś ewenement na skalę światową — „Teatr Telewizji", co tydzień z premierą! Polska oglądała wszystko, co napisane dla teatru, reżyserowane i grane przez najlepszych polskich aktorów. Można powiedzieć, że wówczas telewizja była mecenasem kultury, dzięki niej bowiem każdy z oglądających miał możliwość kontaktu z Wielką Sztuką i wielkimi aktorami.

W środy rozrywka — na przemian *Święty* i *Doktor Kildare*, w niedziele *Bonanza*, serial epopeja o dzielnej rodzinie farmerów żyjących na swym rancho bez mamusi. Senior rodu, siwy Ben, rozkochiwał w sobie starsze panie, a młodzieży pozostał Mały Joe, śliczny (wtedy) cherubinek, wzdychadło panienek młodszych, bo panny starsze kochały Adama, czarnobrewego przystojniaczka. Był jeszcze Hoss — poczciwy grubas. W nim żadna się nie kochała, a szkoda, bo właściwie to on był najfajniejszy. Joe, czyli Michael Landon, został świętym aktorem (ŚWIĘTYM, nie świetnym), bo mu poszło „na sacrum" i nakręcił, już jako samodzielny aktor i reżyser, film o tym, że był aniołem w ludzkiej postaci, wędrował po Stanach Zjednoczonych i pomagał ludziom.

Największa radość jednak to była nasza rodzima *Wojna domowa*, serial wszech czasów, nakręcony brawurowo i nowocześnie. Śmieszy mnie do dziś.

Fot. PAP/CAF

Bohaterowie „Wojny domowej", wspaniali, niezapomniani, kultowi.

Doskonały scenariusz Miry Michałowskiej oraz znakomita obsada, reżyseria, słowem — faktycznie strzał w dziesiątkę. Fakt, że została wydana na najnowszych nośnikach i sprzedaje się nadal, nadal śmieszy i bawi, wskazuje na to, że Jerzy Gruza *et consortes* stworzyli serial, który się nie starzeje.

Może nikt nie zwrócił na to uwagi, ale wśród twórców jest i taki napis „Konsultant do spraw pedagogicznych Elżbieta Jackiewiczowa". Wzruszające, że ktoś taki był powołany do realizacji i dbał o wydźwięk pedagogiczny. Dzisiaj... nie do pomyślenia, bo zaraz podniósłby się tumult, że to cenzura itp.

W tygodniu często oglądałam po przyjściu ze szkoły „Eurekę", program robiony wówczas przez Andrzeja Mosza (tatę Kubusia) i Jerzego Wunderlicha. Znakomity program naukowy zbliżający nas do świata wielkiej fizyki, astronomii, chemii i medycyny, nowoczesnych technologii itp. Na jej wzór lata później słynni Andrzej Kurek i Zdzisław Kamiński stworzyli niezapomnianą „Sondę", dzięki której znów mieliśmy wgląd w naukę światową.

Do południa działał po filmach „Telewizyjny Uniwersytet Powszechny" z wykładami, mający podnieść wiedzę ogólną.

W piątki dawano jakieś zwykłe filmy, nie zawsze na szczęście amerykańskie. W soboty dużo rozrywki. „Studio Gama",

Irena Santor, piękny głos i cała reszta.

koncerty „Poznajmy się", w których śpiewały ówczesne gwiazdy estrady: Irena Santor, Halina Kunicka, Teresa Tutinas, Fryderyka Elana, Krystyna Konarska, Sława Przybylska, Ewa Śnieżanka, Maryla Rodowicz, Zdzisława Sośnicka, Urszula Sipińska, Irena Jarocka, a z piosenkarzy: Jerzy Połomski, czasem jeszcze Mieczysław Fogg, Mieczysław Wojnicki, Krzysztof Cwynar, Janusz Gniatkowski, Janusz Laskowski, Jacek Lech, Zbigniew Wodecki, Tadeusz Woźniak i zespoły młodzieżowe — Polanie, Czerwono-Czarni, Trubadurzy, Czerwone Gitary, Niebiesko-Czarni, później No To Co, Dwa plus Jeden i moi ukochani Skaldowie. A pamiętacie Framerów — małżeństwo śpiewające? Filipinki i Alibabki, Partitę? Grupę Sabat Małgosi Potockiej? A Tercet Egzotyczny?

Było, było, pamięci brak...

Był też „Telewizyjny Turniej Miast". Przez całą niedzielę, co godzinę dawano transmisje z rozgrywek dziejących się w dwóch konkurujących ze sobą miastach. Piosenki, przeciąganie liny, sprawności przeróżne i rozmowy z władzami. To bywało pożyteczne. Nie było jeszcze wtedy papieża Polaka, więc wyznaczenie jakiegoś miasta do pokazania w telewizji było właściwie jedyną szansą na jego odremontowanie — no choćby pomalowanie. Przynajmniej rynków i pobliskich uliczek. Telewizja miała cały dzień zapchany tym turniejem, a widzowie uciechę, bo można było przypadkiem zobaczyć rodzinę ze Zgorzelca lub Opoczna (nie pamiętam konkretnych miast).

Co jakiś czas w soboty wieczorem, po „Dzienniku", nadawano Kabaret Starszych Panów, ukochaną rozrywkę osób, które potrzebowały czegoś więcej niż tylko koncertów dla górników i hutników.

„Dobranocki' też początkowo były ubogie, ale, jak zawsze, lubiane przez dzieci. Była to Gąska Balbinka i jej kum-

Lodołamacze serc niewieścich.

Do dziś aktualna piękna muzyka i poezja.

Kabaret Starszych Panów – takt i subtelność sama w sobie.

pel Ptyś, rysowane czarną kreską (telewizja, przypomnę, była czarno-biała i to nie przez złośliwość władz, a z powodów rozwojowych). Kartki z rysunkami były ustawione na stojaczku i pani lub pan zdejmowali kartki wraz z rozwojem przygód gąski. Czasem zdarzało się, że ktoś pomylił strony i było o czym gadać na podwórku, w piaskownicy.

Był też Jacek i Agatka, kukiełki z główkami lalek nałożonymi na palce animatora (autorem był Adam Kilian). Prościutki pomysł oparty na dialogach pisanych przez Wandę Chotomską, a mówionych przez panią Zofię Raciborską. Pani Zofia bardzo umiejętnie udawała dziecinny głos, co podobno uratowało jej życie w czasie okupacji. Przyszło po nią gestapo do domu. Ona ukucnęła pod drzwiami i głosem szkraba mówiła, sepleniąc, że mamusi nie ma i że ona nie może nikomu otwierać. Uwierzyli, odeszli, pani Zosia zdążyła uciec. Po wojnie wpadła na pomysł wykorzystania swoich umiejętności. Zmarła w 2004 roku.

Ciekawa historia wiąże się z kolejną „Dobranocką". Był to *Miś z okienka*, który najpierw był popołudniówką. Po muzycznym sygnale kamera pokazywała otwierające się okiennice i ukazywało się okienko. W nim aktor Bronisław Pawlik i kukiełka — Miś. Rozmawiali sobie ślicznie i wesoło, okienko się zamykało i było po programie.

Powstała legenda o tym okienku, że niby raz jeden, po zamknięciu okienka, ówczesny spiker Jan Suzin (są tacy, którzy mówią, że był to kto inny, i każdy WIE NA PEWNO), myśląc, że mikrofony jeszcze nie są włączone, powiedział ponoć:

— A teraz, drogie dzieci, pocałujcie misia w dupę! Wujek idzie na wódkę!

Tekst ten przypisuje się Bronisławowi Pawlikowi, ale praźródła podają, że to jednak pan Jan. Każdy pamięta co innego, a kto to był naprawdę — do dziś trwają spory.

Później, po Pawliku była przerwa i zmiana emisji czasowej i misia prowadzili Wojciech Duryasz i Stanisław Wyszyński. Każdemu z nich ów słynny tekst się przypisuje.

Innym, cudownym wynalazkiem dobranockowym był *Kubuś Puchatek* A.A. Milne'a, czytany przez Irenę Kwiatkowską, a także Mieczysława Czechowicza. Po jakimś czasie wkroczył triumfalnie *Bolek i Lolek* — film rysunkowy rodzimej produkcji, a za nimi *Reksio* i czeskie seriale z *Rumcajsem* na czele, *Baśniami z mchu i paproci, Makową Panienką i Krecikiem*, do dziś kochane przez wszystkich. Niemiecki Dziadek z proszkiem na sen jakoś mi się nie podobał, zresztą wyrosłam z dobranocek — zdecydowanie!

Miłości...

Kochliwa to ja byłam zawsze, a mężczyźni w moim życiu — ho, ho! Ilu ich było! Oczywiście czas, gdy miałam 14-16 lat, to był okres wzmożonego zakochiwania się. W miłosny kompot wpadałam jak owa śliwka, często i łatwo. W podstawówce na korytarzu zobaczyłam kiedyś Tomka Stockingera, kolegę ze starszej klasy, bożyszcze moich koleżanek i... nic, żadnej reakcji! Na ławkach powycinano i popisano poematy na jego temat, a ja nic! Za to gdy do ich klasy przyszedł „nowy", niejaki Wiesiek, oszalałam z miłości. Na korytarzach, jak na filmie, wszystko było zamazane i był tylko On, On, On! Na lodowisku tylko jego szary golf migał mi przed oczami.

Kiedyś w naszej szkole zatrudniono nowego polonistę. Ach! Jaki śliczny był! Wysoki, smukły i tak ładnie odgarniał grzywkę. Nazywał się Ryszard Rembiszewski i był to oczywiście... obecny „Pan Lotto".

Ryszard Rembiszewski – bardzo ciepło wspominany przez uczniów zarówno jako polonista, jak i szkolne „ciacho". No, czyż nie?

Bywało, że przychodził tak ubrany, że szalałyśmy z zachwytu. Na przykład dopasowany szary, wełniany garnitur, oczywiście z szerokimi na dole nogawkami i na... czerwonej podszewce. Do tego czerwony golf. Albo ciemny marengo garnitur, zielona podszewka i zielony golf. Ale awangarda! No i jak tu nie zdychać z miłości do takiego cudu? Bardzo łatwo mi to przychodziło.

Ale od początku.

Gdy miałam trzy, cztery latka pojechałam z mamą na zimowe ferie w góry. Zamieszkałyśmy gdzieś w Dolinie Kościeliskiej, w dużym drewnianym, góralskim domu wczasowym „Harendzianka". Jak na dom — był duży, jak na wczasowiec — mały i kameralny. Drewniany, z mnóstwem werand i balkono-tarasów, z pięknymi oknami typu „kukułki" i spadzistym dachem. Był dosłownie przyklejony plecami do ogromnego (tak mi się wydawało) zbocza, z którego zjeżdżałam z mamą na wielkich sankach.

Otóż tam właśnie była świetlica, a w tej świetlicy stół, na co dzień przykryty burym kocem, by można było cośkolwiek uprasować. Po południu pomieszczenie było miejscem potańcówek, na które mama nie chodziła. Koło podwieczorku przychodziło tam kilku studentów w wełnianych, czarnych spodniach narciarskich, wielkich butach z kwadratowymi nosami z grubaśnej, świńskiej skóry. Mieli do tego wełniane, góralskie skarpety jak golf wywinięte nad cholewką (bo spodnie typu „narciarki" wchodziły w but). Oczywiście bure swetry w wielkie warkocze, grubo dziergane przez babcie albo koszule flanelowe i na to kożuchowy kubrak. Włosy krótkie, ale w nieładzie, okulary — chętnie przyciemniane à la Zbyszek Cybulski. Jeden z tych chłopaków, niewysoki blondyn o włosach na długiego jeża wyjmował gramofon Bambino i włączał czarną, dużą płytę, z której rozlegał się kobiecy śpiew. Drażniący, twardy, miękki czasem, trudny i taki... łapiący za serce. To była Edith Piaf. Stali tam i słuchali jej, naelektryzowani, kompletnie „odjechani". Czasem ten blondyn, widząc mnie wchodzącą do świetlicy, uśmiechał się i sadzał na stole. Szybko się nudziłam, więc właziłam na ławkę przy oknie, dotykałam ciepłym nosem szyby, na której mróz namalował szronem kwiatki. Na kwiatkach robiła się mokra plamka, przez którą widać było zaśnieżone podwórko. Ktoś rąbał drewno, ktoś właśnie wracał z nart i otrzepywał się ze śniegu... Wciąż słuchałam drażniącej Piaf i patrzyłam na jeżyka-blondyna. Chyba kochałam go bardzo albo może kochałam Piaf? A może ich oboje?

Oczywiście był w moim dzieciństwie Kubuś, mój najlepszy kolega. Raz nawet oświadczył mi się u siebie w kuchni! Piliśmy bawarkę w wielkich kubkach, po podwieczorku, i zaraz miał być wyświetlany nasz ukochany serial.

— Zostaniesz moją żoną? — spytał Kubuś.

— Jasne — wzruszyłam ramionami; przecież to było jasne jak słońce!

— ...to chodź na *Zorro* — powiedział Kuba.

I poszliśmy.

Nie, nie opiszę moich miłości, bo musiałabym je przepuścić przez filtr żartu, ironii, by w ogóle było to jadalne. Takie młodzieńcze porywy serca są najczęściej kiczowate, mdłe lub po prostu naiwne. Opisywanie ich „w całości" zajechałoby tu Kuncewiczową i Mniszkówną do kwadratu. Pominę więc milczeniem Witka, Zbyszka, Andrzeja, Zenka, Wieśka, znów Andrzeja i kolejnego Zbyszka, Tomka i kropka. Nad tymi uniesieniami, wzdychaniami i pocałunkami niech zapadnie tajemnicza cisza. Ale się działo!

Pierwszy buziak. Tu z Jasiem Kopcińskim.

List w butelce, czyli co mi chciała przekazać mama

Wiem, że mama chciała opisać swoje dzieje dla mnie, dla wnuków, ale niestety zabrakło jej... Sama nie wiem czego. Chęci? Bo czas jeszcze był. Zaczęła pisać to pod koniec lat dziewięćdziesiątych, gdy jeszcze miała na tyle jasny umysł, że mogła kontynuować. Przestała. Czemu? Nie wiem. Mogę się tylko domyślać.

Oto jej zapiski i wyjaśnienie — skąd się wzięła Maria Kalicińska i jakie były jej myśli. Niewiele tego, ale zawsze.

Moja Jedyna Córeczko!

Powiedziałaś kiedyś, że powinnam napisać to, co Ty chciałabyś wiedzieć o mnie lub raczej: wszystko to, co określiłoby moją biografię Tobie znaną tylko we fragmentach.

Kiedyś były czasy na przekazywanie takich informacji w sposób zupełnie inny, ale też i czasy były zupełnie inne. Kiedyś, kiedy nie było „gumy do żucia dla oczu i uszu", kiedy żyło się w dużych kręgach rodzinnych, kiedy babcie (osoby koło pięćdziesiątki już) były matronami spędzającymi czas przy darciu pierza, kołowrotku albo w fotelu przy pasjansie — przekazywały wiele informacji o sobie i rodzinie córkom, wnukom, opowiadając latami całe sagi.

Jednak już w moim dzieciństwie i mojej wczesnej młodości czas zaczął się kurczyć, toczyć szybko, szybciej i coraz mniej stawało się interesujące to, co było, a nabierało znaczenia to, co jest.

Aż dziw, że przy tym coraz to szybszym tempie życia jakbyśmy starzeli się wolniej. Mam lat sześćdziesiąt i nie jestem matroną. Matron w ogóle już nie ma! Ty dobiegasz trzydziestki, masz dwoje dzieci i jesteś jeszcze bardzo młoda... prawie dziewczyna! Znaczenia zaś nabiera przyszłość, bo i teraźniejszość niczym nas nie fascynuje.

Chciałabym jednak to i owo „ocalić od zapomnienia", bo przykro by mi było, gdybyś nie wiedziała nic o mnie i moich czasach. Przykro byłoby mi wiedzieć, odchodząc, że na wiele pytań swoich dzieci, a może i wnuków, mogłabyś dać niepełną odpowiedź, a niekiedy nawet zmuszona byłabyś powiedzieć: „Nie wiem".

Z pewnych okresów swojego życia posiadam moje listy. Są to listy do mojej macochy, babci Stasi Nacholińskiej, a także listy do mojego męża, Zdzisława. Mam je dzięki temu, że zbierali je sukcesywnie i pozostawili, odchodząc z tego świata. One są też jakąś ilustracją życia, warunków, potrzeb i przeżyć, ale bardzo ułamkową. Są jak niekompletne szczątki stłuczonego lustra. Trzeba dobrze znać swoją twarz, aby siebie w nich dostrzec, a co dopiero, gdy ten obraz jest komuś stosunkowo mało znany? Może jednak coś z nich odczytasz! Włączę je do tych przypomnień!

Kiedyś, gdy stwierdziłam, że Twoja wiedza o moim życiu jest bardzo ułamkowa, powiedziałaś, że to nic, bo ja i tak kiedyś Ci to wszystko napiszę. Kocham Cię ogromnie, chciałabym wiedzieć do końca, jaka Ty jesteś, znać wszystkie Twoje sądy, uczucia, myśli, oceny. Wiele wiem, wiele się domyślam, ale nie będę wszystkiego o Tobie wiedziała, bo jest to niemożliwe. Każdy z nas ma gdzieś tam w głębi swego jestestwa jakieś skarby, może nawet sobie nie znane. Więc i ja nie będę nigdy wiedziała o Tobie wszystkiego, tak jak i o sobie nie wszystko wiem.

Kiedy mieszkaliśmy na Krynicznej 18 A i miałaś parę

miesięcy, mówiłam, przewijając Cię lub karmiąc: „Moje Ty śpiewam i płaczę" (śpiewam ze szczęścia i płaczę z radości) i nie przewidywałam, że kiedykolwiek będę siedziała pod tą źle pomalowaną secesyjną lampką przy biurku, w niewygodnych okularach na nosie, już sama... i że będę miała — widząc Cię prawie co dzień — chęć pisania do Ciebie o sobie... Ale gdy się ma trzydzieści lat i dopiero co założoną rodzinę, wcale się nie wie, że w parze z teorią o starzeniu się kroczy gdzieś obok praktyka. Że ta praktyka rodzi także swój produkt uboczny: Chęć przetrwania poza kres. Bo czymże innym jest ten podjęty zamiar? Jest właśnie egoistyczną chęcią bycia obecną jeszcze i jeszcze...!

Kiedyś życie toczyło się jakby po bezkresnej równinie, widziało się daleko i długo to, co za nami; a i to, co przed nami, było jakby długo na dłoni. Teraz życie toczy się jak w pełnym pagórków terenie. Między Tobą i mną jest wierzchołek takiego pagórka. Szczyt nas wzajemnie przesłania: Ty wchodzisz, ja schodzę.

Nie sądź tylko, Kochana Moja, że przebrzmiewa w tym jakaś do Ciebie pretensja. Broń Boże! Wiem, że mnie kochasz, wiem, że trudno Ci przychodzi to okazać, bo masz już taką naturę. Zresztą nigdy nie miałam zaufania do wylewnej miłości. Miłość nie leje się strumieniem, bo to nie wino z beczki. Więc wiem, że mnie kochasz i że jest to taki rodzaj uczucia, który mnie w pełni satysfakcjonuje, choć dobrego nigdy dość!

Sama zresztą żyję wieloma sprawami, które mnie od Ciebie dystansują (i odwrotnie), bo najgorsze, co mogłabym Ci ofiarować, byłby to brak owego dystansu. Każdy z nas ma swoje życie. I tak kiedyś może Cię swoim zbytnio osaczę, choć bardzo chciałabym, byś była ode mnie wolna. Myślę, że w odpowiednim czasie przestałam Ci narzucać swoją wolę i swoje wyobrażenia o życiu, choć nie zawsze akceptuję Twoje.

No tak. Rozgadałam się. Ty zresztą nie wiesz, jaka ja jestem i byłam gadatliwa i ile czasu w swoim życiu przegadałam sama ze sobą.

Więc urodziłam się w 1925 roku i zawsze fascynowała mnie myśl, że jeśli dobrze pójdzie, mogę wejść w wiek XXI mając lat 75! Do dziś mi to zostało, tylko że dziś dodaję jeszcze: Staś będzie miał 21 lat (pełnolecie), a Basia 18 (prawna dojrzałość). Ty zaś będziesz miała Mickiewiczowskie 44!

Urodziłam się w Kielcach na ul. Wspólnej w małym parterowym domku. Moja mama miała wówczas 26 lat, a ojciec — 30. Przede mną był Dudek (Józef — ur. 19 III 1922) i Lalka (Zosia — ur. 12 V 1923). W trzy lata później, wciąż na ul. Wspólnej urodziła się Renia (Teresa). Ale Renia kiedyś tam odjęła sobie jeden rok, o czym nie należy pamiętać.

Było nas czworo. Twoja babcia, Natalia z Jabłońskich, nie pracowała już oczywiście i ku swojemu wielkiemu żalowi zajmowała się wyłącznie niedużym domem (dwa pokoje z kuchnią) wespół ze służącą i ordynansem swego męża, a Twego dziadka, Tośka (Bartłomieja Urbana rodem z Drohobycza) — porucznika 4 pułku piechoty, byłego legionisty, który trafił do Legionów wprost z tzw. Drużyn Bartoszowych, a nie ze Strzelców. To są niuanse historyczne, ale nie bez znaczenia niegdyś — dziś zapomniane. (Mała wzmianka w Encyklopedii.)

Babcia Natalia była inteligentną, mądrą młodą dziewczyną, która po ukończeniu pensji, przed zamążpójściem pracowała jako sekretarka prof. Rostafińskiego (ale nie wiem którego?) i była przez niego nazywana „Rebe". Była błyskotliwa, dowcipna, skłonna do dobrotliwej ironii, opanowana i podobno pełna uroku i umiejętności kontaktowania się z ludźmi. Była bardzo lubiana. Umiała znaleźć swoje miejsce w życiu — zgodne z panującymi wówczas wyobrażeniami o miejscu i roli kobiety. Była ciepła!

Dziadek był w całym tego słowa znaczeniu wojskowym. Był panem domu, konsekwentnym i wymagającym, ze skłonnościami do trzymania nas krótko. Mama wprawdzie opowiadała nam o tym, jak ojciec bawił się z nami, maluchami, pod stołem i jak go to cieszyło, ale ja pamiętam go raczej jako rzeczowego, surowego, jako perfekcjonistę. Takiego tatę, na którego przyjście łapano za grzebień, by parę włosków nie leżało po przeciwnej stronie przedziałka na czterech główkach dzieci. Chód miał charakterystyczny, więc gdy szedł pod oknami, Mama kontrolowała nasz wygląd.

Nie był chyba „wymarzonym" zięciem, podobnie jak i wujek Felek Szczepański, ojca legionowy towarzysz broni i przyjaciel, który ożenił się z mamy nieco starszą siostrą, a moją ciocią Bronią. Wujek Felek był moim kochanym wujkiem z gestem. Miał zresztą gest szlachecki: polowania, pojedynki, karty — całkowicie uzasadniony. Czemś się tam pieczętował i choć był goły jak święty turecki, nie mógł się wyzbyć tradycyjnych narowów.

Obaj zięciowie byli spod znaku Józefa Piłsudskiego, którego endeckie Kielce musiały tolerować. Czwarty pułk legionów miał w tym mieście garnizon, a pułkiem tym w pewnym okresie dowodził znany Ci gen. Berling, jeszcze wówczas w randze pułkownika.

Babcia, Julia Muszyńska *de domo*, gorliwa katoliczka i surowa wdowa po Maksymilianie Jabłońskim (bardzo skromnym pracowniku jakichś władz miejskich) tylko dzięki swojej poznańskiej zapobiegliwości i pracowitości mogła była przy pomocy swych najstarszych dzieci utrzymać dom i dać średnie wykształcenie synowi i pięciu córkom. Najstarszym z dzieci był wuj Oktawian, który zrezygnował ze święceń kapłańskich i nie wdział szat duchownych. Ożenił się i stopień po stopniu od skromniutkiego pracownika bankowego doszedł do stanowiska dyrektora Banku Polskiego w tychże Kielcach. Coś jednak na użytek oficjalny w nim zostało z tej niedokonanej kapłańskiej godności. Był autorytetem w rodzinie, a z przekonań politycznych także endekiem.

Tolerancji musiało być wiele w tej rodzince, skoro nie pamiętam żadnych sporów, żadnych zgrzytów, a wzajemne odwiedziny były wyłącznie wielkoświąteczne. Istniały jakby dwie warstwy stosunków rodzinnych: rzadkie, oficjalne kontakty obejmujące całą rodzinę i bliskie, zażyłe, wakacyjne, gdy wszystkie ciotki (łącznie z ciocią Helą Oktasiową Jabłońską) i wszystkie ich dzieci spotykały się na wakacjach w Borowej Górze pod Zagnańskiem. Ale wakacje to specjalny rozdział w moim życiu i o nich później Ci napiszę. Ową dwoistość układów rodzinnych odczuwałyśmy dużo później. Wówczas w Kielcach, my, małe Urbanięta, nie miałyśmy żadnych na ten temat spostrzeżeń. Było nas czworo plus jakieś koleżanki z pobliża i starczaliśmy sobie za cały świat. Również nieco później dowiedziałam się, że i nasz tata w pewnym okresie swego życia miewał tarapaty wynikające z nawyków oficerskiego kasynowego życia. Grał w karty! Bywało, że i przegrywał, a długi karciane były długami honorowymi. Ponoć wujek Oktaś pożyczał wówczas ojcu pieniądze, co było nieocenionym dobrodziejstwem, bo mój ojciec jako płatnik pułkowy nie mógł „być wodzony na pokuszenie".

Dziś wspaniałym wydaje mi się fakt, że cała nasza czwórka nie miała zielonego pojęcia o tym, jak skomplikowane były układy nie tylko w szeroko pojętej rodzinie, ale i w bliskim kręgu Urbanowskim. Nie pamiętam żadnych sporów, żadnych kłótni, żadnych dąsów ani fochów maminych, choć sądzę, że nie raz miała do nich powody. Nasze poczucie bezpieczeństwa nie było niczym zagrożone, chyba tylko naszymi psikusami, a byliśmy do nich zdolni. Wszystko się na nas „paliło". Zawsze, odkąd pamiętam, mamie towarzyszył koszyk z naszą odzieżą nieustannie wymagającą cerowania, zszywania, przyszywania.

W czasach kieleckich nazywana bywałam Maćkiem nie tylko dlatego, że dopisywał mi apetyt i wszystko ze smakiem zjadałam, ale także dlatego, że chciałam być chłopcem, bo to bardziej by przystawało do mojego temperamentu. W pewnym okresie mojego dziecięcego życia miałam nawet warunki, by wyżywać się na chłopięcy sposób, chodząc po drzewach i parkanach. Gdy mieszkaliśmy na ul. Wspólnej, ojciec wydzierżawił duży i zdziczały ogród przylegający do tej parterowej posèsji, w której zajmowaliśmy owe dwa pokoje z kuchnią. Ten ogród wydawał mi się wówczas wielki, rozległy, pewno dlatego, że sama byłam mała, a może i dlatego, że i mieszkanie, i dom, i ulica — wszystko było nieduże. Tam w tym ogrodzie spędzaliśmy wszystkie wolne chwile. Tylko mała część ziemi była przez mamę uprawiana (pomidory zaczęły wtedy wchodzić w modę i mama je sadziła — to wówczas poznałam wspaniały smak pomidora jedzonego jak jabłko!), reszta ziemi zarośnięta była wielkimi łopianami, krzakami, pokrzywami, a tu i ówdzie rosła jakaś jabłoń stara i rozłożysta. Łaziłam więc po drzewach, po wysokim parkanie, bawiłam się z chłopcami w Indian i Dudek, który nosił dumne miano Bawole Serce, nazywał mnie Sarenką Modrooką.

Nie wiem, jak długo to trwało? Dwa, trzy lata? Potem przeprowadziliśmy się na ul. Złotą i zamieszkaliśmy na drugim piętrze nowego domu w trzech pokojach z kuchnią. Była to korzystna zmiana, bo mieszkanie było większe, jasne, z dwoma balkonami, ale trochę nam żal było tego dzikiego ogrodu, zmieniło się trochę nasze sąsiedztwo. W takim nowym otoczeniu wszyscy są sobie obcy. Tam na Wspólnej nam, dzieciom, żyło się ciekawiej. Buszowaliśmy po ogrodzie, czasem zapraszała nas do siebie żydowska rodzina, w której domu nie było wprawdzie dzieci, bo wszyscy byli dorośli, ale pamiętam właśnie stamtąd smak prawdziwej żydowskiej chały, cudownej ryby po żydowsku oraz żydowską matronę czeszącą aluminiowym grzebieniem swoją perukę. Już nigdy później nie miałam okazji widzieć ani jeść czegoś tak bardzo fascynującego. Rodzice nie wiedzieli, że tam bywamy. Dzieci jednak lubią mieć swoje tajemnice i myśmy je tam mieli. Natomiast na Złotej był w podwórzu ogródek, do którego nie mieliśmy wstępu, ale pośrednio i z niego korzystaliśmy. Otóż ogródek ów był własnością pani, do której należała kamienica i był wygrodzony sztachetami pięknie zakończonymi na ostro i miał kształt czworoboku. Pamiętam, że na tych sztachetach ćwiczyłam się zawzięcie w utrzymywaniu równowagi chodząc po ich wierzchołkach z rozpostartymi dla zachowania równowagi rękami. Najtrudniej było utrzymać równowagę w tych miejscach, gdzie ogrodzenie zaginało się pod kątem prostym, by ostatecznie zamknąć powierzchnię ogródka. Moja pasja do tych ćwiczeń skończyła się nagle, kiedy Lalka (Zośka, moja siostra) pewnego dnia złapała mnie idącą po sztachetach za nogę, a ja jak worek kartofli spadłam na jedną stronę. Nie mogłam długo złapać oddechu, potłukłam się boleśnie, a mama — blada z przerażenia — kazała Lalce wyobrazić sobie, co by to było, gdybym spadła na te sztachety okrakiem. Chyba i moja wyobraźnia zaczęła wówczas pracować, bo były to moje ostatnie cyrkowe popisy.

Wkrótce jednak przyszły pierwsze oczarowania płcią przeciwną i pamiętam już siebie, uczennicę V klasy, uparcie wracającą ze szkoły przez ul. Wspólną w towarzystwie mojej pierwszej przyjaciółki, Jadzi Gołębiowskiej, w nadziei, że zobaczę na balkonie domu, sąsiadującego z naszym poprzednim, Janusza Pachlewskiego, który był ode mnie o wiele lat starszy. Byłam uczennicą V klasy szkoły powszechnej, a on był tuż przed małą maturą. W tym czasie powinnam być uczennicą IV klasy, bo do szkoły poszłam o rok wcześniej.

Ze szkoły pamiętam tylko klasę I, aksamitną granatową sukienkę i moją panią, która mnie wyraźnie faworyzowała. Pani Rezwowowa (Rosjanka — Żydówka? z pochodzenia) miała córkę nieco starszą ode mnie, prześliczną dziewczynę. Była wdową, a może rozwódką? I była bardzo elegancką kobietą. Czytała nam wiele baśni z pięknie ilustrowanych książek, siedząc na pulpicie pierwszej ławki, a gdy pisała na tablicy, często łamała paznokieć. Do dziś słyszę ów charakterystyczny zgrzyt ześlizgującej się po tablicy kredy i widzę panią Zofię, jak zatroskana ogląda swój palec. Moja pani często wracała ze szkoły dorożką. Niekiedy zapraszała mnie do niej i gdy odwoziła mnie do domu, często także kazała dorożkarzowi stawać przy sklepie z zabawkami, bym mogła wybrać sobie taką, która mi się podoba. Te fawory spowodowały bliższy kontakt pani Zofii z naszą rodziną. Zaczęły się wzajemne wizyty. Kiedyś z moją mamą złożyłyśmy niezapowiedzianą wizytę pani Zofii i zastałyśmy ją leżącą na kozetce we wspaniałym szlafroku — kimonie białym w czarne smoki, a manikiurzystka pieczołowicie obsługiwała cudownie utrzymane ręce mojej pani. Nie była to jednak typowa dla ówczesnych nauczycielek sytuacja. I ciocia Bronia, i ciocia Asia były nauczycielkami, miały pracujących mężów, ale ani się tak nie ubierały, ani tak nie pachniały, ani nie mogły tak dbać o siebie, jak pani Zofia.

Też wtedy tego nie analizowałam, a wspominam tylko nawykowo, dodając komentarz. Bardziej mnie dziś interesuje, co z mojego dzieciństwa zachowała pamięć, jak daleko mogę nią sięgnąć wstecz i dlaczego pamiętam to, a nie owo? Przy okazji tylko i ze wstydem spostrzegam, że nie zasługiwałam na względy pani Zofii. W czasie wojny i po wojnie kontakt listowny, a czasem osobisty utrzymywała z panią Zofią nasza Lalka (Zosia), a nie ja. Ciebie jednak, Małgosiu, pani Zofia poznała, gdy będąc w Warszawie odwiedziła mnie — matkę paromiesięcznej córki. Dostałaś wtedy błękitny kubraczek jedwabny z puchową, łabędzią lamówką przy szyjce... A gdzieś w naszych, mocno już przetrzebionych zdjęciach rodzinnych plączą się fotografie pani Zofii i jej córki, a także jej fotografia ze mną, bo i do fotografa ze mną w drodze powrotnej ze szkoły zajechała.

Kiedy miałam dziesięć lat ojciec został kapitanem i przeniesiono go do Warszawy do służby w Intendenturze. Nastąpiło wówczas rozstanie z Kielcami, co miało miejsce w zimie. Porę roku pamiętam zaś dlatego, że w czasie przejazdu naszych rzeczy w towarowym wagonie wymarzła nam nasza dziewczyńska kolekcja około czterdziestu kaktusików. Wszystko nagle uległo zmianie, a potem tych zmian przybywało i przybywało... na gorsze!

Zrazu nasza instalacja na gruncie warszawskim napawała mnie dumą, ale sercem tkwiłam w Kielcach przez bardzo długi czas. Może nawet do dziś. Było to wojewódzkie miasto, ale niezbyt rozległe, więc dostępne i znane. Żeby dojść do szkoły, musiałyśmy z Lalką przemierzyć je prawie całe wzdłuż osi, którą stanowiła prosta, idąca w górę ulica, wówczas Kolejowa, dziś Sienkiewicza. Gdzieś na jej krańcach skręcałyśmy w lewo, mijały bank wujka Oktasia i dochodziły do ul. Konopnickiej. Nie pamiętam żadnej wędrówki do szkoły, ale pamiętam niektóre z niej powroty. Otóż na tejże ul. Sienkiewicza, na wysokości katedry, w narożnym budynku mieściła się duża cukiernia Smoleńskiego o ogromnych witrynowych oknach, przy których wewnątrz stały marmurowe stoliki gęsto niekiedy obsiadane przez panów oficerów. Zdarzało się, że siedział wśród nich nasz ojciec lub wujek Felek i wtedy zapraszałyśmy się i my na lody. Była to nie lada gratka. Pójście na lody w cukierni to była w on czas cała wyprawa rodzinna i jakgdyby oficjalne pokazanie się w „city" wymagające przebierania się, czesania całej czeredy, a także trzymania jej „na uwięzi wzroku", by żadne niestosownym zachowaniem się nie uwłaczyło dobremu imieniu rodziny. Lody jadało się wyłącznie przy kawiarnianym stoliku, popijało sodową wodą, bo inaczej jedzone mogły spowodować zaziębienie.

W Kielcach wszyscy wszystkich znali. Dowodem na to był fakt, że kiedy pewnego dnia nasz czteroletni Duduś zaginął — po prostu znikł z pola widzenia i nie dało rezultatów szukanie go po wszelkich znajomych domach w pobliżu, szukały go całe Kielce z policją i żandarmerią włącznie. Przetrząsano nawet tabory obozu cygańskiego, który właśnie w tych dniach zainstalował się pod miastem. Były to jeszcze czasy, w których krążyły w pospólstwie wieści, że Żydzi do wyrobu macy szabasowej dodają krew chrześcijańskich dzieci. Sądzę, że i Żydzi kieleccy zainteresowani byli rychłym odnalezieniem się Dudka. Kiedy po wielogodzinnych poszukiwaniach Dudusia nadal nie było, mamę pocieszyła sklepikarka, że nie powinna mama tak martwić się o jedno ze swoich dzieci. Jej sąsiadom znikły z oczu wszystkie ich dzieci, a oni nie tragizują, bo może dzieci poszły sobie do lasu na jagody i wrócą wieczorem? Wówczas mama, nie mówiąc nic nikomu, zdesperowana, ale i podniesiona na duszy nadzieją, powędrowała torami kolejowymi w stronę masywu leśnego majaczącego na horyzoncie. I kiedy idąc i idąc, znów zaczęła tracić nadzieję i znów zaczął osaczać ją potworny niepokój o pierworodnego i jedynego syna, i kiedy zaczęła myśleć, że jest tu na tych torach, w tym mało prawdopodobnym miejscu, zamiast być w pobliżu domu, zobaczyła w dalekiej perspektywie nasypu kolejowego jakieś cztery punkciki, z których jeden był biały. To był właśnie Duduś w swym białym ubranku marynarskim. Niósł wiaderko blaszane pełne jagód i gdy już był blisko, zaczął biec do mamy z tym wiaderkiem i wołaniem: „Całe wiaderko Ci nazbierałem, sam żadnej jagódki nie zjadłem!" Wieść rodzinna mówiła, że jeszcze na tych torach dostał należną mu porcję klapsów na pupę za nieposłuszeństwo i samowolę. ale ja znając Mamę wiem, że były to klapsy tak przepojone miłością, że nie dorównywały im żadne inne formy tego uczucia jedynego w świecie.

Jeszcze przez wiele lat nieznajomi mijający nas idących całą rodziną przez Sienkiewicza uśmiechali się do Dudka i napomykali coś o jagodach.

Nie przeżywałam tego faktu świadomie, bo leżałam lub stałam na niepewnych nóżkach w łóżeczku z siatką, ale znam go z późniejszych opowiadań, które stale i wciąż z rozmaitych stron wracały w różnych relacjach i napomknieniach.

Przyjazd więc do Warszawy, miasta dużego, obcego i nieznanego, postawił nas, dzieci, w zupełnie innej sytuacji.

Byliśmy przywiązani do domu i pozbawieni możliwości poruszania się nie tylko po mieście, ale nawet nie wolno było nam wychodzić na podwórko. Takie wielkomiejskie podwórko otoczone ze wszystkich stron oficynami, ciemne, ponure, z trzepakiem i śmietnikiem pośrodku. Takich podwórek w Kielcach nie było! Mimo to jednak pod przewodem Dudka udawało się nam niekiedy wymykać z mieszkania i buszować po piwnicznych korytarzach — lochach, które wiodły od jednej oficyny do drugiej. Było to mrożące w żyłach krew przeżycie, zwłaszcza, gdy Dudek nieoczekiwanie gasił świeczkę i zaczynał wydawać z siebie niesamowite, straszące nas odgłosy.

W Warszawie mieszkaliśmy na Pradze, bo ojca praca, Składnica Mundurowa, mieściła się po tej stronie Wisły. Ul.Floriańska 12 — duży narożny dom czteropiętrowy stał się na wiele lat naszym domem, z którego wkrótce zaczęło wyciekać życie.

Mieszkanie było nadal trzypokojowe, a więc zgodnie z panującym wówczas zwyczajem: stołowy, sypialnia i salonik. W saloniku stał tapczan Dudka i tam przy owalnym stoliku i na giętym krześle z salonikowego kompletu nasz Dudek udawał, że odrabia lekcje już jako uczeń Gimnazjum Władysława IV. W stołowym i największym pokoju jadało się przy dużym stole śniadania, obiady i kolacje. Stał w nim kredens często zamykany na klucz, by upieczone przez mamę ciasto i usmażone konfitury i dżemy nie znikały jak kamfora.

Tam również stała czerwona kryta pluszem kanapa, na której ja sypiałam i kozetka Lali — Zosi. Na ścianie przeciwległej do okna ulokowana była szafa mająca osiem półek, po dwie obok siebie. Najwyższe dwie należały do Dudka, niższe do Zosi (już przestaliśmy na nią mówić: Lala), jeszcze niższe do mnie, a najniższe do Reni (Treski).

Każde z nas miało dwie półki — jedną na osobistą bieliznę, drugą na książki. Ta szafa najczęściej decydowała o tym, czy możemy pójść do kina w pobliskim „Domu Żołnierza" na dwa filmy w ramach jednego kinowego seansu za 25 groszy. Oczywiście było to możliwe tylko w niedzielę i tylko wtedy, gdy ojciec sprawdził nasze zeszyty i odrobione w nich lekcje, a także porządek na naszych półkach. Jeśli bałagan panował na Reni półkach, to jako starsze ponosiłyśmy odpowiedzialność my, Zosia i ja. I w razie zastrzeżeń wobec porządku lub odrobionych lekcji do kina nie mogliśmy pójść albo wszyscy albo niektórzy z nas.

Jeśli zastrzeżeń nie było, to i tak takie wyjście obwarowane było szeregiem poleceń.

Więc: Koniecznie pod opieką Dudusia!

Po wykonaniu takich prac domowych, jak zmywanie i wycieranie naczyń po obiedzie, bo Julcia miała wychodne. Czasem po powtórnym przepisaniu wypracowania, jeśli argusowe oko Taty wypatrzyło błędy lub niedbały charakter pisma. Pismo musiało być staranne, czytelne, równe. Nasz tata przecież w swojej młodości uczył się kaligrafii i nie tolerował gryzmołów w zeszytach swoich dzieci. Czasami zamiast podziwiać Shirley Temple na ekranie musieliśmy przepisywać nawet cały zeszyt. Zmywanie też było udręką. Dziś to nie problem. W kranie jest i ciepła, i zimna woda, są rozmaite detergenty ułatwiające zmywanie, no i gotuje się na gazie. Wówczas zaś były to nie tylko stosy talerzy po siedmiu osobach, ale i garnki, w których gotowało się na kuchni węglowej, więc od spodu były obrośnięte sadzą, która smoliła ręce, wodę i brzegi wanienki (nie zmywało się przecież pod bieżącą wodą). Była to praca budząca obrzydzenie. Do zmywania używało się sody, bo zmiękczała wodę w tej pierwszej wanience. Następnie płukało się umyte wstępnie naczynia w drugiej wanience. Zanim dobrnęło się do końca zmywania, w tej pierwszej pływał na powierzchni wody gruby, gęsty kożuch tłuszczu i sadzy. Stanowczo już lepiej było wycierać i chować czyste już sprzęty. Wykonując tę czynność na zmianę mamrotałyśmy pod nosem swoje sprzeciwy, spełniając jednak polecenie posłusznie. O sprzeciwie lub nawet próbie protestu nie mogło być mowy. Sprzeciwowi bowiem odpowiadał kategoryczny ton Ojca: „Powiedziałem!" I towarzyszyło

Oto aspirantki do bycia świętą – Marynka i Renia. Żadnej jakoś to nie wyszło...

mu spojrzenie tak stanowcze Jego szarych oczu, że można i trzeba było posłusznie zamilknąć, biorąc się natychmiast za wykonanie polecenia.

Ojciec był surowy i nieprzejednany, był także konsekwentny. Typowy wojskowy, który nawykł, że podwładnym polecenie się wydaje, nie dyskutując nad jego sensem oraz się je egzekwuje. Kochaliśmy go, szanowali, miłości i szacunku do ojca uczyła nas mama, ale o przyjaźni jeszcze nie mogło być mowy. Nie mogliśmy być wtedy dla niego partnerem. Nawet ja, „skóra zdarta z ojca", tak byłam do niego podobna, patrzyłam na niego jak sroka w gnat, gotowa upodobnić się jeszcze bardziej. Jeśli usiadł na kanapie, to ja musiałam usiąść tuż obok! Jeśli palił papierosa, to ja z lubością wdychałam ten zapach. Lubiłam jeść to, co on lubił i tak jak on stąpałam mocniej z lewej nogi. Nawet ja, podobno tatusiowa ulubienica (tak twierdziło moje rodzeństwo), nie śmiałabym kwestionować jego poleceń ani zwierzyć się mu z czegokolwiek. Nawet dziś nie śmiem oceniać jego systemu wychowawczego. Dość się przeciw temu systemowi buntowałam w duchu aż do ojca tragicznej śmierci, by kontynuować ten dziecięcy sprzeciw. Wiem tylko jedno, że swoją surowością, bezwzględnością w egzekwowaniu naszych obowiązków nie będących przecież ponad nasze możliwości, czasem pewną oschłością przystosował nas do takich warunków życia, jakie się później stały naszym udziałem. I niech mu za to będzie chwała! Jedno mu tylko miałam za złe, a mianowicie to, że nas nigdy nie chwalił, wychodząc z założenia, że pochwała psuje.

A skoro o twoim dziadku Tośku mowa, to przyznać muszę, że to od niego nauczyłam się stawiać wymagania rodzajowi męskiemu. Nie tępił wizyt chłopców. Byli to przeważnie koledzy naszego już nieżyjącego Dudka, którzy odwiedzali nas i po jego śmierci. Ale to nam stawiał wymagania, aby te wizyty czyniły nas damami. Nigdy nie zapomnę jak Heniek Chabel przesiedziawszy u nas spory kęs czasu pożegnał się i odprowadzony przeze mnie do przedpokoju przegadał jeszcze ubrany już w płaszcz z pół godziny, zanim poszedł. Gdy wróciłam do pokoju ojciec spojrzał na mnie pełen dezaprobaty i powiedział, że nawet służąca nie rozmawiałaby ze swoim kawalerem w przedpokoju, lecz poprosiłaby go do wnętrza kuchni. Kiedy ja usiłowałam zdjąć z siebie winę, że to przecież nie ode mnie zależało, że nie mogłam powiedzieć Heńkowi, aby wreszcie poszedł, tato spokojnie odparował, że w takiej sytuacji mówi się: „O, masz jeszcze czas, chodź do pokoju i siedząc dokończymy tę interesującą sprawę". Sam przy składaniu nam życzeń, takim jeszcze smarkulom, całował nas w rękę, zawsze przepuszczał pierwsze przez drzwi, a jeśli w tramwaju było tylko jedno miejsce siedzące, to nam je ofiarowywał. Jednym słowem był wobec nas dżentelmenem i jako wzór powodował, że później zawsze bardzo wiele dla mnie znaczyło to, jak się młody człowiek wobec mnie zachowa.

Dużo, dużo później, kiedy byłam mądrzejsza, doroślejsza i nauczyłam się wnikać w głąb zjawisk, zrozumiałam, jak nas kochał. Miałam tych naście lat, trwała wojna, mama już nie żyła, warunki materialne były bardzo ciężkie, ubrania miałyśmy mało i w dodatku wyrastałyśmy z niego. Nigdy nie musiałam mówić ojcu, że nie mam już majtek czy koszuli lub swetra. Zawsze w takiej ostatniej chwili ojciec wręczał mi paczuszkę, mówiąc: „Masz, pewnie ci się przyda!" Bardzo dbał przy tym, abyśmy szanowały to, co mamy. I tak nie ulitował się nade mną, gdy chcąc być elegancką w dniu swoich imienin (a przed wojną szanujące się panie nawet w lecie nosiły pończochy), długo, bardzo długo zarabiałam oczka w swojej jedynej parze pończoch. Nota bene dziś już żadna młoda kobieta nie wie, co to znaczy zarabiać ręcznie oczka na pończochach i to w dodatku przy nikłym ogienku karbidówki*.

A przed wojną, a więc jeszcze w sytuacji, gdy nie wolno nam było wyjeżdżać samym do Śródmieścia, zdarzyło się, że rozpoczęłam swój pierwszy okres menstruacyjny nie mając zielonego o czymś takim pojęcia. Mama już nie żyła,

---

* Karbidówka — typ lampy gazowej, w której jako paliwa używa się acetylenu. Acetylen otrzymuje się w reakcji chemicznej karbidu z wodą w zbiorniku lampy. W mieszkaniach, ze względu na wydzielany zapach, używane były niechętnie. Wyjątek stanowił okres wojny i okupacji, kiedy nie było elektryczności i innych źródeł światła (lub np. pieniędzy na drogie świece), wówczas powszechne były karbidówki wykonane domowym sposobem. (...) (Małgorzata Szubert: *Leksykon rzeczy minionych i przemijających*. Muza SA, Warszawa 2003).

Zośka nie znalazła się na wysokości zadania i nic mi nie wyjaśniła, gdy usiłowałam się jej zwierzyć z tego niezrozumiałego dla mnie dramatu, więc pozostał tylko ojciec! Ale jak mu, mężczyźnie, mówić o takiej sprawie. Więc stanęłam przed ojcem pijącym poobiednią herbatę i powiedziałam tylko, że muszę dziś jeszcze pojechać do babci. Ojciec spojrzał się na mnie, na zegar i zdecydował, że pojechać mogę dziś, ale wrócić mogę dopiero jutro, bo inaczej nie zdążę przed późnym wieczorem. Spytał, czy będę wiedziała, którym tramwajem mam dojechać do dworca, gdzie wsiąść do kolejki na ul. Nowogrodzkiej i czy z dworca na Bruszkowie będę umiała trafić do babci? Poczem wyliczył mi należność na bilety i nie zapytał, po co właściwie tam muszę jechać.

Babcia Tala.

Więc taki był mój ojciec. Surowy, wymagający, skąpy w pochwałach, nie zabiegający o naszą tanią miłość, a jednocześnie subtelny, delikatny, wsłuchany w nasze potrzeby. Gotowa jestem sądzić, że ożenił się powtórnie, byśmy miały obok siebie kobietę, bo przecież stawałyśmy się kobietami, a na wypadek jego aresztowania jakąś opiekę. Dlatego także, a nie tylko dla jej osobistych walorów, ceniłam moją macochę — zresztą wcale nie przysłowiową. Umiałam sobie później wyobrazić, o ile umierał spokojniejszy, wiedząc, że nie zostałyśmy same w tym najtrudniejszym okresie okupacji.

No, a Mama? — zapytasz. Babcia Tala? Dlaczego o niej dotychczas nic?

Mama towarzyszyła nam do 1936 roku stale i było się w jej obecności bezpiecznym aż do tego stopnia, że stanowiła wręcz niedostrzegalne ciepło rozsiane w atmosferze, więc niewidoczne. Była wszędzie spokojna, zrównoważona, chyba pogodna. Zawiadywała domem, tworzyła go, była jego osią i zapewne wiele łagodziła. Najlepiej jednak pamiętam ją z dni moich chorób. Cierpiąc na anginę, nie likwidowaną jeszcze wówczas antybiotykami, rozpalona gorączką i nie mogąca nawet przełknąć śliny, widziałam mamę siedzącą obok mojego łóżka. Cerowała oczywiście nasze skarpety lub pończochy, a może przyszywała do ojca wojskowej bluzy ową białą wypustkę przy kołnierzyku (były to mundury dawnego kroju i nieraz kaleczyła sobie palce). Cichutko gwizdała lub nuciła tęskne dumki w rodzaju: „O gwiazdeczko, coś błyszczała, gdym ja ujrzał świat! Czemuż to tak, gwiazdko mała, twój promyczek zgasł?..." lub ukraińską dumkę o kozaku, który ginął w obcej stronie. Nawet samą swoją obecnością łagodziła cierpienia.

Mama była ogromnie przez nas, wszystkie dzieci, kochana. Nasza miłość była egoistyczna, bo gdy zmęczona kładła się na tapczanie, by odpocząć, natychmiast biliśmy się o miejsce przy niej, a miała tylko dwa boki. Nie protestowała, wiedziała, że jest nam potrzebna. Ale gdyby w ciągu dnia na tapczanie położył się ojciec, to broniłaby nam wstępu do pokoju, aby mógł się zdrzemnąć. Mama była lubiana przez wszystkich, a dla wielu była powiernicą, pocieszycielką, dowcipnym interlokutorem.

Dopiero jej nieobecność powodowana pobytami w szpitalu ostro zaznaczała jej brak. Dom stawał się chłodny, pusty, prawie obcy. Naszym domem przeważnie zajmowała się wtedy babcia Julia Jabłońska, o której już pisałam może niezbyt sprawiedliwie. Była dość wysoka, szczupła po poznańsku (szersza w biodrach niż w ramionach), zawsze na czarno ubrana i niezależnie od mody ubrana w długą, prawie do kostek suknię. Mocno siwiejące, a z czasem siwe włosy upięte nosiła w kok. Trzymała się jak świeca. Nawet gdy szyła lub robiła coś szydełkiem, nie korzystała z oparcia krzesła. Gdy się do niej coś mówiło, schylała głowę i patrzyła sponad okularów. Nie pamiętam, żeby się babcia śmiała, odnoszę wrażenie, że życie pozbawiło ją poczucia humoru dawno, dawno, może jeszcze w czasie sierocego dzieciństwa, a może podczas długiego wdowiego życia.

W czasie prawie trzy lata trwającej choroby mamy babcia zjeżdżała do nas z Pruszkowa, w którym mieszkała ze swymi dwiema córkami: ciocią Marylą i ciocią Jadzią. Ciocia Maryla była już mężatką, i podobnie jak jej mąż farmaceutką, mieszkała początkowo w tym samym domu, co babcia i ciocia Jadzia. Ciocia Jadzia wymagała babcinej opieki, bo po przebytej w czasie pierwszej wojny światowej śpiączce (!) systematycznie niedołężniała, nie wyszła za mąż i wymagała ciągłego nadzoru lekarskiego. Ów wujek — farmaceuta, to wujek Kazimierz Knap. To był drugi wujek Knap, bo pierwszy wujek Knap — to Stanisław, mąż starszej siostry mamy, cioci Asi.

W 1936 roku moi rodzice byli na chrzcinach Basi, pierworodnej córki wujostwa Marylki i Kazimierza Knapów. Po tych chrzcinach mama się ciężko rozchorowała na zatrucie jadem kiełbasianym. Wkrótce ujawniła się choroba nowotworowa i przez trzy lata, kiedy nam, dziewczynkom znajdującym się w okresie dojrzewania, najbardziej była potrzebna, przechodziła męczeńsko przez operacje, długotrwałe pobyty szpitalne przerywane krótkimi powrotami do domu. Wiedziała o swojej chorobie właściwie wszystko, bo chytrze słowo po słowie wyciągnęła od Dudkowego korepetytora — filologa łacińskiego — tłumaczenie werdyktu lekarskiego postawionego przez medycynę i zapisanego na karcie szpitalnej. Nie stała się męczennicą i nadal w domu czy w czasie naszych odwiedzin szpitalnych była wesoła, pogodna. Nie mogąc już siadać na łóżku szpitalnym, robiła nam na zbliżającą się zimę czapki i szaliki. Nawet nasza ostatnia wizyta u mamy w szpitalu w separatce, gdy kazała ojcu przyprowadzić całą czwórkę, którą chciała pożegnać, przebiegła tak bez łez, bez szlochu, bez ostentacji. Dlatego może z tej wizyty została mi w pamięci kwitnąca, ogromnych rozmiarów azalia stojąca na oknie i butla tlenowa u wezgłowia łóżka, a nie atmosfera ostatniego już spotkania, tym bardziej że i ojciec tego faktu nie podkreślał.

Przez całe swe późniejsze życie, często samotne, głodne, chłodne i pełne trudności towarzyszyła mi świadomość jej przy nas obecności i przeświadczenie, że nic jeszcze w moim życiu nie jest dramatem. Jej śmierć to rok 1939, marzec, gdy w powietrzu wisiała wojna. Co musiała myśleć i odczuwać ta czterdziestoletnia kobieta przytomna do końca i do końca interesująca się życiem, gdy żegnała swoją niedorosłą czwórkę i męża — zawodowego oficera?

To zrozumiałam już później, dużo później. Żeby postawić sobie to pytanie, nie tylko musiałam być matką, ale i znaleźć się w punkcie krytycznym swego życia. To zrozumiałam dopiero w 1963 roku, kiedy byłam przeświadczona, że i ja mam raka, a Ty miałaś dopiero siedem lat. Wtedy do obrazu ciepłej, dowcipnej, dobrej, błyskotliwej, pogodnej kobiety, której miałam szczęście być córką, dołączył się rys heroizmu zrodzonego z miłości.

Tak więc, Kochanie, w tych dwóch miastach upłynęło moje dzieciństwo zamknięte dwiema tragediami: śmiercią mamy i wojną, groźnym akordem dramatu rodzinnego i narodowego. Od tego momentu musiałam stawać się doroślejszą z roku na rok, choć miałam dopiero czternaście lat.

I teraz tak czas się czas rozszczepia i tak wikła, że nie uda mi się utrzymać w ryzach. Już i do tego momentu chronologia była prawie niemożliwa. Życie, a i myśl o nim minionym, to nie kłębek, który się stopniowo rozwija. To taki splot wątków, że aby je przedstawić, trzeba każdy z nich wywikłać po kolei. Za tą sceną, której już nie ma, były kulisy pełne ludzi. Były akty i antrakty, w czasie których ciągle się coś działo. Nie byłam sama, więc nie może być to autoportret, bo ciągle żyłam wśród innych i w określonej scenerii, określonym czasie, które trzeba też zachować, bo przeszły do historii i z każdym dziesięcioleciem są coraz mniej jasne, bo nie ma do nich dystansu.

Jeszcze nie wiem, jak to zrobię. Czasu mam dosyć. Wieczory — jeśli zrezygnować z telewizji — mogę przecież wydłużyć aż do granic wytrzymałości oczu. Nie obowiązują mnie konwencje literackie, piszę przecież wyłącznie na Twój użytek. Nie będziesz przecież — magistrze inżynierze ekonomiki rolnej — oceniać z punktu widzenia zadufanej w sobie teorii i krytyki literackiej tego, co sercem piszę. Więc muszę sobie powiedzieć, że to wszystko jedno, jak i jaki kształt będę wspominać dokonanego już swego życia, którego nie zamieniłabym na żadne inne.

I tak w zarysowanej tu prawdzie prawdy obiektywnej nie ma. Jeśli by ktoś chciał, mógłby potraktować to, co tu piszę, jako fikcję. Ja, odwrotnie, zawsze miałam tendencję do traktowania realistycznych powieści tak, jakby mówiły o prawdziwych losach prawdziwych ludzi. Dla mnie więc to moje życie — to powieść, której nikt nie napisał, choć mógłby.

Winię się za to, że nie zadbałam w porę o maksimum wiedzy o moich tak zwanych korzeniach. Nie interesują nas te sprawy w dzieciństwie, choć lubimy, gdy nam się coś ciekawego i prawdziwego opowiada z tak zwanych treści rodzinnych. Użyłam tu czasu teraźniejszego niesłusznie. Dziś dzieci lubią filmy telewizyjne, zabawowe programy komputerowe i czują się znudzone minionym życiem, choćby to było życie ich najbliższych. No, może gdybym była Klossem i umiała barwnie opowiadać między jednym a drugim serialem lub randką w ciemno czy kołem fortuny! Nie winię ich za to, bo sama przegapiłam wszystkie okazje zaabsorbowana własnym życiem. Kiedy jednak nie było telewizji (w naszym domu) ani komputera, lubiłaś słuchać opowiadań, jeśli choć w części byłaś ich bohaterem, i chciałaś, by toczyły się bez końca. Słuchałaś z wypiekami na twarzy i pytałaś: „Co dalej? Mów, co dalej?"

Myślę, że w tym okresie, gdy już mogło mnie zainteresować, jakimi to meandrami toczyło się życie, zanim gdzieś tam, w jakimś punkcie geograficznym i historycznym powołało mnie do istnienia, wdarła się natrętna rzeczywistość, która zepchnęła w cień zaciekawienie przeszłością rodzinną, a potem zdmuchnęła tych, którzy mogliby o tym wszystkim opowiedzieć.

Życie rządzi się takimi prawami, że dominuje naszą świadomość to, co służy rozwojowi, przetrwaniu i co rodzi nowe problemy. Ujął to trafnie Asnyk mówiąc: „Trzeba z żywymi naprzód iść, po życie sięgać nowe..."

A że młody człowiek jest pazerny na życie, więc rodzi się najpierw fascynacja życiem cudzym, przygodowym, atrakcyjnym, innym. Stąd cały ciąg lektur pochłanianych z wypiekami na twarzy. Czytałam i ja wszędzie: w WC, dopóki mnie tam ojciec nie wypatrzył, pod kołdrą przy świetle latarki, przy świetle ulicznej latarni, która zaglądała przez okno do naszego stołowego pokoju. Czytałam z wypiekami na twarzy i były to książki bardzo różne, choć dla mojego pokolenia typowe. Cała Czarska — dziś zupełnie nieznana — wówczas porywająca dziewczynki, opisująca losy księżniczek gruzińskich Dżawacha, walecznych dżygitów i sącząca miłe romansowe wątki w krajobrazach nieznanej, górzystej Gruzji. Potem, w okresie mojej gorliwej religijności, przyszedł czas na powieści księdza Pasławskiego o pobożnych i pokornych sierotach, które Dobrotliwy Bóg nagradza za pełną wyrzeczeń i czystości serca egzystencję, darowując im przy końcu powieści szczęśliwy i odmieniony los. A jeszcze później pachniały w moich lekturach dzikie ostępy puszcz, roztaczały się gigantyczne przestrzenie śnieżne, biegały stada wilków i przemykali półdzicy traperzy, kierujący się własnym kodeksem moralnym — więc Curwood! London! Potem Fiedler. Był i Mayne Reid... i wszystkie te powieści i opowiadania, które urzekały innością trybu życia i postaw ludzkich. Wreszcie Sienkiewicz, a przed nim jeszcze Rodziewiczówna. A kiedy przyszedł Żeromski, to i zjawiły się uniwersalne problemy „szklanych domów", szukanie odpowiedzi na ważkie pytania i szukanie własnego miejsca w życiu, realizowaniu wielkich idei. W czasie okupacji zaczęło „wadzenie się z Bogiem" i mówiąc językiem poety: „serdeczne to były zwady". Budził sprzeciw zastany porządek świata i nawet prawie każda lekcja — ale to miało miejsce już w pierwszej licealnej na kompletach tajnego nauczania — poddawana była surowemu, pryncypialnemu osądowi. Nie z punktu widzenia swojej dydaktycznej sprawności, lecz treść godziny lekcyjnej mogła stać się powodem długo trwającej dyskusji. To były takie psychologiczne uzasadnienia odsuwające w cień sprawy rodzinnej przeszłości. Na to prawo, znane z psychologii rozwojowej, nałożyły się czasy historyczne, burzliwe wysuwając na plan pierwszy nasz odwieczny problem narodowowyzwoleńczy. Wojna, okupacja, konspiracja — i gdzie tu miejsce na pytania o dziadów, pradziadów, kto?, skąd?, gdzie?, kiedy?

Ostatecznie okazało się, że ci, którzy zostali ze starszego pokolenia, już zresztą nieliczni, nie pamiętają, nie wiedzą, choć kiedyś wiedzieli, ale zapomnieli! No i pozostały strzępy wiedzy zdobywanej już późno, tak późno, że w większości — to imiona, często bez dat i co ważniejsze: bez całej otoczki wiedzy o bliższych i dalszych członkach rodziny.

A przecież, gdyby tak wbijać kolorowe szpilki w mapę świata, to jedynie Arktyka i Antarktyda, no może i Azja, byłyby wolne od Twoich krewnych.

Na Twoje istnienie złożyło się wiele rodów. Po kądzieli masz ich cztery: Muszyńskich, Jabłońskich, Nimasów i Urbanów. Po mieczu również cztery: Bigosowie, Kalicińscy, Gaworowscy i Niedzielscy. To już osiem! Twoje dzieci są bogatsze, bo i Maciek ma swoją ósemkę przodków. Ojciec zostawił Ci swoją książkę o jego rodzinie. Ja zapisuję, co wiem i okraszę tym, co pamiętam. Ale czy to Cię zainteresuje? Nie wiem! Może kiedyś...?

Gdyby mój rodowód umiejscowić na mapie Polski, to do

Kielc — miejsca urodzin — prowadziłyby dwie linie. Jedna z Poznania (Muszyńscy i Jabłońscy), a druga ze wschodniej Galicji, z Drohobycza (Nimasowie i Urbanowie). Ojciec, choć był błękitnookim blondynem, miał podobno we krwi sporą domieszkę krwi węgierskiej. Tak się mówiło i początkowo było to dla mnie niewiarygodne. Ale gdy już tu, w Dąbrowie, odwiedzili nas moi kuzynowie Blachniccy z Londynu, Marysia Blachnicka powiedziała mi, że podobno jakiś nasz praszczur przybył do Polski w orszaku Batorego. Jest to prawdopodobne i miło byłoby wiedzieć o nim coś więcej. Może gdy wreszcie pożyczę dużą biografię Stefana Batorego, znajdę w niej jakąś informację, jakiś ślad informacji, choć na wiele nie liczę. Mój dziadek, a Twój pradziadek, Stanisław (!) Urban nie był mi znany, bo już nie żył, gdy przyszłam na świat. Podobnie jak Maksymilian Jabłoński wcześnie osierocił swoich siedmioro dzieci, a może sześcioro (?), bo podobno ciocia Niola, Ojca najmłodsza siostra, nazywała się Nimasówna, a więc nosiła panieńskie nazwisko Babci Józefy. Nie wiem dlaczego i nawet nie wiem, czy to prawda, ale to wiem też od Marysi Blachnickiej, czyli siostrzenicy cioci Nioli. Młodych Urbanów było trzech: Michał, Bartłomiej i Stanisław, a młodych Urbanówien cztery: Wanda, Helena, Menia i Niola. Z tej siódemki znałam tylko sześcioro dzieci Twojego pradziadka, bo o najmłodszym Michale nie mówiło się nic i nawet dość długo nie wiedziałyśmy, że istniał. To w czasie okupacji Zośka (Lala) dowiedziała się o jego istnieniu, zapytała o niego ojca, w odpowiedzi usłyszała: „Proszę przy mnie nie wymawiać nawet tego imienia". Bardzo to była dla nas tajemnicza historia i przyznam, że często o niej myślę. I nie ma już nikogo, kto by nam to wyjaśnił, bo i moje londyńskie kuzynki też o nim nie wiedzą. Tę tajemnicę zabrało do grobu pokolenie Twojego dziadka. Pamiętam jednak, że Zosia wspominała coś o Nowym czy Starym Sączu, więc kiedy przypadek zetknął mnie z jakąś panią ze Starego Sącza, zapytałam ją, czy nie spotkała się z tym imieniem i nazwiskiem. Powiedziała, że tak, że słyszała o staruszku Michale Urbanie, a wie tylko, że to zasłużony działacz komunistyczny. To wszystko domniemania. Być może, że był taką polityczną czarną owcą w rodzinie, w której patriotyzm wykluczał aż tak daleko idącą tolerancję. Więc dziś, gdy tylko słyszę to moje nazwisko, którego używa także i ktoś obcy, aż korci mnie, by pytać o jego rodowód w nadziei, że trafię na jego potomków. Na moim bracie bowiem wygasła ta linia.

(...)

Córeczko, tyle rzeczy mi umknęło!

Na przykład mieszkania cioci Broni nie pamiętam, jak również nie pamiętam domu babci Jabłońskiej, która mieszkała w tym moim kieleckim czasie również w Kielcach razem z ciocią Marylą, wówczas jeszcze niezamężną, i ciocią Jadzią. Musiałam przecież tam bywać! Dlaczego więc nie pamiętam? Mechanizm pamięci?

Tu mama przerywa swój pamiętnik. Nie wiem czemu. I domyślać się nie kwapię, bo to mamy sprawa. Szkoda.

Ciekawie byłoby dowiedzieć się więcej, więcej, więcej o tym, jak to było z ożenkiem dziadka Bartłomieja ze Stanisławą, drugą żoną dziadka, jak aresztowano go i wywieziono na Pawiak, jak było w partyzance. (Mama chciała opisać te dzieje — wspomina o teresinym zapaleniu wyrostka podczas pobytu w Wierszach, w Puszczy Kampinoskiej. Chciała ten wątek rozciągnąć przecież! Co było po wojnie? Jak układało się mamy życie w Lidzbarku Warmińskim, do którego pojechała nauczać polskiego w miejscowej szkole powszechnej, jak jej się żyło podczas studiów w Krakowie, gdzie przeżyła swoją wielką miłość?).

Zarzuciła pisanie, a przecież mogła! Jeszcze wtedy, wydawało mi się, była w pełni władz umysłowych. A może się mylę? Może przerwała wtedy, gdy był atak na World Trade Center? Nie było nas wtedy w domu, w kraju. Spędzaliśmy wakacje bardzo daleko i gdy wróciliśmy, mama opowiadała mi, jak strasznie nią wstrząsnęły zdjęcia z Nowego Jorku, jak bardzo płakała, na granicy paniki i histerii, bo przypomniało jej to wojnę, okupacyjny lęk o życie. Wtedy to była w szpitalu na zapalenie opon mózgowych. Może już jej pamięć zaczęła obumierać, szwankować?

Szkoda! Tyle faktów, tajemnic niewyrwanych mamie, tacie! A kiedy żyli i opowiadali, jakoś... nie gromadziłam tego, ledwo co zapamiętywałam.

Zawsze tak jest, że dopiero gdy dorastamy — zaczynamy

sami szukać cudzych wspomnień, grzebiemy się w pozostawionych listach, pamiętnikach, ale niektóre pytania zostają bez odpowiedzi. Ci, co je znali, odeszli, a do nieba telefonów nie ma ani faksów... Cała nadzieja w necie, ale czy on poradzi?

Zmieniałam się, doroślałam. Tu na grzybach z Anitą.

Zmiany

Jako młoda osoba, zajęta zakochiwaniem się (od czwartego roku życia, stale i wciąż), wygłupami z Anitą, kombinowaniem modnych ciuchów, nie zauważałam istotnych zmian dookoła mnie.

No, owszem, miasto rosło, odwilż polityczna rozmiękczyła nasze stosunki z Zachodem. Ludzie zaczęli wyjeżdżać już nie tylko na „letnisko", do rodziny na wieś, nie tylko na wczasy FWP lub obozy TKKF, lecz jeździło się też do kurortów zagranicznych. Do Bułgarii, do Złotych Piasków, Varny, Burgas i Miczurina. Do Jugosławii, najbardziej przypominającej Zachód. Do Dubrownika, Splitu... Także modna była Rumunia (Tak! Naprawdę!), do której jeżdżono leczyć się do ichnich sanatoriów. Również na Krym, do Soczi. Na Węgry nad Balaton, skąd szmuglowano salami i opylano w kraju, „żeby się wydatki zwróciły". O, to właśnie było ówczesnym hitem: pojechać za granicę, sprzedać tam to, co u nas tanie i dostępne, kupić ichnie „fanty" tanie i dostępne i tu, w Polsce, sprzedać je, by „się odkuć".

No, przecież to proste!

Jak się jechało do NRD, brało się kiełbasę krakowską i jałowcową, wódkę wyborową i tam sprzedawało. Kupowało się buty Salamandry albo tani chłam i w kraju sprzedawało do komisów, na bazarze lub znajomym. Spryciarze zawsze byli „zarobieni", czyli na plusie. Do Bułgarii brało się kremy Nivea i prześcieradła, czasem też kiełbasę i wracało się z koniakami: Słonecznym Brzegiem i Pliską. Do Jugosławii — krem Nivea, wódka wyborowa i kryształy z Krosna. Z powrotem, proste, dolary. W Rumunii szła pościel i ręczniki, a stamtąd złoto i koniaki, ale kiepskie. Braciom Madziarom taszczyło się wyborową i kryształy, a u nas opylało ichnią salami i koniak Budafok.

Gdy rodzina wracała z wyprawy na wakacje „zagraniczne", zapraszała sąsiadów albo pociotków i przy wódeczce opowiadano, kto, co i jak szmuglował, gdzie i jak to upychano, i jak z powrotem przemycano to, co teraz się opyli, żeby wyjazd się zwrócił. Na ogół nikt nie pokazywał zdjęć z plaży, „jak to Danuchna się opalała", „jak to Jacuś skakał do morza" i „jaka tam piękna architektura". Nikt nie był w żadnym muzeum, galerii ani nie zwiedzał, bo po cholerę?

Moi rodzice nie umieli tak kombinować i nie mieli ochoty ryzykować poczuciem bezpieczeństwa i własnym honorem. Dopóki wczasy za granicą były drogie i niedostępne, a „kombinowanie" nie wchodziło w grę, nie jeździliśmy. No, ale skoro władza stworzyła takie możliwości, skoro dała paszporty do „demoludów" — naród korzystał. Rodzice Anity jeździli za granicę, ale wracali ze zdjęciami, przeżyciami i piękną opalenizną. Chętnie i barwnie opowiadali potem moim rodzicom przy kawie, jak to było w Jugosławii, na Węgrzech czy w Rumunii, ale z pozycji osób zainteresowanych odmiennością kulturową. Jak pan Krzysiek przywoził koniak, to po to, by go z moją mamą i innymi znajomymi wypić po prostu. Anita też pośpiesznie opowiadała mi, co tam widziała za granicą, a potem pytała, czy widziałam „Milimetra", z kim chodzi Aśka i co w ogóle się wydarzyło w dzielnicy.

Pojawiły się samochody z Zachodu i zapełniły się ulice. Maluchy i dla zamożniejszych fiaty 125p, wkrótce rodzime polonezy. Coraz więcej samochodów parkowało pod naszym blokiem. Moi rodzice nie starali się o samochód, bo nie mieli jak jeździć — mama antytalent, tatko bez ręki. (Wołga przywieziona z Moskwy poszła na sprzedaż).

Zresztą to stale jeszcze były czasy, gdy państwo decydowało (nie jaśnie państwo, a władza), czy ktoś może mieć samochód, czy nie, przydzielając na nie talony przez zakłady pracy. Tak więc niby samochodów było sporo, ale dostęp mieli albo ustosunkowani, albo baaaaaaaardzo zamożni.

Warszawa dostała nowe autobusy.

Stare jelcze powoli odchodziły na trasy „opłotkowe", na prowincję. Po stolicy zaczęły sunąć dostojnie berliety. Nisko dość zawieszone, zupełnie inaczej urządzone w środku i pokrycia miały z pięknej, czerwonej, sztucznej skóry, którą namiętnie wycinali wandale i chuligani. Ludwik Jerzy Kern, felietonista i poeta „Przekroju", napisał nawet wiersz o żłobie, którego zwrotkę tak zapamiętałam:

Dla ciebie, żłobie, pomimo żeś łobuz
My kupujemy „Berlieta" — autobus,
Ażebyś skórę mógł wyciąć z fotela
Na nowe buty, których pragnie Fela,
Bo tak wygodniej byłoby tobie!
Dla ciebie — żłobie.

Berliety miały z tyłu, wysoko nad silnikiem położoną miejscówkę. Na szerokość całego tyłu pięć miejsc siedzących. Znakomicie się tam siadało, bo wysoko, i bardzo trudno się wysiadało, więc ten, kto tam siedział, szczególnie przy oknie i obok, z reguły nie ustępował miejsca, bo „za dużo zachodu". Aha! No właśnie. W tamtych czasach ustępowało się miejsca starszym, matkom z dziećmi i inwalidom. Jakoś tak naród miał to zakodowane. Moja mama też ustępowała miejsca i nauczyła mnie, że to się robi nie z przymusu czy przepisu, a po prostu ustępuje się słabszym, takim, którym jest ciężko. Zwykła życzliwość i już.

Warszawa, nie tylko dzięki berlietom, wyładniała. Nie zauważyłam, kiedy cała Ściana Wschodnia przestała być rumowiskiem i budowlana zadyma przeistoczyła się w modne i całkiem nowe Domy Towarowe. To, że zaistniały, stało się poza mną, kiedy byłam w Moskwie, później, gdy dorastałam na podwórku... Jakoś nieszczególnie były mi potrzebne, bo mama ubierała mnie w Domu Dziecka. Kiedy przestałam być dzieckiem, gdy stałam się dziewczęciem, panną, zauważyłam, że zbudowano dla mnie „Juniora" z Hofflandem.

Cała zaś ulica Rutkowskiego, o której i tak mówiło się zawsze Chmielna, stanowiła zagłębie dodatków: drewniaków, torebek, kolczyków, klipsów, kozaczków i miniówek ze sztruksu i skóry. Dzięki wam — kochani prywaciarze!

Pora kończyć, bo to nic nowego. Domy Centrum znów nazywają się „Junior", „Sawa" i „Wars", chociaż już po raz enty przechodzą modernizację i zmieniają właścicieli. Ostatnie wieści — zbankrutowały podobno.

Chmielna to Chmielna, pełna drogich butików, sklepów z cackami. Taki deptak dla każdego. W przedwojennych Braciach Jabłkowskich, od zawsze domu handlowym, dzisiaj jest wielka kilkupiętrowa księgarnia Traffic z kawiarenkami, a na ostatnim piętrze z salą do promowania książek. Czy mogłam kiedykolwiek podejrzewać, że będąc szkrabem i kupując tu z mamą czerwoną sukieneczkę w kwiatki, będę kiedyś bohaterką wieczoru promocyjnego mojej książki o dzieciństwie? Niesamowite...

Warszawa zaczyna się bardzo szybko zmieniać, wyrastają nowe dzielnice wielkich domów, zmienia się też nasza mentalność, doroślejemy, odrywamy od maminych fartuchów, podwórka zostawiamy młodszym. Popalamy pierwsze papierosy, eksplorujemy kawiarnie, zadzieramy nosa i wszystko wiemy najlepiej. Nasi rodzice jeżdżą już swoimi samochodami (wiem, wiem, nie wszyscy). Mamy kolorowe telewizory, a w nich Studio 2 i przyjeżdża do nas zespół ABBA (1976) i Boney M (1979). Ciągle nie mamy paszportów w szufladach, ale żelazna kurtyna skruszała na tyle, że sporo zza niej widać, słychać, ale opadnie dopiero w 1989 roku. Wielkie zmiany towarzyszą nam już stale, bo sami je zauważamy, uczestniczymy w nich raz mocniej, raz słabiej — różnie. W 1969 roku Neil Armstrong łazi po Księżycu — oglądam to z rodzicami z lekko tylko zapartym tchem, bo na świecie tyle już jest rzeczy możliwych!

Gdzieś właśnie tu, na przełomie lat siedemdziesiątych, kończy się moje dzieciństwo, a zaczynają zupełnie inne czasy. W swej warstwie zewnętrznej blado kolorowe — jak filmy AGFA. Daleko im do pełni koloru, ale już świat nie jest czarno-biały jak na zdjęciach z dzieciństwa.

Młodość, nastoletniość, czyli liceum, nauka, która skutecznie mi przeszkadzała w zakochiwaniu się i życiu towarzysko-koleżeńskim. To też czas wykluwania się z dziewczynki z trzepaka kogoś dojrzalszego. Później studia i rodzina. Zwykłe życie kobiety dorastającej, dojrzewającej. Miłość, macierzyństwo, praca zawodowa i dojrzewanie społeczne — wieczna, do dziś trwająca edukacja.

To jednak jest zupełnie inna bajka...

Posłowie

Skończyłam.

Przede mną leży album jakby fotograficzny z moich szczenięcych lat. Można je opisywać, oglądając obrazki z pamięci — bez komentarza mnie współczesnej. Można oglądać oceniając, komentując już „z dorosłości", co oczywiście kilkakrotnie zrobiłam mimo woli.

Można pisać tak — „W sześćdziesiątym ósmym roku latem dyndałam z koleżankami na trzepaku, przy fikołkach zamiatałam piasek jasnymi warkoczykami".

Można i tak: „W sześćdziesiątym ósmym roku latem dyndałam na trzepaku, a w tym samym czasie z Polski wypędzano Żydów".

Nie miałam pojęcia o tym, zamiatając warkoczami piasek pod trzepakiem, dlatego też nie wtrącałam polityki do moich zdjęć — wspomnień z dzieciństwa — bo jej tam zwyczajnie nie było. Jest dzisiaj, w refleksjach, gdy oglądam znakomite filmy Teresy Torańskiej czy inne reportaże, wywiady o tamtych latach, w których zawarte są ludzkie dramaty, tragedie i zło. Bez wątpienia były one znakiem tamtych lat, ale...

Ale jest też w historii, w latach przeszłych obszar chroniony — nasze dzieciństwo, podwórka, rodzina, a i sama nasza dziecięcość i beztroska.

O wiele barwniej, wyraziściej wspominam dzieciństwo, mimo że przypadło podobno na okres szarego PRL-u, dlatego bardzo chciałam uchronić je od niepamięci, bo nie ja jedna pielęgnuję je jak owe spod szkiełka widoczki z podwórka, nazywane skarbem.

Mimo ubóstwa i niedostatku wyrosło z nas porządne pokolenie. Wielu ma wielkie osiągnięcia. Twórcy kultury nade wszystko, naukowcy znani na cały świat, sportowcy, myśliciele, ale i budowniczowie, którzy dźwignęli kraj z wielkiej ruiny, zbudowali wszystko to, dzięki czemu żyliśmy. Nasze osiedla miasta, zakłady pracy.

To temat do politycznych i historycznych dywagacji i rozpraw. Każdy dziś zajmuje się tym we własnym gronie — ocenia przeszłość i zna najlepszą receptę na to, jak być powinno. Każdy też sam w swoim sumieniu rozsądzi, wspomni, wyceni — ile było dobrego w naszym życiu, jakich mieliśmy rodziców, kolegów, jakie dzieciństwo.

Co z nas wyrosło?

Spis treści

Konieczny wstęp, bo... | 7
Podwórko | 9
Uwaga ważna: Ten rozdział można pominąć! | 13

Część 1
SASKA KĘPA

O Międzynarodowej słowa dwa... | 33
Gdzie się kupowało... czyli skąd się brały wiktuały | 36
Jak przedszkolak chodził do gimnazjum | 42
Saska Kępa — willowa i nie tylko | 51
O knajpkach i innych małych przyjemnościach | 54

Część 2
ZWYKŁE ŻYCIE

Weekend... | 67
Niedziela | 72
Przyjaźnie małe i duże | 79
Słowo o ciuchach | 88
Bazar Różyckiego, czyli dokąd się jeździło
po superciuchy i nie tylko | 96

Część 3

RODZINA

Mama, czyli Maria Kalicińska z domu Urban | 101
Moi rodzice poznali się nad Wisłą | 107
Ojciec, czyli Zdzisław Kaliciński | 118
Dalsza rodzina | 131
Rodzina taty | 153
Święta | 160
Wielkanoc | 161
Pogrzeby, stypy... | 164
1 Maja | 166
1 listopada | 169
Zimowe święta, czyli choinka | 170
„Piętnastka", czyli szkoła przy Angorskiej | 173
Moskwa | 183
Powrót z Moskwy | 213

Część 4

WAKACJE

Baranów, Szafranki, Puck | 217
Szafranki — moja mała ojczyzna | 219
Wiejska niedziela | 235
Puck, Sieraków... czyli wczasy | 252

Część 5

ZMIANY

Przeprowadzka, czyli Międzynarodowa 52,
bez trzepaka... | 273
Ciuchy na Pradze i muzyka | 278
Międzynarodowa 52, czyli życie w bloku | 280
Przygody ze zdrowiem, dr Sosiński,
czyli postać zapomniana | 285
Muzyka, filmy, czyli telewizja | 293

Miłości... | 299
List w butelce, czyli co mi chciała przekazać mama | 301
Zmiany | 323

Posłowie | 327

NOTA WYDAWNICZA

W KSIĄŻCE WYKORZYSTANO

Utwory lub fragmenty

Władysław Broniewski, *Opowieść o życiu i śmierci Karola Waltera-Świerczewskiego*
Bogusław Choiński, Jan Gałkowski, *Na Francuskiej*
Jerzy Ficowski, *Szlifierz warszawski*
Konstanty Ildefons Gałczyński, *Zaczarowana dorożka*, Czytelnik, Warszawa 1956
Ludwik Jerzy Kern, *Dla ciebie, żłobie*
Helena Kołaczkowska, *Na prawo most, na lewo most*
Alan Alexander Milne, *Grzeczna dziewczynka*, tłum. Irena Tuwim © Copyright by Fundacja im. Juliana Tuwima i Ireny Tuwim, Warszawa 2006
Wojciech Młynarski, *Statek do Młocin*
Maria Pawlikowska-Jasnorzewska, *La précieuse*, Czytelnik, Warszawa 1974
Jeremi Przybora, *W kawiarence Sułtan*, Rodzina
Julian Tuwim, *Kwiaty polskie*, Czytelnik, Warszawa 1955 © Copyright by Fundacja im. Juliana Tuwima i Ireny Tuwim, Warszawa 2006

Zdjęcia

s. 29, Elżbieta Czyżewska — PAP/CAF
s. 52, Kalina Jędrusik — PAP/Witold Rozmysłowicz
s. 189, Włodzimierz Wysocki — PAP/Teodor Walczak
s. 268, Wojciech Młynarski — PAP/Witold Rozmysłowicz
s. 271, Czerwone Gitary — PAP/Ryszard Okoński
s. 297, Czerwone Gitary — PAP/Ryszard Okoński
s. 295, kadr z filmu *Wojna domowa* — PAP/CAF
s. 296, Irena Santor — PAP/CAF
s. 297, Kabaret Starszych Panów — PAP/Edmund Radoch
s. 297, Skaldowie — PAP/Stefan Kraszewski
s. 294, Stanisław Mikulski — PAP/CAF

oraz

ss. 2 i 3 okładki, 31, 65, 215, 282 — Janusz Czarnecki
okładka, ss. 12 i 13 — Katarzyna Sagatowska
fragment zdjęcia Autorki na okładce — Łukasz Urbańczyk
ss. 219, 228 — Jan Wajszczuk

GAYLORD